YMDROELLI TUA'R CANT

Many happy memories
of good times
with the [illegible]
Brian

Brian Hughes

YMDROELLI TUA'R CANT

yng nghwmni

GARETH PRITCHARD HUGHES

ROBERT WYN ROBERTS

ISBN 978-1-912173-29-7

Cyhoeddwyd gyda chymorth ariannol
Cyngor Llyfrau Cymru.

Argraffwyr: Gwasg y Bwthyn, Caernarfon
gwasgybwthyn@btconnect.com

CYNNWYS

RHAGAIR

Sgwennais y gyfrol hon ar gais Geraint Lloyd Owen, y bardd a'r llenor. Roedd angen dwyn tipyn o berswâd arnaf, gan nad oeddwn yn tybio y byddai gan lawer o bobl ddiddordeb yn hanes 'cerddor bach o'r Poncie'. Yn y diwedd, gyda chymorth parod dau ffrind mynwesol, Gareth Pritchard Hughes a Robert Wyn Roberts, es ati i feddwl beth oeddwn wedi bod yn ei wneud yn ystod fy mhedwar ugain mlynedd yn y byd.

Er 'mod i'n mawr obeithio y bydd digon o hwyl yn britho'r tudalennau a ganlyn, efallai y byddai'r awgrymiadau isod o ddefnydd i'r darllenwr prysur sydd am daro ei big hwnt ac yma i mewn i ambell bennod sy'n dal ei sylw.

Os am gael tipyn o hynt a helynt hanesyddol, ac yn wir ddaearegol, y Rhos a'r Poncie, ewch i bennod gyntaf y gyfrol. Os ydych am glywed am fy helbulon (sy'n parhau) parthed anawsterau agor drysau, colli cotiau, a phrofiadau gyda mul, dafad, a gorila yna ewch i'r bennod 'Troeon Trwstan'. Os ydych am bori ym maes technegion lleisiol (rhyw syniadau rwyf wedi eu casglu ar hyd y daith gerddorol), ewch i benodau 'Llwyfannu' a 'Briwsion o Fwrdd y Beirniad'. Ac wrth gwrs, mae gennym i gyd 'Freuddwydion'.

Roedd ambell fflach gan Robert yn dwyn i gof atgofion cerddorol ac eisteddfodol ac roedd gwybodaeth hanesyddol manwl Gareth yn rhoi 'dilysrwydd' i'r cwbl. Heb gefnogaeth y ddau, y canwr a'r llenor, ni fyddai'r gyfrol – a heb gerddoriaeth a heb lenyddiaeth ni fyddwn innau.

Ionawr 2019 — J. Brian Hughes

Pennod 1

Y RHOS A'R PONCIE
... HEB ANGHOFIO ABERDERFYN

Nid lle ond pobol ydi'r Rhos' yn ôl J.T. Jones, cyn Brifathro Ysgol Ramadeg y Bechgyn Rhiwabon, ac i ddisgrifio natur y bobl hynny byddai'n dyfynnu llinell o englyn un o feirdd yr ardal, Eilir Aled (y tafarnwr Morris Kyffin, dyn dŵad o gyffiniau Llanfair Talhaearn) *Beibl a rhaw i bobol y Rhos.*

A bod yn fanwl gywir, un o blant y Ponciau oeddwn i (ar lafar 'Poncie'). Ac oes, mae 'ne gryn wahaniaeth rhwng pobl y Rhos a phobl y Poncie, er bod rhaid byw yn yr ardal am oes cyn synhwyro ble'n union mae'r ffin rhwng y ddau le. Beibl a rhaw, y capel a'r gwaith glo – dyna luniodd gymeriad y gymdeithas glòs, gymdogol, fusneslyd a oedd yn byw ar y llethrau uwchben y briffordd sy'n arwain o Wrecsam i Riwabon. Ni fedrwch fynd drwy'r Rhos mewn car a disgwyl cyrraedd pentre arall ... mae'r ffordd yn arwain yn droellog o siop gig Stanley ar hyd Stryt y Plas i fyny drwy Dai-nant i ddistawrwydd unig y mynydd a'r Eglwyseg.

Plant y chwyldro diwydiannol oedd y Rhos a'r Poncie. Pentre o strydoedd culion a rhwydwaith o entris culach fyth (roedd teulu mawr fy mam yn byw yn Eagle's Cottage, Entri Tunnah (Twna ar lafar). Roedd y tai wedi eu codi blith draphlith heb falio dim am na threfn na Chynllunio Gwlad a Thref. Dyma ymateb J.H. golygydd y Brython, wedi iddo ymweld â'r ardal: *Tai fel pe baen nhw'n poeri y naill am ben y llall ... y prawf gweledig cryfaf a welodd y byd fod gan ddyn ewyllys rydd.*

Ardal lofaol oedd y Rhos a'r Ponciau. Mae'r enw Ponciau yn tystio i'r myrdd o fonciau neu domennydd baw a oedd yn britho'r llechweddau fel canlyniad i'r cloddio am lo a fu yno. Pyllau'r Ponciau oedd yn cyflenwi glo i ffwrneisi gwaith haearn John Wilkinson yn y Bers yn y 18fed ganrif ac, yn ddiweddarach, yn ystod streiciau a thlodi'r 1920au, gwelid yno ugeiniau o byllau bach teuluoedd a oedd yn ceisio cael dau ben llinyn ynghyd trwy godi a gwerthu glo. Roedd hyd at 50 o'r pyllau bach hyn o fewn canllath i'w gilydd. Bwced wedi'i chlymu wrth raff a grogai oddi ar fangl fyddai'n cael ei defnyddio i laesu'r coliar i lawr y siafft a hefyd i godi'r glo i'r lan. Daeth nifer o farwolaethau yn sgil y mentrau hyn oherwydd y nwy neu'r coliar yn cael ei gladdu o dan godwm o bridd a cherrig. Roedd bywyd y coliar a'i deulu beunydd dan fygythiad. Enillai'r rhan fwyaf o ddynion y pentref eu bara menyn ym mhyllau glo'r Hafod, Glanrafon *(Bersham),* Vauxhall a Gresford, yr olaf, wrth gwrs, yn enwog am drasiedi'r danchwa fawr a fu yno ym 1934 pan gollwyd 266 o ddynion a bechgyn; ac ym mhentref Gresford rydw i'n byw ers hanner cant o flynyddoedd.

Dim syndod felly fod tri brawd fy mam, Teddy, Joe a William, a'u tad o'u blaenau, dau frawd fy nhad, sef John a Sam, a'u tad hwythau hefyd yn gweithio i lawr y pwll, neu 'ar lawr' fel y dywedir yn y Rhos a'r Ponciau. Fy nhad oedd yr eithriad; roedd yn dipyn o sgolor ond bu'n rhaid iddo adael yr ysgol yn bedair ar ddeg oed a mynd i weithio ym Mecws y Co-op yn Hightown, Wrecsam. Yn fuan, cafodd ddyrchafiad i swyddfa'r Co-op yn Wrecsam ac ymhen hir a hwyr daeth yn *cashie*r i'r cwmni. Un o nodweddion amlyca 'nhad oedd ei wallt trwchus crychiog Affricanaidd, gwallt a oedd mor dew fel y byddai dannedd pob crib yn disgyn fel cawod wrth iddo drwsiadu ei fwng sylweddol.

Un canlyniad i'r diwydiant glo oedd creu awydd am ddysg, am

geisio gwell byd a gwell dyfodol. Clywid y coliar yn dweud yn aml, 'Dw i ddim am weld y bachgen 'cw'n 'y nilyn i lawr pwll'.

Roedd cloddio am lo yn waith peryglus ac roedd hyn yn creu cysylltiadau clòs rhwng y coliar a'i gydweithiwr. Dibynnai'r coliar ar ei 'bartnar' (*'pantnar'* yn iaith y Rhos a *butt* neu *butty* yn iaith cymoedd glofaol De Cymru). Mae 'ne sôn am ryw hen goliar yn y Stiwt yn gwylio un o ffilmiau Hollywood am fywyd Crist. Gwylltiodd yn lân pan welodd Crist yn cerdded ar ei ben ei hun, dan wegian o dan ei groes. Cododd ar ei draed ynghanol y perfformiad a gweiddi, 'Lle mae 'i bantnars o, uffen?' Byddai'r gair uffern (heb yr 'r') yn cael ei ddefnyddio mor aml yn y Rhos fel bod gweddill Cymru wedi bod mor hy' â bedyddio'r lle yn 'Rhos Uffen'. Bid a fo am hynny, roedd ymateb y coliar yn ddarlun eitha teg o natur y gymdeithas ... cymdeithas lle y gwelid dynion yn cydgerdded dros ddwy filltir i'r gwaith glo; yno bydden nhw'n cydweithio am ddeuddeg awr cyn cyd-gerdded adre i fyny dwy allt ar ddiwedd y tyrn gwaith. Fin nos, yn y cyfarfodydd gweddi a seiadau ganol wythnos ac ar y Suliau bydden nhw'n cyd-addoli a chyd-ganu emynau ac anthemau. Elwodd y capeli a'r corau o'r awydd hwn i wneud pethau ar y cyd – yr anian gorfforus. Mae gan y Rwsiaid air amdano *sobornost.* O'r tueddfryd hwn y tyfodd corau'r Rhos – corau cymysg a chorau meibion a chorau plant – ni ffynnodd corau merched i'r un graddau am ryw reswm neu'i gilydd.

Efallai mai dyma'r lle i sôn am y cerddorion a luniodd chwaeth gerddorol cenhedlaeth fy nhad. Roedd traddodiad cerddorol yr ardal yn un pur faith. Bu Eleazar Roberts (1825–1912), arloeswr y gyfundrefn sol-ffa yng Nghymru, yn ymweld â'r Rhos, ac mewn llythyr at Joseph Owen dywedodd *They are very musical folk there.* Tybed ai dyna pam y penderfynodd Joseph Owen ddod o Dalysarn i'r Rhos yn brifathro cyntaf yr Ysgol Frutanaidd ym 1865. Ef, yn anad neb, a sefydlodd y ddawn i ddarllen sol-ffa yn yr ardal. Roedd 250 o aelodau'n mynychu ei ddosbarthiadau sol-ffa, yn eu plith y bariton James Sauvage, un o'r rhai cyntaf o Gymru i ddilyn gyrfa broffesiynol fel canwr opera, y tenor a'r cyfansoddwr William

Davies ('O na byddai'n haf o hyd'), a Hugh Griffiths y Felin, sefydlydd côr cymysg cyntaf y Rhos ym 1863. Roedd yr enwau hyn i gyd yn rhan o saga gerddorol y pentre.

Rhaid edmygu hyder lleisiol a rhyfeddu at uchelgais os nad goruchelgais chwech o gantorion yr ardal a gyflawnodd gamp fawr gerddorol Nadolig 1896 pan ffurfion nhw barti meibion (dau denor yn canu'r alaw; un alto ffalseto, dau fas ac arweinydd) i gyflwyno'r rhaglen Nadoligaidd ganlynol: *Glory to God* a'r *Hallelujah* (Handel), *Awake the Harp* a *The Heavens are Telling* (o *Creation* Haydn), *Splendente te Deus* (Mozart), *Thanks be to God* o *Elijah* (Mendelssohn) *Cytgan y Pererinion* (Joseph Parry), Carolau: *Seren Bethlehem, Ti yw yr hwn, Clychau'r Nadolig*. Yn glo i'r adroddiad yn y *Rhos Herald* dywedir fod y casglyddion wedi gwneud eu gwaith yn effeithiol. Teilwng i'r gweithiwr ei fwyd.

Yn y capeli a'r eglwysi y dysgodd pobl y Rhos a'r Ponciau ganu. Byddai Côr Capel Bethlehem yn mynd i'r afael â gweithiau estynedig. O flaen yr organ roedd Llofft yr Organ, estyniad a adeiladwyd ym 1863 pan brynwyd organ bib gyntaf y capel gan J.D.Jones, Rhuthun – capel cyntaf yr ardal i gael organ. Mae hanes cludo'r organ o Ruthun i'r Rhos yn werth ei adrodd pe bai ond i ddangos brwdfrydedd arwrol y tadau dros eu capel a'u canu:

> *Aeth Mr Williams, y gweinidog, Mathew a Robert Jones (codwr canu) a Thomas Williams y cigydd, tua hanner nos, trwy eira at ben glin i'r Tŷ Mawr, er cael dwy wedd yno. Wedi llwyddo yn hynny, gyrasant yr holl ffordd i Ruthun, llwythwyd yr organ ar y troliau; yna troesant yn ôl, a phrynhawn y diwrnod hwnnw yr oeddynt yn y Rhos, a'r troliau a'u llwyth yn ddiogel. Gosodwyd yr organ i fyny yn ddioed ac agorwyd hi gyda pherfformiad o'r Welsh Gems gan Owain Alaw, y côr dan arweiniad Robert Jones a Fred Owen(s), Aberderfyn, cerddor o fri, wrth yr organ.*

Roedd cartref, Fred Owen a'i frawd, Dan C. Owen, organydd Eglwys y Rhos a sefydlydd cerddorfa'r Rhos, gyferbyn â'n ty ni yn Aberderfyn. Ponciau. Roeddent yn frodyr yng nghyfraith i'r cerddor Richard Mills.

Yn Llofft yr Organ roedd lle i gôr o drigain ond roedd angen helaethu'r llwyfan ar gyfer 150 o gantorion pan fyddai Côr Capel Bethlehem yn cyflwyno perfformiadau blynyddol o weithiau'r meistri. Yr organydd oedd Dr. Caradog Roberts a'i ewythr, Dan Roberts, oedd yr arweinydd.

Dyma enghraifft o raglen Cymdeithas Gorawl Capel Bethlehem ar ddechrau'r 20fed ganrif:

1906 *Y Gaethglud* (Emlyn Evans)
1907 *Creation* (Haydn)
1908 *Elijah* (Mendelssohn)
1909 *Stabat Mater* (Rossini)
1910 *Samson* (Handel)
1911 *12th Mass* (Mozart)
1912 *Last Judgment* (Spohr)
1913 *Stabat Mater* (Dvořák)
1915 *Requiem* (Verdi)

Yr unawdydd alto yn *Requiem* (Verdi) oedd y cyfansoddwr Morfydd Llwyn Owen, '*singing with beautiful taste and sweet voice*' yn ôl y papur lleol, *Rhos Herald*, papur a sefydlwyd gan un o Filsiaid enwog Llanidloes, y cerddor Richard Mills.

Yn ystod yr un cyfnod, roedd Côr y Capel Mawr hefyd yn perfformio gweithiau swmpus dan arweiniad Gruffudd William Hughes, awdur y dôn 'Buddugoliaeth'; un o'r Cefn Mawr a fu'n gyfrifol am ganiadaeth y cysegr yn y Capel Mawr, Rhos.

1909 *Judas Maccabeus* gyda cherddorfa dan arweiniad Smith Anderson Duce
1910 *Messiah* (Handel)

Pan adawodd Gruffudd William Hughes yr ardal am Gapel Princes Rd, Lerpwl, ym 1911, penodwyd yr organydd Emlyn Davies yn ei le ac o dan ei faton ef perfformiwyd:

1912 *Requiem yn D Leiaf* K 626 (Mozart)
1912 *Light of Life* (Elgar)
1914 *Elijah* (Mendelssohn)
1916 *Death of Minnehaha* gan Coleridge Taylor i gyfeiliant organ a cherddorfa leol.

Mae'n werth nodi, ymhlith y gweithiau gan yr hen feistri, fod lle hefyd i ddarnau a oedd newydd eu cyfansoddi gan gyfansoddwyr cyfoes fel Elgar a Coleridge Taylor.

Roedd fy nhad wedi ei fagu ynghanol yr holl weithgarwch cerddorol hwn, felly nid yw'n syndod ei fod yn ganwr ac yn ddarllenwr cerddoriaeth penigamp.

Yn y misoedd cyn y perfformiadau, byddai ysgrifau'n ymddangos yn y *Rhos Herald* yn rhoi hanes y cyfansoddwr a'r gwaith a hefyd ceid nodiadau helaeth a manwl ar bob unawd a chytgan. Oherwydd hyn, roedd yn y Rhos, y pryd hynny, gynulleidfa ddeallus ... a beirniadol!

Does ryfedd fod y *Rhos Herald* yn haeru yn ffroenuchel a nawddoglyd, *Nis gall y dosbarth gorau yn y Rhos heddiw fwynhau cyngerdd ysgafn ac arwynebol.*

Yn anffodus, mae pethau wedi newid gryn dipyn heddiw, nid yn unig yn y Rhos ond drwy Gymru'n gyfan gwbl.

Yn gysylltiedig â'r capeli ceid corau plant – Côr Plant Capel Bethlehem dan arweiniad Jacob Edwards (roedd fy mam yn aelod o'r côr) a Chôr Plant y Capel Mawr yn cael eu harwain gan J. Hartley Davies (brawd y cyfansoddwr William Davies). Byddai'r plant a'u rhieni yn cymryd eu canu o ddifrif ac ambell waith byddai'r elfen gystadleuol yn mynd dros ben llestri. Aeth pethau'n go boeth rhwng y ddau gôr rhwng y Rhos a'r Rhyl ym 1917 yn ôl y *Rhos Herald:*

> *Dywedir fod pethau gwarthus wedi cymryd lle rhwng y ddau gôr yn mynd ac yn dychwelyd o'r gystadleuaeth yn y Rhyl. Os hynny, mae'n hen bryd torri'r ddau gôr i fyny. Nid y plant yn unig oedd yn gyfrifol am greu teimladau chwerw.*

Mae'n siŵr fod ymddygiad rhai rhieni heddiw wrth annog eu plant ar gae pêl-droed yn go debyg i'r ymrafael y soniwyd amdano gynt yn yr *Herald.* Wrth sôn am y Rhyl, efallai fod rhai ohonoch yn cofio'r *Marine Lake,* ynys o ddrygioni a oedd yn uchafbwynt i ddiwrnod trip ysgolion Sul y Rhos a'r Poncie yn y Pum Degau. Mae tri pheth yn aros yn fyw yn fy nghof am y safle nodedig hwn ... y *ghost train,* rasys ceffylau pren, a *Farm World,* eitha paradwys i fulod. Roedd Bryan Jones o Stryt y Go (a oedd i fod yn arolygwr dros Fudiad Ysgolion Meithrin Cymru) a minnau am dderbyn yr her o fynd am siwrne ar y *ghost train.* O'r foment y symudodd ein cerbyd drwy'r drws gyda chlep, i wynebu'r dychrynfeydd annisgwyl, bu'r ddau ohonom ar ein cwrcwd yn y seti pren a'n llygaid ar gau yn dynn ac er bod sgrechiadau byddarol a sŵn cras di-baid olwynion y cerbyd yn crafu ein clustiau, daeth y siwrne frawychus i ben heb inni weld nac ysbryd nac anghenfil.

Roeddwn yn dipyn o giamstar ar rasys y ceffylau pren ... roedd y bêl a oedd yn gyrru pob ceffyl yn disgyn drwy dyllau mewn bwrdd a oedd yn ymestyn rhyw lathen o flaen pob chwaraewr, a hwnnw wedyn yn arwain at res o ryw bymtheg o geffylau lliwgar wedi'u gosod yn ddigon uchel i ddal sylw pobl oedd yn mynd heibio. Roedd llygaid pob un, wrth chwarae, yn dilyn symudiadau a hynt y ceffyl, ond mi fyddwn i'n canolbwyntio'n gyfan gwbl ar y bêl a oedd yn mynd i roi bywyd a hwb i'r mecanwaith a yrrai'r ceffyl pren ymlaen. Byddwn yn estyn fy mraich dan y bwrdd fel y gallwn gyrraedd y twll dewisedig a chyn i'r bêl daro'r gwaelod byddwn yn defnyddio fy llaw i'w chyfeirio ymlaen i'r twll nesa, bob tro, mewn un symudiad cyflym, slic. Twyllo, wrth gwrs, ond dyma be sy'n digwydd mewn rasys 'ffyle go iawn. Ar ganiad y gloch a oedd yn arwyddo diwedd y ras, dyna pryd y byddwn yn codi fy ngolygon, gan ddisgwyl, yn bur hyderus, mai fi fyddai'r enillydd. Ar ôl ennill y ras deirgwaith yn olynol, daeth dyn y stondin ataf a dweud y byddai'n rhaid imi fynd i ffwrdd oddi yno am hanner awr, am ei fod yn colli cwsmeriaid.

Dyna wnes i, a dychwelyd wedyn ac ail adrodd yr un gamp fuddugoliaethus. Y noson honno cerddais i mewn i fws Tommy

Williams â'm breichiau'n llawn o anrhegion di-chwaeth y ffair – a hynny, mae'n ddrwg gen i gyfaddef, heb unrhyw arwydd o euogrwydd. Roeddwn tuag unarddeg ar y pryd, yn ddisgybl yn Ysgol Ramadeg y Bechgyn Rhiwabon. Twyll ac ystryw oedd wedi fy ngalluogi i gael llwyddiant mor ysgubol yn y *Marine Lake* ond, ers hynny, nid wyf wedi cael cyfle i arddangos fy sgiliau dieflig ymysg troseddwyr go iawn a phreswylwyr y fall.

Roedd pob un o blant yr Ysgol Sul yn awchu am farchogaeth ar gefn y mulod diniwed oedd yn sefyll mewn rhes o flaen *Farm World*. Daeth fy nhro innau i eistedd ar gefn anifail digon tawel yr olwg. 'Steddais ar y cyfrwy a gofalodd dyn y ffair fod fy nhraed yn sownd yn y warthol ac i ffwrdd â ni drwy'r drws ar y chwith. Nid oedd modd i unrhyw un weld y tu cefn i waliau pren y stondin nac ychwaith sawru byd y fferm lle'r ymlwybrai'r mulod a'u marchogion, ond medraf dystio fod gwynt cryf nodweddiadol yno a thoreth o wair a thws-li. Teimlais yn hyderus a symudais fy nghoesau fymryn i wneud fy hun yn gyfforddus ar gyfer y siwrne bleserus a oedd o'm blaen. Yn anffodus, hwn oedd yr arwydd i'r mul fod ei farchog am iddo garlamu a pho dynnaf roeddwn yn cydio yn y rêns cyflymaf roedd yr anifail yn symud ... dyma *accelerando* go iawn. Mewn rhyw dri deg eiliad cyffrous dros ben, roedd y mul a minnau, ynghanol cawodydd o wair a thws-li, wedi rhuthro heibio i fy ffrindiau syn a oedd yn symud ling-di-long mewn rhes drefnus, hir. Meddyliais am Roy Rogers a Trigger yn carlamu ar y paith i geisio dianc o grafangau cas yr Indiaid Cochion. Ar y pryd, o hir syllu ar y sgrîn yn sinemâu'r Stiwt a'r Pafiliwn, roeddwn dan ddylanwad propaganda Trympaidd y dydd ac o blaid y dyn gwyn yn ei ymgyrch 'ddewr' yn erbyn yr Indiaid. Erbyn heddiw mae hanes ac arddeliad efengylaidd Marlon Brando wedi datgelu'r gwir, ac mae'n amlwg mai'r dyn gwyn oedd ar fai yn ei chwant ddidrugaredd i ennill tir oddi ar y brodorion lleiafrifol. Ond brysiwn yn ôl i 'r *Marine Lake* a *Farm World*. Erbyn imi felltennu drwy'r drws ar ochr dde'r stondin ac yn ôl i freichiau cryf y perchennog, roeddwn yn hongian o wddf yr anifail ac yn sibrwd erfynion taer i'w glustiau hir.

That was quick, meddai dyn y ffair, gan wasgu pres yng nghledr fy llaw, *Would you like another go?*

No, meddwn innau a rhedeg allan i ddihangfa'r nos, gan addunedu na fuaswn yn mynd ar gyfyl na mul na cheffyl am weddill f'oes.

Roedd fy rhieni yn y Rhos a'r Poncie, wedi tyfu i fyny ynghanol bwrlwm gobeithion a dyheadau'r Blaid Lafur i sichrau gwelliannau ym mywyd dynion cyffredin a pheri tro ar fyd mewn cymdeithas. Nid yn y capeli yn unig y ceid y gweithgarwch a'r brwdfrydedd i hyrwyddo enw da cymdeithas y pentre.

Mae'r *Rhos Herald* (28.2.1920) yn adrodd hanes coliars yng ngwaith glo'r Hafod yn dod at ei gilydd i ffurfio côr ar ddiwedd tyrn gwaith o ddeuddeg awr (tyrn' yw *shift* yn nhafodiaith y Rhos). Roedden nhw'n gweithio yn yr un traws (rhan o'r pwll) Traws y Cwecar Mên *(Quaker Main)*, sef yr enw ar y math o lo a oedd yn cael ei godi yno:

> *Arhosodd nifer fawr o'r coliars ar ôl i drafod ffurfio côr meibion a dewis arweinydd a swyddogion. Trefnwyd fod pawb yn codi ei lamp i ddatgan ar arwydd, gan na ellid gweld y dwylaw oherwydd tywyllwch y lofa. Penodwyd Joseph Bellis (Joe Bel) a dangoswyd fod pawb yn derbyn dwy amod Joe Bel, sef FFYDDLONDEB A PHRYDLONDEB. Roedd y pwyllgor cyntaf yn cynnwys deunaw aelod. Er bod gan bawb ryw ddwy filltir o ffordd i gerdded i lygad y pwll a dwy filltir arall i fyny Allt y Gwter i'r Rhos a hithau wedi mynd yn hwyr y dydd, yr oeddynt yn ysgafn eu traed oherwydd brwdfrydedd dros y côr ...* Côr y Cwecar Mên.

Roedd yr arweinydd, Joseph Bellis, Joe Bel, hefyd yn arweinydd côr cymysg o leisiau dethol a arbenigai mewn canu madrigalau a buont yn darlledu dros ugain o weithiau ar y BBC yn y 1930au a'r 1940au. Roedd Jenny Mills, merch y cerddor Richard Mills a chymdoges i ni yn Aberderfyn, yn aelod o'r côr hwn.

Ond yn ogystal â'r traddodiad lleisiol, roedd hefyd yn y Rhos draddodiad offerynnol.

Ffurfiwyd Band Arian y Rhos ym 1883 a sefydlwyd cerddorfa'r Rhos ym 1893 gan frawd yng nghyfraith Richard Mills, Dan C. Owen, organydd Eglwys y Plwy ac athro piano cyntaf Dr Caradog Roberts. Roedd 32 o offerynwyr yn y gerddorfa a'u rhaglen gerddorol wedi'i chyfyngu i berfformio *Marches, Valses, Polkas, Gavotte,* ond yr hyn sy'n peri syndod yw amrywiaeth yr offerynnau a ffurfiai'r gerddorfa: 9 (fiolin 1af), 7 (ail fiolin), 2 (fiola), 1 (*cello*), 2 (contra bas, sef bas dwbl), 1 (ffliwt), 1 (picolo), 3 (clarionette – sef y clarinét), 1 (corned), 1 (corn), 1 (iwffoniwm), piano, ac ar y timpani roedd bachgen ifanc o'r enw Caradog Roberts.

Yn y 1920au, cynhelid cyngherddau siambr gan deulu o offerynwyr, sef teulu Smith Anderson Duce. Byddent yn cyflwyno deuawdau a thriawdau llinynnol gan Haydn, Schubert, Beethoven, Elgar a Vieuxtemps yn y Pafiliwn, y neuadd gyhoeddus a godwyd o rannau o hen bafiliwn Eisteddfod Gendlaethol Wrecsam 1912 – ni chafodd y Stiwt ei adeiladu tan 1926.

Byddai'r organydd a'r pianydd Emlyn Davies hefyd yn ymuno â'r fiolinydd Smith Anderson Duce yng nghapeli'r fro i gyflwyno datganiadau o waith Wagner, Dvořák, Chopin, a Bach. Mor, mor wahanol i'r arlwy cerddorol sy'n cael ei gyflwyno yn ein pentrefi heddiw ac wedyn yn cyrraedd y cyfryngau fel ffrwyth cerddorol y genedl Gymreig sydd wedi llyncu'n ddi-halen y 'gorau' all ddod allan o America fawr. Cyfrifid Emlyn Davies ymhlith organyddion gorau ei gyfnod; bu'n perfformio darnau gan Chopin a Rachmaninov yn St George's Hall, Lerpwl. Gadawodd y Rhos i fynd yn organydd Westminster Chapel Llundain, capel Dr Martyn Lloyd Jones. Ddydd ei angladd, fis Mai 1951, dyma ddywedodd y cyfansoddwr Dr. Beckett-Williams amdano:

> *Emlyn Davies was one of the most brilliant organists of his day – for a long while his recitals were an event of musical note – he selected not only the classics but also Saint-saëns, Karg-Elert, Basil Harwood – performances of sheer virtuosity which have seldom been equalled.*

Ceid darlithoedd hefyd gan Caradog Roberts a chofnodwyd manylion am dair ohonyn nhw yn y *Rhos Herald:*

Y gerddoriaeth newydd – Walford Davies, Elgar a Bartók
Darlith ar Mussorgsky, Greig, Dvořák a Tchaikovsky
Music of the Nations – Yr Almaen, Ffrainc, yr Eidal, Norwy, Bohemia, Rwsia a Gwlad Belg.

Rydyn ni'n gwybod am leisiau'r Rhos ond, yr adeg honno, roedd hefyd awydd mawr i ddysgu darllen cerddoriaeth. Byddai fy nhad yn sôn am yr addysg gerddorol a gafodd pan fu'n canu gyda chôr Capel Bethlehem, a Caradog Roberts, wrth ymarfer y *Stabat Mater* (Dvořák), yn sôn am yr elfen gromatig yn agoriad y gwaith sy'n fynegiant o ddioddefaint Crist. Un enghraifft sy'n dangos fel y byddai aelodau'r corau yr adeg honno'n disgwyl i'r arweinydd ddiwallu eu hawydd i ddeall ac amgyffred y gwaith; disgwylid i'r arweinydd sôn am ystyr y geiriau a thrin a thrafod y modd roedd y cyfansoddwr wedi goresgyn yr her o ddod â'r geiriau a'r gerddoriaeth ynghyd. Roedd bod mewn côr yn rhywbeth addysgiadol ac yn bendant ddigon roedd disgwyl i'r arweinydd fodloni'r awch am wybodaeth. Roedd yr holl broses yn rhan o brofiad celfyddydol ac, yn sgil hyn, daeth y cyfle i ddatblygu'r dechneg o ddysgu darllen cerddoriaeth. Roedd canu emynau'n bwysig iawn, wrth gwrs. Roeddwn yn aelod yng Nghapel Bethlehem, capel Caradog Roberts, ac wrth ganu ei donau roeddwn yn dod yn ymwybodol iawn o'u crefftwaith cerddorol ac mae eu sicrwydd cynganeddol a'u grym cyweirnodol wedi bod yn ddylanwad mawr ar y gerddoriaeth rydw innau wedi'i chreu. Roedd y Caradog Roberts ifanc wedi ei brentisio, ym more oes, yn saer coed a defnyddiodd sgiliau tebyg i saernïo perffeithrwydd seinyddol yn ei emyn-donau, heb sôn am yr anthem fawr, Salm 23. Cadernid llinell fas y tonau oedd y peth a oedd yn fy nharo i ers pan oeddwn yn ifanc iawn. Rydw i'n edmygydd mawr iawn o'r hyn roedd Caradog Roberts yn gallu ei gynhyrchu o fewn ychydig fariau o gerddoriaeth. Mae yr un mor anodd sgwennu tôn gynulleidfaol syml â sgwennu symffoni; mae graddfa gwaith cerddorfaol yn llawer mwy ac mae cryn dipyn o wahaniaeth rhyngddynt o ran hyd, wrth reswm, ond yr un ydy'r her yn y bôn, sef cynhyrchu brawddegau a chynghanedd sy'n orffenedig ac yn ystyrlon. Mewn gwirionedd, mae creu emyn-dôn fawr yn fwy o dasg gan fod yn rhaid i'r dôn fod yn gyfuniad o'r hen a'r newydd. Roedd Dr Caradog yn creu ac yn cyflwyno rhywbeth newydd trawiadol o fewn yr hen draddodiad sy'n deillio o'r canu cynulleidfaol yr oedd ef ei hunan yn gymaint rhan ohono yng nghapel Bethlehem ac mewn Cymanfaoedd Canu ledled Cymru. Ymddangosodd nifer o'i donau am y tro cyntaf mewn casgliadau Saesneg; er enghraifft, 'Berwyn' ar eiriau Horatius Bonar, *Light of the world* gyda rhythmau dipyn mwy sionc a johoi nag a geir yn y fersiwn Cymraeg. Nid wyf am ymddiheuro i'm darllenwyr am gymeradwyo perfformiad Cantorion Cynwrig o'r dôn hon ar eiriau Rhys Nicholas, 'Tyrd atom ni, o Grewr pob goleuni' ... priodas berffaith, meddwch chi, ond nid priodas a gyflawnwyd yn ystod bywyd y cyfansoddwr. Mae nifer fawr o donau Caradog Roberts yn berffaith o safbwynt cydbwysedd rhwng yr alaw a chryfder y gynghanedd, er enghraifft, *In Memoriam, Newark*, a *Louvain* ac mae tafarnau a meysydd rygbi'r byd yn morio drwy *Rachie*, 'I bob un sy'n ffyddlon' neu, wrth gwrs, 'Onward Christian Soldiers' ... faint o'r miloedd hyn sy'n ymwybodol mai Dr. Caradog o'r Rhos 'sgwennodd y dôn?

Roedd y *Band of Hope* yn bwysig iawn. Dydw i ddim yn cofio pan nad oeddwn yn gallu darllen cerddoriaeth. 'Wn i ddim ai dylanwad fy nhad oedd hynny, ond roedd hefyd ddosbarthiadau tonic sol-ffa yn y festri yng Nghapel Bethlehem gyda Wilfred Hughes a'i ffon hir yn pwyntio at y nodau ar y *modulator* yr oedd am inni eu canu; y lle dan ei sang, a seiniau gorfoleddus plant yn mwynhau ymarferiadau sol-ffa yn diasbedain drwy'r festri.

Roedd fy nhad hefyd wedi mwynhau ac wedi dysgu llawer fel aelod o Gôr Meibion y Rhos dan arweinyddiaeth John Owen Jones. Soniodd am y bore Sul, pan oedd yr arweinydd ar ganol ymarfer ei ddarn *Arsenal at Springfield* (geiriau Longfellow), y symudodd fy nhad o res gefn y *1st Tenors* i safle barhaol yn y rhes flaen. Nid oedd wedi bod yn y côr yn hir ac roedd y fath ddyrchafiad cynnar wedi esgor ar bob math o sibrydion maleisus a grwgnach cenfigenus.

Roedd tad a thaid John Owen Jones wedi bod yn gerddorion arloesol a blaengar yn ardal Pen-y-cae a'r Rhos. Yn ystod ei gyfnod fel organydd Capel Tredegarville, Caerdydd, bu John Owen Jones yn athro cerdd i Ivor Novello a hefyd Mansel Thomas. Dychwelodd i'r Rhos a chael llwyddiant ysgubol fel arweinydd côr cymysg a chôr meibion.

Bu canmol mawr ar berfformiad ei gôr cymysg o'r *Offeren yn B leiaf* (J.S. Bach) yn Eisteddfod Genedlaethol y Rhos 1945.

Roedd John Owen Jones yn gyfansoddwr toreithiog – caneuon fel 'Cyfoedion Cofadwy' a darnau i gorau meibion e.e. 'The Arsenal at Springfield', 'The Inchcape Bell' a 'Chwyth, chwyth aeafol wynt'. Roedd ganddo ddawn dechnegol wych fel cyfansoddwr, yn sgwennu yn arddull Elgar a Bantock, sef cyfansoddwyr cyfoes y cyfnod, ac roedd yn fwy na pharod i gyflwyno'r *repertoire* newydd i'r côr meibion. Heddiw, wrth gwrs, mae'r gwahoddiad *Join a choir and have fun* wedi arwain at fwy o gorau nag erioed ond mae ansawdd lleisiol difreintiedig y rhai sydd wedi ymuno â chorau wedi arwain at ddirywiad mawr mewn safonau. Y gri heddiw yw am greu côr cymunedol. Yn y gorffennol, côr oedd côr, rhywbeth a oedd yn perthyn yn naturiol i ardal heb fod arno angen label fel 'cymunedol'. Yr unig beth a oedd yn ofynnol oedd bod y darpar aelod yn meddu ar lais da a bod ganddo ddigon o frwdfrydedd i fod yn aelod selog o'r gymdeithas gerddorol. Roedd yn rhaid cael prawf llais i ymuno â Chôr y Rhos ac roedd bod yn *first tenor* neu *bottom bass* yn fraint ac anrhydedd. Pa mor dda bynnag fyddai'r llais, byddai tenor newydd yn gorfod bwrw ei brentisiaeth yn adran y *second tenors* cyn cael ei ddyrchafu i blith etholedigion y *first tenors.*

Stori fyddai'n cael ei hadrodd ers talwm i adlewyrchu cyfoeth lleisiol y côr yw honno am Pedr yn arwain rihysral gyda chôr y nefoedd – Côr Caersalem. Yn y côr o leisiau angylaidd, dethol, roedd llu o sopranos, altos a thenoriaid ond dim ond un bas, a hwnnw'n gyn-aelod o Gôr y Rhos. Ymhen ryw hanner munud o ganu, cododd Pedr ei freichiau i atal y sain gorfoleddus oedd yn atseinio drwy'r nefolion leoedd. 'Mae'r sain gyffredinol yn dda iawn,' meddai, ' Ond mae'r cydbwysedd lleisiol yn anghywir. Mae adran y bas yn rhy gryf.'

Roedd fy nhad yn denor telynegol, a chanddo lais ysgafn deniadol; gwyddai sut i anadlu a sut i gyfathrebu gyda chynulleidfa. Ar ôl canu *1st. Tenor* yng Nghôr Meibion y Rhos, daeth yn gyfeilydd iddynt, ac yn drysorydd i'r côr ar eu hymweliad â Sbaen ar ddiwedd yr Ail Ryfel Byd ... efallai y côr cyntaf o Brydain i ymweld ag Ewrop ar ôl y rhyfel, a hynny ar gais y Cyngor Prydeinig. Harold Tudor, un o Goed-poeth, a sefydlodd Eisteddfod Ryngwladol Llangollen, fu'n gyfrifol am drefnu'r daith ac aeth draw i Sbaen gyda'r côr. Roedd fy nhad hefyd yn arwain Côr Co-op Wrecsam, côr meibion o ryw dri deg o aelodau. Rydw i'n cofio nifer o gyngherddau pan nad ymddangosodd yr unawdydd gwadd a byddai fy nhad yn gorfod llanw'r bwlch yn y rhaglen. Heb gopi o'i flaen, dan gyfeilio iddo ef ei hun ar y piano, byddai'n rhoi boddhad mawr i'r gynulleidfa, gan fod y geirio mor ystyrlon a'r lleisio mor ddiymdrech. Roedd yn canu caneuon fel 'Paradwys y Bardd' gan Bradwen Jones a 'Tom Bowling' gan Dibdin, ond y ffefryn oedd 'I hear you calling me' gan Charles Marshall, cân a anfarwolwyd gan y tenor Gwyddelig John McCormack. Yn y llinell olaf mae McCormack yn canu'r 'A' uchel *mezza voce* ac wedyn yn disgyn yn gelfydd i gloi'r gân ar yr 'C' isel ... roedd fy nhad yn canu'r 'A' uchel ac yn ymestyn y *mezza voce* ymlaen i orffen y gân ar 'C' uchel a dal y nodyn am hir. Yn nyddiau ei fachgendod, roedd wedi canu trebl (*boy soprano*) ac yn adnabyddus yn yr ardal fel unawdydd hyderus a medrus.

Roedd taid Rhos, tad fy mam, yn ymwybodol o'r unawdydd ifanc addawol, ond roedd wedi rhybuddio mam rhag cael dim i'w wneud â bachgen Ioan Hughes (Sweep) o Stanley Road, sef fy nhaid Ponciau. Roedd piano wedi ymddangos ar aelwyd Stanley Road, rywsut, ac roedd fy nhad wedi cael tair gwers gan Joe 'Longtail'. 'Dwn i 'im sut wersi oedden nhw, ond dyna fu cyfanswm addysg bianyddol gynnar fy nhad.

Beth bynnag, roedd yn ddarllenwr gwych, ac yn cael gwersi canu gan Wilfrid Jones, sef cyfansoddwr "Y Bugail", cerddor profiadol, arweinydd Côr Meibion y Rhos pan enillon nhw am y tro cyntaf yn Eisteddfod Genedlaethol Blaenau Ffestiniog 1898, a thad Mabel Wilfrid Jones a ddaeth yn arbenigwr lleisiol yn ardal Wrecsam. Rydw i'n cofio 'nhad yn sôn am wers pan oedd yn canu am gath yn boddi mewn ffynnon, a Wilfrid Jones yn dweud wrtho, *Gwranda 'machgen i, paid â bod yn rhy ddagreuol, 'mond cath sydd wedi marw!* Dwi'n teimlo mai dyma un o'r gwahaniaethau mawr rhwng canu clasurol â chanu pop; mae'r emosiwn mewn canu clasurol yn sail i'r mynegiant ac yn ysbrydoli anadlu celfydd, anwesu llafariaid ac yn gyfuniad o weledigaeth a disgyblaeth. Mewn canu pop, emosiwn ydy popeth – *wear your heart on your sleeve* – mae ansawdd y llais a phopeth arall yn cael ei aberthu ar allor mynegiant – a'r mynegiant hwnnw yn cael ei ddefnyddio i ysgogi ymateb gan y dorf yn hytrach na datgelu ymateb yr unawdydd ei hun i gynnwys y geiriau. Mewn perfformiad mae'n bwysig rhoi rhwydd hynt i'r gerddoriaeth lifo, anadlu a blaguro, heb daflu allan dalpiau o emosiwn fel lympiau o sment mewn ymgais i wneud eich hun yn anwylyn y gynulleidfa ... roedd geiriau Wilfrid Jones yn y wers ganu yn ddoeth ac yn bwrpasol a 'nhad yn ddigon craff i ddeall eu harwyddocâd.

Roedd mam yn aelod ffyddlon yng nghapel Bethlehem ac, ar y Sul, roeddem yn cerdded dair gwaith i'r oedfaon, o Aberderfyn yng ngwaelod Poncie, drwy Clarke St, heibio i'r ysgol gynradd, i fyny'r allt serth a elwid *The Avenue,* cyrraedd gwastadedd cymharol *Baptist Street* a *Pearson Street* cyn troi a cherdded drwy entri Tunnah a'r 'Gerddi' a chyrraedd y capel. Pur anaml y byddai 'nhad yn dod gyda ni, er ei fod yn mwynhau pregethau'r Parchedig Edryd Jones, y gweinidog, yn oedfaon y nos. Ar un adeg, roedd yn aelod gyda'r Beddyddwyr Albanaidd ac yn ddigon taer ei gred i wahardd fy medyddio pan oeddwn yn faban am ei fod yn credu y dylid bod yn ddyn rhesymegol cyn penderfynu dod yn aelod o unrhyw grefydd. Roedd gan y Bedyddwyr Albanaidd ddau gapel o fewn canllath i'w gilydd, sef 'Capel Top' (Tabernacl) yn *Chapel St.* a chapel Soar bron drws nesa' i'n cartre ni yn Aberderfyn. Roedd Soar yn gapel bach hardd ei olwg ac, yn y cyfnod pan oedd fy nhad yn y fyddin, bu mam yn glanhau'r adeilad ac yn sgwrio'r buarth am hanner coron yr wythnos. Roedd fy nhad wedi cael ei ddylanwadu tipyn gan gydweithiwr ym mecws y Coop a oedd yn anffyddiwr rhonc ac, ar ôl gofyn nifer o gwestiynau profoclyd mewn dosbarth ysgol Sul yn Soar, dywedodd un o'r dosbarth, 'Jerry, rwyt ti'n meddwl dy fod yn gwbad mwy na Duw.' Cododd fy nhad o'i eisteddle a cherdded allan ac ni throediodd yr adeilad byth mwy.

Pan orfodwyd fy nhad i ymuno â'r R.A.F. (nid oedd angen i Hitler ofidio dim am hynny) bu'n rhaid i mam ymdopi am dair blynedd hebddo. Ni chlywais hi erioed yn cwyno, ond rydw i'n cofio un digwyddiad eitha cas a dideimlad. Rhoddodd Miss Ceridwen Gruffydd, prifathrawes Ysgol y Babanod y Ponciau (chwaer y bardd a'r llenor W.J. Gruffydd), nodyn i mi gymryd i mam, nodyn yn gofyn iddi ddod i'r ysgol i'w gweld. Yn naturiol, roedd mam yn pendroni beth oedd o'i le ac yn gofyn i mi a oedd rhywbeth anffodus wedi digwydd yn yr ysgol. Y bore wedyn, aethon ni i mewn i ystafell y brifathrawes; dwedodd hithau fod y llywodraeth wedi cysylltu â hi i ddweud fod fy nhad wedi derbyn swllt ychwanegol yn ei gyflog fel milwr ac oherwydd hyn nid oedd ei blentyn, sef fi, i dderbyn llefrith am ddim fel pob plentyn arall yn y dosbarth. Rydw i'n siŵr fod mam wedi teimlo'r peth i'r byw ond, o'm safbwynt i, roedd yn anodd deall pam oedd fy nhad yn cael ei gosbi am weithio i'r brenin a thad pob plentyn arall, pawb nad oeddynt yn gweithio i'r brenin, yn derbyn cymorth y wladwriaeth. Mae'n siŵr fod tadau y rhan fwya' o'r plant yn fy nosbarth yn gweithio lawr pwll yn codi glo i gynnal yr ymdrech filwrol ond, beth bynnag am hynny, dyma fu man cychwyn fy amheuon parthed y berthynas rhwng llywodraeth a chymdeithas, rhwng beth sydd yn cael ei ddatgan fel ffaith a beth sydd yn digwydd mewn gwirionedd. Hyd heddiw, rydw i'n parhau i ryfeddu at ffolineb llywodraeth a gwleidyddion, ac yn ddrwgdybus o rym awdurdod haearnaidd mewn unrhyw faes; mae'n dristwch fod cymaint o bobl yn llyncu anwireddau yn yr un modd ag y maent yn derbyn safonau isel yn y celfyddydau sy'n deillio o'r ffaith fod y cyfryngau yn mwytho poblogrwydd ac yn gaethweision i bropaganda a *viewing figures*. Er hyn i gyd, nid oedd mam yn hoff o wrando ar fy nhafod yn traethu yn erbyn y frenhines, yr eglwys a'r Ymerodraeth Brydeinig. Ond efallai fod fy atgasedd yn deillio o'r cam a gefais yn yr ysgol gynradd y bore hwnnw yn ystafell Miss Gruffydd ... heb lefrith, heb ddim.

Ar ôl ei gyfnod yn yr R.A.F., daeth fy nhad yn ôl i'r Poncie a bu'n gwasanaethu fel organydd yng nghapel y Bedyddwyr Saesneg, Mount Pleasant, yn Stryt y Capel, bron gyferbyn â thafarn yr *Horse and Jockey* (roedd tri ar hugain o gapeli a'r un nifer o dafarnau yn yr ardal, ers talwm, a chan amlaf nid oedd 'y pellter oedd rhyngddynt yn fawr'). Rydw i'n cofio trybini'r boreau Sul pan fyddai 'nhad yn bwyta ei frecwast o gaws wedi'i ffrïo a bitrwt, gan siafio ar yr un pryd, ac yna'n rhedeg nerth ei draed i fyny Aberderfyn a charlamu i lawr Chapel St. â'i wynt yn ei ddwrn i gyrraedd y capel cyn deg o'r gloch. Ar ganol un gwasanaeth hwyrol, ac yntau'n chwarae rhyw ddarn defosiynol, syrthiodd darn go sylweddol o nenfwd y capel a glanio cwta hanner llath oddi wrtho. Daliodd 'nhad ymlaen i chwarae ond ar ddiwedd y gwasanaeth aeth at y gweinidog, y Parchedig. Ridley Williams, a dweud,

I think I should resign because that was a sign from God that he wants me out of here.

Atebodd y gweinidog, *No Jerry, if he wanted you to go, he would not have missed.*

O amgylch y tŷ, roedd fy nhad (fel ei fab ar ei ôl) ymhell o fod yn ŵr amcanus ... mam oedd yn delio gyda'r 'lectric, yn trwsio'r brws llawr, yn 'puro' (papuro) a phaentio'r waliau, gosod y cyrtans a meddwl am bob math o ddyfeisiau syml i wneud bywyd yn gyfforddus yn Aberderfyn. Pan fyddai'n odi (bwrw eira i weddill Cymru), mam fyddai'n cynllunio *sledge* allan o ddarnau o hen gadair siglo er mwyn i mi gystadlu gyda rhyw fath o barch yn erbyn y bechgyn eraill ar lethrau cae Ben Moore, ger ein tŷ.

Un diwrnod gofynnais i mam (doedd dim iws gofyn i 'nhad) wneud twll mewn concar roeddwn, yn wir, yn credu ei fod â'r rhinweddau angenrheidiol i gario'r dydd ar iard yr ysgol.

Penderfynodd mam mai'r unig ffordd i goncro'r concar oedd â nodwydd ddur boeth ... rhoddwyd y nodwydd yn y tân glo agored a phan oedd honno'n chwilboeth aeth ati i greu'r twll yn y concar. Yn anffodus llithrodd y concar o'i gafael a thrywanodd y nodwydd gledr ei llaw. Rhoddodd gadach llestri gwlyb o amgylch ei llaw, a oedd erbyn hyn yn stemio, a gofynnodd i 'nhad dynnu'r nodwydd allan ...'sgydwodd ei ben, a dweud, 'Na, fedra i'm diodde edrach arno', a bu rhaid i mam, yn ei phoen a'i dagrau, gyflawni'r weithred angenrheidiol a minnau'n gwingo wrth syllu ar y difrod roedd y concar diniwed wedi'i achosi.

Stori arall ychydig mwy ysgafn ei naws yw'r hanes am yr *Alkazeltzer*. Roedd mam yn sâl yn ei gwely (digwyddiad anaml iawn) a Meri-Lisi drws nesa, cymdoges hoffus a ffyddlon, wedi sôn wrth fy nhad am ffisig newydd a oedd ar werth yn y siop gemist – *Alkazeltzer*! Aeth fy nhad ar unwaith i nôl y tabledi gwyrthiol ond wedi cyrraedd yn ôl adref a rhoi'r dabled gyntaf mewn glasied o ddŵr, nid oedd arwydd ei bod yn toddi. Ar ôl llawer o gymysgu ffyrnig â llwy, nid oedd dim newid ar y dabled 'styfnig. Cafodd y syniad o ddyrnu'r dabled efo morthwyl, a mam yn gweiddi o'r llofft, 'Be sy'n bod?' Anfonwyd am Dodo Lisi drws nesa. Roedd fy nhad ar ei liniau, y morthwyl yn ei law a'r glasied dŵr wrth ei ochr, a dwedodd Meri Lisi, 'Jerry, cadwa'r morthwyl ... mae'r tabledi'n dal yn y botel'. Roedd 'nhad wedi bod yn curo'n ddidrugaredd ar y darn caled oedd yn gwahanu'r tabledi oddi wrth gaead *sgriwtop* y botel. Aethom ein tri i fyny'r grisiau ac adrodd yr hanes wrth mam ... roedd yn ei dagrau'n chwerthin ac yn teimlo'n well cyn llyncu'r dabled ystrywgar, Bimpernelaidd.

Dylanwad mawr arnaf, wrth gwrs, oedd y côr meibion. Roedd fy nhad yn gyfeilydd y côr a byddwn yn mynd gydag ef i wrando ar y côr yn ymarfer er pan oeddwn yn ifanc iawn, saith neu wyth oed, a byddai sain côr Rhos, sain gyhyrog, gyfoethog, soniarus yn peri cyffro mawr yn fy nghlust ddiniwed ac arhosodd yr ymwybyddiaeth o'r lleoliad lleisiol hwnnw am byth yn y cof. Pan oedd y côr yn mentro allan i 'Groesi'r Anial' ac yn canu *Who in his wigwam strings his bow* roedd cerddoriaeth ddramatig Maldwyn

Price yn creu darlun byw o'r Indiaid Cochion yn paratoi am ddyfodiad y dyn gwyn ac roeddwn innau'n rhannu gofid y dyn gwyn wrth iddo gysidro ei opsiynau prin ar y siwrne ar draws yr anialdir. Pan fyddai'r côr yn cyrraedd rhan olaf 'Cytgan y Pererinion' Joseph Parry, *Wedi pererindod bywyd ... mewn nefol wlad, mewn nefol wlad* roeddwn yn gweld yr angylion, ac yn llwyr gredu bod y côr wedi cyrraedd y grisiau oedd yn arwain i'r nefoedd.

Benni Evans oedd arweinydd y côr meibion, yn wir, fel Côr Benni y cyfeirid at Gôr y Rhos yn fynych. Roedd y Rhos yn enwog am roi blasenwau i unigolion a theuluoedd. Yr enw a etifeddodd yr arweinydd gan ei deulu oedd Benni Mulod ... a rhoi enw ei stabal iddo. Ac er mai at y ffaith fod ei gyn-dadau yn cadw mulod ar gyfer cartio glo a dodrefn o fan i fan y rhoddwyd yr enw ar y teulu, roedd elfen o styfnigrwydd yr anifail hwnnw yn natur Benni. Cafwyd un enghraifft o'r styfnigrwydd teuluol ynghanol poethder a blinder annisgwyl taith y Côr i Sbaen ym 1948. Gwrthododd Benni symud o'i gadair ar orsaf Barcelona nes byddai'n cael paned o de i ladd blas yr *olive oil* oedd wedi treiddio drwy bob pryd o fwyd y bu'n rhaid iddo ef ac aelodau'r côr ei wynebu gydol y daith. Er i aelodau'r côr a oedd eisioes ar y trên erfyn yn daer arno, ni symuodd Benni gam o'i sedd a bu'n rhaid i'r gorsaf feistr ddal y trên yn ôl nes i Benni orffen ei baned.

Roedd fy nhad yn dweud bod Benni yn arwain â'i lygaid a'i gorff yn hytrach na'i freichiau. Mae atgofion y Rhos am *the missing beat* wedi diflannu erbyn hyn, pan gollwyd y gystadleuaeth oherwydd i denoriaid y Rhos ddod i mewn yn rhy gynnar wrth ganu 'Reveille' gan Elgar yn Steddfod Abergwaun 1936. Er nad oedd techneg arweinyddol Beni yn wych, roedd fy nhad yn edmygu ei reddf am sain bur a'i allu i drin geiriau gyda dychymyg a drama. Er hyn rydw i'n cofio bod mewn rihyrsal yn yr *Assembly Room,* yn y Stiwt, a minnau'n ifanc iawn, yn gwrando ar Benni a'r côr yn cael tipyn o drafferth ymdopi â llond ceg o gytseiniaid yn llinell anfarwol David Adams, awdur geiriau 'Cytgan y Pererinion' (Joseph Parry) *Erch ellyllon, beiau bywyd droant hwnt o wydd y Groes,* her anoresgynnol i anffodusion y dannedd gosod llac. Achosodd cymal olaf y llinell gryn benbleth imi hefyd. Gan nad oeddwn yn clywed yr 'dd' yn 'wydd y Groes' bûm yn pendroni llawer beth oedd a wnelo 'wy' â'r croeshoeliad.

Er na ellir gosod gwerth llenyddol rhai o'r hen ddarnau yng nghategori'r 'Dosbarth Aruchel', a dweud y lleiaf, mae cerddoriaeth cyfansoddwyr megis Joseph Parry, Daniel Protheroe a Maldwyn Price yn tanio'r dychymyg ac yn sicr yn dangos deallusrwydd lleisiol ... mi fyddai corau meibion Cymru heddiw yn elwa tipyn o ddychwelyd at yr hen ddarnau yn hytrach na dilyn y farchnad a boddi mewn llyn o sentimentaliti poblogaidd Americanaidd.

Yn aml, buasai'r côr yn trefnu gydag ysgifenyddion yr eisteddfodau lleol i fod mewn dwy steddfod ar nos Sadwrn ... efallai yn Nhrefnant am saith, ac ym Mhentrefoelas erbyn hanner awr wedi naw. A phe bai amser yn gwasgu byddai rhywun yn ffonio trefnydd eisteddfod i ofyn a fyddai modd gohirio cystadleuaeth y corau meibion gan fod y bws 'wedi cael pynctiar ar y ffordd i'r steddfod!'

Ar y pnawn Sul dilynol yn y Stiwt, byddai ciw o'r cantorion a ganodd yn y gystadleuaeth yn aros am eu cyfran o'r gwobrau Eisteddfodol (i'r ddime ola) cyn mynd ymlaen â'r rihyrsal i ymgodymu, fel pereririon Joseph Parry â'r 'Erch ellyllon'. Un arall o'r darnau a oedd yn dod â chryn dipyn o arian i mewn i goffrau'r côr oedd 'Y Pysgodwyr' (Maldwyn Price) a phan ofynnwyd i Bob Hannaby, un o faswyr y côr, pwy oedd y cyfansoddwr, ei ateb oedd: "*Charlie Clifton* (gwerthwr pysgod lleol) sgwennodd y node, a *Crosse and Blackwell* 'nâth y geirie." Roeddwn yn mynd gyda 'nhad a'r côr ar dripiau hir i lefydd pell (i fachgen saith oed) fel Caergybi, Aberystwyth, a Llundain, a byddai Côr Benni'n dod yn gyntaf, os oedd y beirniad yn gwybod rhywbeth am atseinedd lleisiol.

Roedd fy rhieni yn dallt ei gilydd i'r dim ac, fel unig blentyn, roeddwn yn ymwybodol iawn o'u gofal amdanaf dros y blynyddoedd. Trist yw nodi'r ffaith i 'nhad farw yn saith deg a dau mlwydd oed yn 1978 ... yn yr un ysbyty ac union yr un amser ag y cafodd fy mab Daniel ei eni. Ond bu mam fyw nes bod yn 93 ac ymfalchïai yn ei hwyrion, Daniel a Miriam, ac er nad hi oedd yr hynaf o'r teulu o saith o blant a fu'n byw yn Eagle's Cottage, yn Entri Tunnah, y Rhos, roedd ei gofal tyner dros ei chwiorydd a'i brodyr, a throsof fi, Cerys, a'r plant yn amlwg i bawb – ac yn fendith.

Do, bu'r teulu, yr Ysgol Sul a'r *Band o' Hope*, a'r corau meibion yn sefydliadau a ddylanwadodd arna i ond mae fy nyled yn fawr hefyd i unigolion a cherddorion lleol a chwaraeodd ran bwysig yn fy hanes fel y cawn weld.

Mae llinellau Dic Jones, yn ei soned 'I'm Cydnabod' yn y gyfrol *Agor Grwn* yn dangos dyled pob unigolyn i'w ardal a'i gydnabod:

Mae rhywbeth yng nghymdeithas dyn a dyn
 Sy'n aros wedi'r ymwahano'r ddau ...

Pob crefft a aeth o ddyn i ddyn erioed,
 Yn rhywun, rhywle, maent i gyd ar glawr.
Fy niolch i'm cydnabod o bob gwaed,
Hwynt-hwy yw'r deunydd crai o'r hwn y'm gwnaed.

Pennod 2

DYLANWADAU CYNNAR
– Y CERDDORION LLEOL

LOTTIE WILLIAMS PARRY

O saith oed ymlaen, derbyniais wersi piano gan Lottie Williams Parry a oedd yn gerddor da iawn ac yn gyfeilydd medrus dros ben. Dysgais lawer ganddi hi. Astudiais ddarnau piano Mozart, Beethoven, Chopin a mwynhau tipyn o gystadlu, gan ennill yng ngwyliau cerdd Wallasey a Southport. Dwi'n cofio cael ail yn Eisteddfod Genedlaethol Pwllheli ac rydw i'n dal i waredu na chefais y wobr gyntaf!

Dysgais dechneg piano ac wedyn, yn sgil hynny, cyfeiliais i'r unawdwyr a oedd yn derbyn gwersi canu gan fy nhad. Trwy gydol yr amser, roeddwn yn dysgu toreth o *repertoire*, nid yn unig i'r piano ond i'r llais yn ogystal.

Y cam nesaf oedd cyfeilio i ambell gôr meibion. Roedd fy nhad yn arweinydd Côr y Co-op, sefydliad sydd wedi hybu cerddoriaeth drwy wledydd Prydain ac sy'n parhau i wneud hynny. Daeth *repertoire* y corau meibion, drwy gyfeilio i gôr fy nhad a chanlyn Côr Meibion y Rhos, yn gyfarwydd i mi; darnau fel 'Y Pererinion', 'Crossing the Plain', 'Y Brythoniaid', 'Laudamus', 'Martyrs of the Arena' – roeddwn yn gyfarwydd iawn â'r rhain i gyd. Cefais gyfle hefyd gan Gôr Orffiws y Rhos dan arweinyddiaeth J.Raymond Williams, nid yn unig i fod yn gyfeilydd y côr ond hefyd i gyfeilio i unawdwyr gwadd mewn cyngherddau – cantorion proffesiynnol fel Thomas Round, Elizabeth Vaughan, Emyr Green, a John Holmes, un o'r baswyr mwyaf soniarus a glywais erioed.

Mewn gwirionedd, cyn i mi fynd i'r Brifysgol, roeddwn wedi cyfeilio i lawer o gantorion amatur o safon uchel iawn yn ogystal â chantorion proffesiynol, gan gynnwys y soprano enwog, Jennifer Vyvyan a'r baswyr Hervey Alan a Marian Nowakowski.

Dywedodd Nowakowski wrthyf fel y bu'n canu yn Ne Cymru ac roedd wedi cyflwyno ei raglen i'r ysgrifennydd ymlaen llaw dros y ffôn. Roedd, wrth gwrs, yn frodor o wlad Pwyl, a'i neges dros y ffôn, ac acenion ei famwlad yn drwm ar ei Saesneg, oedd *I shall be singing – 'Could I but express in song'*, sef cân enwog a gyfansoddwyd gan Leonid Malashkin. Pan gyrhaeddodd y Neuadd Gyngerdd ac edrych ar y rhaglen, gwelodd mai ei eitem gyntaf, yn ôl y rhaglen, oedd *'Could I buttocks press in song'*.

Cadarnhawyd fy amheuon na ddylwn byth goelio popeth a welwn mewn print, gan stori arall ddiddorol a adroddodd Nowakowski. Bu'n perfformio yng Nghaeredin ddwywaith yn ystod yr un mis, gan ganu dan ddau enw gwahanol. Y tro cyntaf, canodd dan ei enw adnabyddus arferol, sef Marian Nowakowski ond, yr ail dro, ymddangosodd fel Marian Siegmund. Pan ymddangosodd adolygiadau ar berfformiadau'r mis mewn cylchgrawn cerddorol, cyfeiriodd un adolygydd at y ffaith fod 'dau faswr o wlad Pwyl wedi ymddangos yn ddiweddar ond bod Marian Siegmund yn ganwr llawer iawn gwell na Marian Nowakowski'. Mewn anwybod y mae nef!

Roedd fy athrawes biano, Lotte Williams Parry, hefyd yn arweinydd dawnus ac wedi arwain nifer o gorau, yn eu plith Gôr Capel Bethlehem, sef Côr Llofft yr Organ, lle y byddai oratorios yn cael eu cynnal yn flynyddol. Byddai Lottie yn gwahodd unawdwyr gorau'r wlad i berfformio gyda'r côr a chyn perfformiad y nos byddai'n trefnu bod pawb yn cael te gyda hi a'i gŵr, Vernon, yn ei chartref yn *Belmont*, Legacy.

Ar ôl pob perfformiad, roeddwn yn hoff o ddynwared yr unawdwyr proffesiynol roeddwn wedi'u clywed. Fy nghampwaith oedd *St. Paul* gan Mendelssohn; dechrau mewn llais soprano gyda 'Jerusalem, thou that killest the prophets' yna symud i fod yn denor gyda'r *recit*, 'And they stoned him and he kneeled down and cried aloud: Lord, lay not this sin to their charge'. Wedyn yn trawsnewid i fod yn gontralto a chanu 'But the Lord is mindful of his own', a dilyn hyn â 'O God, have mercy', y gân i'r baswr, lle roedd rhaid canu gyda holl arddeliad yr Apostol Paul. Y diweddglo i'r syrcas lleisiol oedd dynwared datganiad dwys a theimladwy Bradbridge White, y tenor 'Be thou faithful; unto death'.

Arferai holl frodyr a chwiorydd y teulu ar ochr fy mam (a'u plant yn ogystal, Gwynfor, Emyr, a Gwyneth) gyfarfod yn gryno bob nos Sul wedi'r oedfa yn nhŷ Taid Rhos, Eagles Cottage, yn entri Twnna (Tunnah). Sawl tro bu'n rhaid imi gyfrannu at adloniant y noson gyda fy nynwarediadau, megis toriad o ddoniolwch ysgafn ar lif trafod ffraeth a dadleuon ffyrnig yr oedolion ar faterion gwleidyddol, gan amlaf.

Rywsut neu'i gilydd, daeth Lottie i glywed am fy ngorchestion lleisiol a chefais alwad i fynd i *Belmont,* Legacy gan *she who must be obeyed*. Doedd wiw i neb anufuddhau i wŷs Lottie.

Roedd Mrs Parry (roeddwn i bob amser yn ei chyfarch yn weddus-barchus) yn sâl ac yn gaeth i'w gwely ac roedd ei gŵr, Vernon, yn meddwl y byddai fy natganiadau dynwaredol unigryw yn codi ei chalon. Rhaid cyfaddef imi ragori arnaf fy hun a chyrraedd entrychion artistig syfrdanol yn ystod y perfformiad hwnnw yn ystafell y claf a Lottie'n chwerthin nes bod y dagrau'n llifo.

Roeddwn i'n dechrau dod i adnabod yr enwau mawr 'ma – Heddle Nash, Bradbridge White, Bruce Dargavel, Winifred Sykes, Jennifer Vyvyan, llawer ohonynt yn gantorion roedd Lottie wedi eu dewis yn unawdwyr i ganu yng Nghapel Bethlehem.

Ar ddiwedd un perfformiad oratorio, mi es at Heddle Nash a gofyn iddo am ei lofnod. Mae gen i hyd heddiw yr hyn a ysgrifennodd yn fy llyfr llofnodion, a hynny oedd *'£9 – 19 -11 ¾ ...*

almost a tenor'. Roedd ganddo lais tenor ysgafn, swynol ac roedd yn enwog am ei allu i liwio yn gelfydd; roedd yn ddewin gyda geiriau er nad oedd y llais yn atseinio yn y dull Eidalaidd. Cloriannwyd ef gan Lottie fel ... *an English tenor.*

Yn aml, cyn cinio Sul, pan oeddwn oddeutu wyth neu naw oed, byddai fy nhad a minnau'n mynd i'r stafell ffrynt i fwynhau tipyn o ganu. Rydw i'n cofio cael boddhad mawr yn adrodd helynt 'Y Cobler Du Bach', a 'nhad yn pwysleisio hanfodion ynganu ac ystyr geiriau er mwyn imi fedru eu dehongli. Felly hefyd gân W. S. Gwyn Williams, 'Y Glöyn Byw'. Ar y pryd, roeddwn yn ystyried hon y gân orau a sgwennwyd erioed, ac er 'mod i bellach wedi dod yn gyfarwydd â champweithiau Schubert, Brahms a Wolf, mae gen i gornel gynnes dros ben i 'Y Glöyn Byw'. Rydw i'n edmygydd mawr o ddawn W.S. i greu alawon mor ddeniadol sydd bob amser yn cydio. Enghraifft arall o hyn yw'r gân *I am dreaming of the mountains of my home* (My Little Welsh Home) ... mae llawer o wybodusion yn dilorni'r gân oherwydd ei bod yn or-sentimental. Mae'r geiriau, wrth gwrs, yn deimladwy dros ben ac mae'r cyfansoddwr wedi dal hanfod y geiriau'n llwyr, gyda'r alaw *(alla plainsong)* a'r gynghanedd syml soniarus yn rhoi sglein o awdurdod ac ysgolheictod i'r cyfan. Os am fwy o brawf o allu W.S. fel cyfansoddwr, astudiwch 'Tosturi Duw'; mae'r ffaith fod canwr o statws Bryn Terfel yn dehongli'r caneuon hyn yn rheolaidd dros y byd yn ddigon o dystiolaeth fod W.S. yn gyfansoddwr dawnus yn ogystal â bod yn awdurdod cydnabyddedig ar alawon Cymreig ac mae ei ddylanwad fel Cyfarwyddwr Cerdd cyntaf Eisteddfod Ryngwladol Llangollen yn parhau. Yn haeddiannol iawn, mae'n enw pwysig yn hanes cerddoriaeth yng Nghymru ac mae ei gyhoeddiadau parthed alawon gwerin yn glasuron, ond ysywaeth, mae'n un na dderbyniodd y gydnabyddiaeth ddyladwy fel cyfansoddwr.

JOHN POWELL EDWARDS

Wedi cael y profiad o gyfeilio i unawdwyr a oedd yn derbyn gwersi gan fy nhad, es ymlaen wedyn i gyfeilio bob dydd Sadwrn, a hynny pan oeddwn ond yn bymtheg oed, i Powell Edwards. Cefais gyfweliad ar gyfer y gwaith a chwaraeais ddarn gan Henri Duparc, ar yr olwg gyntaf. Tra oeddwn yn chwarae'r gân, dywedodd Powell Edwards wrthyf – *Gwranda – 'ti'n gweld y nodyn yma?*, a dyma fo'n pwyntio at nodyn yn y sgôr, a dweud *'Ti'n chware'r nodyn yma'n anghywir,*

Be'? Y nodyn yma? Naddo, wir! meddwn i.

Gwranda! meddai Powell Edwards, un a oedd yn wreiddiol o'r Rhos ac felly'n fwy na pharod i fynegi ei farn heb flewyn ar ei dafod. *Os 'dw i'n deud bo' ti 'di chware'r nodyn ene'n anghywir, mae'n anghywir ... 'Ti'n dallt?* A dyna'r wers gyntaf ges i gan Powell Edwards ... a'r olaf!

Roedd wedi bod yn ddisgybl i R.Wilfrid Jones (yr un Wilfrid Jones a roddodd wersi canu i 'nhad fel unawdydd trebl) cyn treulio dwy flynedd yn yr Academi Frenhinol yn Llundain, ac enillodd yr unawd bariton deirgwaith yn olynol yn yr Eisteddfod Genedlaethol. Roedd Powell Edwards wedi canu'n broffesiynol a bu'n brif fariton gyda *Thomas Beecham Opera Company* a'r *British National Opera* yn canu mewn operâu fel *Lucia di Lamemoor* (Donizetti), *Boris Godunov* (Mussorgsky), *La Bohème* (Puccini) yn Covent Garden, a bu canmol mawr i'w berfformiad yn *Ivan the Terrible* (Rimsky-Korsakov) ar dudalennau'r *Pall Mall Gazette* ac ymateb y *Daily Telegraph* i'w berfformiad fel yr Archoffeiriad yn *Samson a Delilah* (Saint-Saëns) yn Covent Garden oedd *Powell Edwards' powerful singing as the High Priest was a feature of outstanding strength.* Fis Medi, 1918, roedd yn unawdydd yn y *Proms* a gynhelid y pryd hynny yn y Queen's Hall, Llundain.

Ym 1924, fe'i penodwyd yn *Professor of Singing* yng ngholeg Prifysgol y Gogledd, Bangor. Trefnodd gyfres o Gyngherddau Mawreddog wythnosol yn y Pafiliwn, Rhos yn ystod 1925 a 1926, gan gyflwyno unawdwyr mwyaf blaenllaw y dydd (y tenoriaid Parry Jones a Tudor Davies) i gynulleidfa'r Rhos. Yna. ym 1927 ffurfiodd *The Powell Edwards Operatic Company*. Lleisiau lleol oedd yn y corws a chymerwyd y prif rannau gan unawdwyr gwadd proffesiynol, yn cynnwys Powell Edwards ei hunan. Cafwyd *Wythnos o Operâu Mawreddog* yn y Stiwt, yn perfformio *Cavalleria*

Rusticana (Mascagni) a *Pagliacci* (Leoncavallo), *Faust* (Gounod) a *Boatswain's Mate* (Ethel Smyth, y cerddor a'r swffragét). Ei rôl fawr oedd Mephistopheles yn *Faust* ac mi fedra ei weld yn gwneud y rhan. Roedd ef ei hun yn ddyn go ddreng ac felly roedd yn fwy na chymwys ar gyfer y rôl honno. Yn ystod y wers ganu, eisteddai Powell mewn cadair freichiau gyda siôl o gwmpas ei bengliniau a gwae'r sawl fyddai'n ei styrbio a pheri iddo orfod codi o'i sêt.

Roeddwn i'n dysgu *repertoire, repertoire, repertoire,* yn darllen pethau reit anodd ar yr olwg gyntaf, yn dysgu llawer ac wrth fy modd. O'r cychwyn cyntaf roeddwn yn medru darllen yn gyflym iawn. Roedd hynny'n deillio o fod wedi cael fy meithrin yn y dechneg o ddarllen cerddoriaeth ym more oes.

Roedd ambell i beth doniol yn digwydd yn y gwersi ac rydw i'n cofio un tenor, nad wyf am ei enwi, yn canu 'Gweddi Pechadur' (Morfydd Llwyn Owen) a chan fod Powell Edwards yn hanu o'r Rhos, tafodiaith y Rhos roedd o'n ei defnyddio, ac medde fo, *Gwranda, ti'n canu fel taset ti'n browd fod ti'n bechadur.*

Roedd dau ddisgybl, Brendan, bariton, a Brenda, contralto, yn dilyn ei gilydd i gael gwersi. Ar ddiwedd yr ail wers, cyn i'r unawdydd nesaf gyrraedd, soniais wrth Powell am rinweddau lleisiol, cadarn Brendan, ond roedd Powell yn meddwl mai rhestru rhinweddau corfforol (sylweddol) Brenda roeddwn i. Nodiodd ei ben a dweud, *Yndi, mae Brenda yn globen o eneth.*

Roeddwn i'n cyfeilio ar y Sadwrn, tra byddai Maelor Richards a Winnifred Steele yn cyfeilio i'w ddisgyblion yn ystod yr wythnos. Rydw i'n cofio clywed Maelor yn cyfeilio'n wych i Mary Baines a oedd yn meddu ar lais soprano godidog, cystal ag unrhyw lais glywech chi yn *Covent Garden,* a hithau'n canu arias allan o operâu Wagner yn y Stiwt. Roedd Winnie Steele yn gerddorol tu hwnt a'r cof sy gen i ohoni yw ei chyfeiliant i gân 'Prometheus' gan Wolf, cân a oedd yn ennill yr Her Unawd ym mhob Steddfod i Eric Mortimer, Croesoswallt, â'i lais bas cyfoethog. Yn ddiweddarach, deuthum yn gyfeillgar â'i merch, Pat, hithau hefyd yn bianydd ymroddedig a llwyddianus.

Byddwn i ar y Sadwrn yn dal y bws a mynd i lawr i Esless, ger

Rhostyllen. Un pnawn Sadwrn, hanner ffordd drwy'r gwersi, daeth Mrs Edwards yn ofnus drwy'r drws gyda theisen roedd hi newydd ei choginio. Aeth ymlaen i ddatgelu fod tri wy yn y deisen roeddwn ar fin ei llyncu. Roedd Powell yn gynddeiriog a tharanodd *Gad lonydd i'r bachgen ... rwyt yn ei sbwylio.* Roedd Powell Edwards yn enwog iawn drwy Ogledd Cymru, a byddai hefyd yn cynnal gwersi'n rheolaidd ym Mangor. Byddwn yn teithio yno gyda fo i gyfeilio i'w ddisgyblion. Rydw i'n cofio un achlysur sy'n dangos personoliaeth gref Powell i'r dim. Roeddwn yn yr hen gar oedd ganddo fo a byddai ei wraig bob amser gyda ni. Cyn cyrraedd Cerrigydrudion torrodd y car i lawr. Cymerodd Powell tua phum munud i ddod allan o'r car ac yna camodd yn bwyllog i ganol y ffordd, gan chwifio ei freichiau. Roedd yn glamp o ddyn mawr, a dyma'r traffig i gyd yn stopio. Fe ddaliodd yr holl draffig yn ôl tra bu'r ddau ddyn o'r car cyntaf yn y rhes o geir stond yn trwsio ei gar. Ni feiddiodd yr un car fynd heibio cyn i'r gwaith gael ei gwblhau. Roedden ni yn y stiwdio ym Mangor, un tro, a dyma gwraig Powell yn dod i mewn efo mins pei bob un i'r ddau ohonom, ryw hanner ffordd drwy'r gwersi. Dyna Powell yn bwyta tua hanner y mins pei, a dweud – *Nancy! Cer â hanner arall y mins pei 'ma yn ôl i'r siop!*

Atebodd hithau *Ond be' fedra i ddweud wrthyn nhw, John?*

Wel, dweda 'mod i ddim yn leicio'r hanner cynta!

Roeddwn i'n gaeth bob Sadwrn gan 'mod i'n cyfeilio i Powell, eto i gyd, roeddwn i wedi mynd efo Elfyn Richards, Vaughan Pritchard a chriw o fechgyn y Rhos a'r Poncie i wersylla ym Mrithdir a oedd yn reit bell oddi cartre, a dweud y gwir. Yn y gwersyll, roedd oddeutu chwe deg o fechgyn eraill o bob rhan o Gymru. Pam oedden ni yno a sut y daethon ni i'r fath le ... mae hyn i gyd yn ddirgelwch. Roedd Elfyn yn athletwr mawr ac yn llawn bywyd; parhaodd i chwarae pêl droed i dimau lleol hyd at ei bumdegau, heb sôn am ei gyfraniad gorchestol ac arwraidd fel gweinidog, nid yn unig yn gwasanaethu aelodau ei gapel hoff, Bethel, ond hefyd yn gefn i holl deuluoedd yr ardal. Roedd Vaughan yn asgellwr gwibiog a chanddo droed chwith beryglus.

Doeddwn i ddim mor hoff o'r bywyd athletaidd 'ma a heb dderbyn cymaint â hynny o gymeradwyaeth am fy sgiliau pêl-droed o gymharu â'm ffrindiau. Er fy mod wedi ymweld ag *Old Trafford* a *Maine Road* yng nghwmni 'nhad sawl tro pan oeddwn yn ifanc iawn, ni chyfrannodd hynny ddim oll at fy meistrolaeth o'r bêl gron. Oherwydd fy niffygion fel athletwr a phêl-droediwr, doeddwn i ddim wedi mwynhau'r wythnos gyntaf dan ganfas o gwbl. Nid oedd byw a chysgu mewn cae a molchi yn nŵr oer yr afon yn reddfol gymeradwy gan fy ngyfansoddiad. Aeth pethau o ddrwg i waeth ar y drydedd noson pan fu storm fawr ganol nos a'r babell ganolog yn syrthio i lawr. Bu'n rhaid i bawb dorchi llewys a brwydro'n herfeiddiol-arwrol yn erbyn y gwynt a'r glaw i godi'r bwystfil ar ei draed unwaith yn rhagor. Medrwch ddyfalu nad oedd fy nghyfraniad at atgyfodiad y babell yn un sylweddol.

Gan fod rhaid imi gyfeilio i Powell ar y pnawn Sadwrn, mi es adre ar y bws ac yn ystod y daith adre penderfynais na fyddwn yn mynd yn ôl am yr ail wythnos dan ganfas ac y byddwn yn gwneud fy ngorau glas i osgoi dal y bws yn ôl i Brithdir, Dolgellau. Daeth Arthur Ellis, tenor disglair o'r Rhos a chanddo dop arbennig i'w lais, ac enillydd cyson yn y Steddfod Genedlaethol, i gael gwers gan Powell. Ef oedd yr unawdydd olaf i ganu yn y sesiwn hyfforddi. 'Call forth thy Power' allan o *Judas Maccabeus* oedd y gân ac roedd Arthur yn cael hwyl fawr arni. Yn y cyfamser, drwy'r ffenestr, gwelais y bws *double decker* yn gadael ac roeddwn wrth fy modd – roeddwn wedi colli'r bws a doedd dim modd felly i mi ddychwelyd am ail wythnos o ddiflastod dan ganfas. Ar ddiwedd y wers mi ddigwyddais gyfeirio at y ffaith 'mod i wedi colli'r bws. Ond, dyna Arthur yn dweud – *Paid â phoeni – tyrd yn y car – wna' i fynd efo ti – mi 'nawn ni ddal y bws i fyny!* A dyna ddigwyddodd ... ac roedd gan Arthur dipyn o enw yn y pentre fel gyrrwr cyflym iawn. Aeth fel cath i gythrel a dal y bws yn Rhiwabon a, gwaetha'r modd, roeddwn ar fy ffordd yn ôl i Frithdir am wythnos arall o gyflafan! *Sturm und Drang*, yn wir.

GEORGE WALKLETT

Yn ogystal â chyfeilio i gantorion, roeddwn hefyd yn cyfeilio ar fore Sadwrn i offerynwyr, yng nghartref George Walklett yn y Rhos. Bu George, a oedd yn perthyn drwy briodas i'r Athro Glyn O. Phillips, un o feibion disglair y Rhos, yn chwarae'r ffidil ar un adeg yng Ngherddorfa Ffilharmonig Lerpwl, ac mewn cerddorfeydd eraill a oedd yn enwog drwy Ewrop benbaladr. Roedd ganddo brofiad eang o *repertoire,* ac felly roeddwn yn dod i adnabod sonatas Mozart, Beethoven, Schubert, César Franck, Fauré a Debussy. Roedd yn brofiad amheuthun tu hwnt. Roedd George yn chwarae'r clarinét yn ogystal ac felly deuthum yn gyfarwydd â concertos Mozart a Weber. Dros gyfnod o dair blynedd, a hynny cyn dechrau yn y Brifysgol, roeddwn wedi cael profiad helaeth o'r *repertoire* i'r llais a phrofiad o'r *repertoire* offerynnol.

Eto i gyd, doeddwn i ddim wedi cael cyfle i glywed perfformiad byw gan gerddorfa. Doedd gen i ddim car, a'r lle agosaf oedd Lerpwl a oedd yn fyd i ffwrdd. Roeddwn i serch hynny'n gwrando llawer ar Radio 3 ac yn gyfarwydd iawn â symffonïau Mozart, Haydn, Beethoven a Brahms. Felly, pan es i i'r Brifysgol, roeddwn yn siarad llawer am weithiau y meistri, nid fel pethau y darllenais amdanynt mewn llyfr ond yn hytrach fel gweithiau roeddwn wedi eu clywed a'u mwynhau ar y radio.

Hyd yn hyn, rydw i wedi sôn am ddylanwadau'r sefydliadau a'r unigolion nad oedd a wnelon nhw ddim oll â'r gyfundrefn addysg. Bu dylanwadau ysgol a choleg yn bwysig hefyd.

Pennod 3

YSGOL A CHOLEG

Antur oedd Ysgol Gynradd y Poncie; lle i wneud ffrindiau a chael blas ar ddarllen a chreu storïau. Dysgais lawer gan athrawon brwdfrydig yn y dosbarthiadau ac, ar iard yr ysgol, yn chwarae ffwtbol gyda'r *pupil teacher*, John Tudor Davies, a oedd i chwarae rhan bwysig yn natblygiad Côr Meibion y Rhos a chaniadaeth y cysegr yng nghapel Penuel. Canu gydag afiaith gyda Mr Parry yn Standard 3 *'Once there was a dragon dressed in red'*; lliw y ddraig yn newid o bennill i bennill a chryn bwyslais yn cael ei roi ar y newid lliw, bob tro. Un Nadolig, roedd fy nhad wedi fy nysgu i ganu'r hen garol 'O deuwch ffyddloniaid' ar y geiriau Lladin 'Adeste fideles' a'r byrdwn 'Venite adoremus'. Daeth Mr Emrys Hughes, y prifathro, i wybod am hyn a mynnodd fy nhywys o ddosbarth i ddosbarth i gyflwyno'r garol 'ar ei newydd wedd' i'm cyd-ddisgyblion.

Rydw i'n cofio hefyd, ddysgu'n eiddgar iawn, rannau o 'Y Pysgodwyr' (Maldwyn Price) ffefryn mawr gan y Côr Meibion, i ryw ddeuddeg o fechgyn o amgylch piano'r ysgol a Mr Hughes yn gwrando yn wên i gyd ac yn canmol. Ac, O! ac Och! ... ni chefais chware teg gan Miss Edwards yn Standard 2 parthed y ceffyl siglo pren – ond ni fanylaf ymhellach (chwi gofiwch imi sôn yn gynharach am fy nghymwysterau anghyffredin yn trin ceffylau pren y ffair).

Ymlaen wedyn i Ysgol Ramadeg y Bechgyn Rhiwabon, lle roedd cyfuniad diddorol o fechgyn y Rhos, y Ponciau, a Phen-y-cae, bechgyn Rhiwabon a bechgyn Cefn Mawr, Acrefair a Rhosymedre. Roedd llawer o ganu yno ac fe gynhelid eisteddfod flynyddol lwyddianus yno'n ogystal. Roeddwn i yn nhŷ Cynwrig, (enw a roddodd ei fendith ar y côr cymysg a oedd i fod yn rhan mor bwysig o'm bywyd) ond nid oedd neb yn Ysgol y Bechgyn yn ystyried cerddoriaeth fel pwnc academaidd a hynny yn bennaf am nad oedd athro ar gyfer y pwnc. Yr unig ddarpariaeth gerddorol ar wahân i'r eisteddfod, ffurfio côr ar gyfer y *Speech Day*, a chanu emyn yn y gwasanaeth bob bore, oedd ymweliad blynyddol y *Bangor Trio* ac un wers a gamenwid yn *Music Appreciation* a olygai wrando, hyd syrffed, ar hen recordiad o *Fingal's Cave* (Mendelssohn) – brwydr wythnosol rhwng nodau'r gerddoriaeth a sŵn crafiadau'r nodwydd ar rigolau treuliedig y record.

Roedd Lottie Williams Parry, fy athrawes biano, yn dysgu yn Ysgol Ramadeg y Merched Rhiwabon a oedd ar bwys Ysgol Ramadeg y Bechgyn ac felly peth digon naturiol oedd i mi ymuno â'r merched am wersi cerdd – profiad hyfryd iawn! Ond rhaid cofio, er mai wal yn unig oedd yn gwahanu'r ddwy ysgol, nid oedd unrhyw gyfathrachu rhyngddynt. Cafodd un ferch gytrin o ffrae gan y brifathrawes am feiddio cyd-gerdded adref efo'i brawd o'r ysgol i lawr i bentref Rhiwabon. O'r herwydd, tipyn o antur oedd fy mhresenoldeb yn y dosbarth ynghanol rhyw ddeg o ferched nad oedd ganddyn nhw lawer o ddiddordeb mewn cerddoriaeth. Rydw i'n cofio i'r dosbarth wrando ar recordiad o'r pedwarawd llinynnol K 387 (Mozart), un o'r darnau gosod ar gyfer lefel-0. Nid oedd y merched yn hoff iawn o'r gwaith ac roeddwn innau'n rhy swil i ddatgan mai dyma'r darn mwyaf cyffrous a hudolus roeddwn wedi'i glywed erioed.

Roedd ambell achlysur lletchwith yn digwydd o dro i dro. Un o'r rheiny oedd ymddangosiadau ysbeidiol Miss Wood, y brifathrawes. Pan ddeuai i mewn i'r ystafell, byddai Lottie'n dweud

"Stand Girls" – a doeddwn i byth yn siŵr a oeddwn innau i fod i godi hefyd! Dipyn bach yn debyg i sefyllfa unig fachgen y dosbarth yn y rhaglen deledu *Derry*

Girls! Byddai hi hefyd yn atgoffa'r genethod, yn aml, o'u rhagorfreintiau cynhenid, *Girls – you are the milk of the county*, a minnau'n suddo i lawr mor bell ag y gallwn yn fy sêt wrth iddi godi stêm a datblygu ac amlhau'r delweddau llaethog ... llefrith unwaith eto, a hyn yn fy atgoffa o'r profiad cas yn Ysgol y Babanod. Ponciau.

Beth bynnag, sefais lefel – O yn Ysgol y Genethod, a phan ddaeth yn amser dewis pynciau ar gyfer lefel – A a'r chweched dosbarth, doedd yr un ferch am ddilyn y Cwrs Uwch. Roedd hyn yn peri dipyn o benbleth i mi. Roedd Mr Pearse, prifathro Ysgol y Bechgyn yn mynnu fy mod yn gymwys i ddilyn cyrsiau mewn meysydd eraill a bod digonedd o bynciau y gallwn ymdopi â nhw. Ond roedd fy nhad yn gwybod mai ar gerddoriaeth roedd fy mryd ac felly daeth gyda mi i'r ysgol i wynebu Mr Pearse a mynnu mai cerddoriaeth oedd y pwnc roedd ei fab am ei astudio. Dyna ddigwyddodd, ond roedd yn golygu mynychu Ysgol Grove Park, Wrecsam os oeddwn i ddilyn y cwrs Cerddoriaeth. Roedd gennyf y dewis o aros yn Rhiwabon i astudio'r cwrs Saesneg a Chymraeg a mynd i Grove Park, Wrecsam, i gael fy ngwersi Cerddoriaeth, neu fynd i Grove Park yn gyfan gwbl. Roedd Ysgol Grove Park, i ni fechgyn y Rhos a'r Ponciau, yn ysgol i'r *snobs*! Doeddwn i ddim yn awyddus iawn i fynychu Grove Park yn llawn amser, ac roeddwn hefyd yn drwm dan ddylanwad dau athro yn yr adran Saesneg yn Rhiwabon, sef Mr Graham Owens a Mr Worsley – roedd y ddau ohonyn nhw'n athrawon arbennig – allan o'r cyffredin, a dweud y gwir – a bydden nhw'n annog ac ysgogi aelodau'r dosbarth Saesneg i ddarllen Huxley, Orwell, Lawrence a Conrad. Doedd yr awduron hynny ddim yn rhan o'r cwricwlwm, ond roedd eu bryd ar ehangu gwybodaeth eu disgyblion a thanio'r awydd i ddarllen ... agwedd werthfawr iawn nad yw'n cael ei hyrwyddo'n ddigon aml heddiw.

Rydw i'n hollol argyhoeddedig fod pob darn o gerddoriaeth a

astudiaf yn fy ngwneud i yn well cerddor – ac efallai yn well person. Yn yr un modd gyda llenyddiaeth ... y dylanwad a gafodd darllen *Crime and Punishment* arna i pan oeddwn tua deunaw, wedyn *The Grapes of Wrath*, Steinbeck, a *Noli Me Tángere* gan José Rizal, nofel y mae'n rhaid i bob plentyn yn Ynysoedd y Ffilipinau *(Phillipines)* ei darllen yn yr ysgol am nad oes dim tystiolaeth well i'w chael o ddylanwad Sbaen ar eu tir ac, o'm safbwynt i, mae'r nofel yn tanlinellu'r ffaith ei bod yn amhosibl i'r unigolyn lwyddo yn erbyn y wladwriaeth a'r eglwys ... rhaid brwydro, ond peidied neb â disgwyl dihangfa na pharadwys. Dienyddwyd yr awdur, Rizal yn dri deg pump oed gan yr awdurdodau.

Ni fedraf feddwl am fyd heb sonedau Shakespeare, John Donne a T.H. Parry-Williams nac ychwaith heb gael fy swyno gan ffilm fel *The Seventh Seal* gan Bergman a welais gyntaf yn sinema'r *Globe* yng Nghaerdydd pan oeddwn yn fyfyriwr. Mae'r rhain i gyd, a llawer mwy, wedi siapio fy mywyd, er gwell ... neu er gwaeth.

Yn yr adran Gymraeg, roedd y prifardd a'r ysgolhaig, Geraint Bowen, awdur 'Awdl Foliant i'r Amaethwr' *Y gŵr a arddo'r gweryd, a heuo faes; gwyn ei fyd*. Roedd Geraint hefyd yn ddylanwad mawr ac felly'r Gymraeg a'r Saesneg a'm cadwodd yn Rhiwabon. Golygai hynny fy mod yn treulio llawer iawn o amser ar y bws rhwng Rhiwabon a Grove Park, Wrecsam, gan golli gwersi yn Gymraeg a Saesneg.

Ar ôl cwblhau lefel 'A' yn llwyddiannus, roedd yn rhaid penderfynu ar y cam nesaf a dewis prifysgol.

DEWIS PRIFYSGOL CAERDYDD

Roedd y rhan fwyaf o blant y Rhos yn mynd i golegau'r brifysgol yn Aberystwyth neu Fangor. Roeddwn i wedi cael fy nenu gan restr aelodau staff yr Adran Gerdd yng Nghaerdydd, cerddorion fel Joseph Morgan, Ian Bruce a hefyd Patrick Piggott, y pianydd enwog – yn wir, cyfrifid ef ymhlith goreuon gwledydd Prydain. Felly, dewisais fynd i Gaerdydd. Cefais amser da iawn yno'n mwynhau'r cwrs, a chanu yn y côr mawr SATB a oedd yn perfformio gweithiau fel *"Mass in E minor"* (Bruckner), a

"Schicksalslied" gan Brahms. Roeddwn yn canu hefyd yn y côr madrigal, dan arweinyddiaeth ysbrydoledig Ian Bruce, ac yn mynychu'r cyngherddau siambr wythnosol a oedd yn un o hanfodion yr astudiaeth. Bob nos Fawrth, yn Theatr Reardon Smith, roedd cyfle i glywed pedwarawdau llinynnol a gweithiau fel Pumawd Piano Brahms a Shostakovich, lle roedd cyfraniad fy athro piano'n rhan amlwg iawn o'r perfformiadau. Roedd hyn yn gyfle delfrydol i estyn terfynau'r hyn roeddwn eisoes wedi ei glywed cyn mynd i'r coleg ac roedd, wrth gwrs, hefyd yn gyfle hyfryd i wrando ar gerddoriaeth fyw yn hytrach na thrwy ddarllediad ar y radio.

O safbwynt y darlithio yn y coleg, roedd yr Athro Joseph Morgan yn arbenigwr ar gerddoriaeth Cyfnod y Dadeni ac o'r herwydd rhoddid pwyslais arbennig ar gerddoriaeth Palestrina a Lassus. Yn ystod y flwyddyn gyntaf roedd yn rhaid cwblhau ymarferiadau cerddorol *Strict counterpoint* – Gwrthbwynt Caeth yn Gymraeg – a daeth cyfle i ddod i adnabod y defnyddiau crai a oedd yn sail i holl gerddoriaeth gorawl Eglwys Rufain yn ystod cyfnod y Dadeni. Roedd yn ofynnol arnom i feistroli pob un o'r pum math o wrthbwynt, *(the five species of strict couterpoint)* ac, yn wir, yr ymarferiadau llym hyn a oedd wedi bod yn rhan anhepgor o astudiaeth pob cerddor eglwysig am o leiaf ddwy ganrif. Roedd rhaid meistroli un *species* (neu enghraifft) cyn mynd ymlaen i'r nesaf ac, erbyn diwedd y flwyddyn, roedd y trwytho wythnosol mewn gwrthbwynt caeth yn rhoi digon o gymhwyster i ni'r myfyrwyr fentro ymlaen i greu darnau mwy estynedig, gan efelychu arddull Palestrina, sef yr arddull corawl digyfeiliant mwyaf pur. Nod y cerddor amheuthun hwnnnw oedd sianelu meddyliau'r gynulleidfa Babyddol at orsedd Duw. A bod yn onest, roedd derbyn y cyfle i greu yn ôl arddull cyflawn Palestrina yn rhyddhad mawr o garchar *species counterpoint*, carchar sy'n hollol angenrheidiol, serch hynny, yn natblygiad unrhyw gerddor – *Freedom is born of constraint* neu, yng ngeiriau Camus, *art lives only on the restraint it imposes on itself and dies of all others*. Eto i gyd, roedd yn garchar roedd pob un ohonom yn falch o ddianc ohono. O'm safbwynt i fel cyfansoddwr heddiw, mae dylanwad y dadansoddiadau a'r ymarferiadau yn parhau'n berthnasol iawn; mae pob llinell gerddorol rydw i'n ei chyfansoddi, gobeithio beth bynnag, yn llawn cymeriad, ond eto'n tyfu o'r gynghanedd sydd yn cael ei chrybwyll yn y llinell fas. Fy nod yw bod gan bob llinell y gallu i sefyll allan ar ei liwt ei hun ond eto'n parhau'n rhan o wead y lleisiau annibynnol a fydd yn creu'r effaith o wahanol liwiau sy'n cyfuno i wneud un darlun amryliw. Hynny ydy, lleisiau sydd fel afonydd o sain yn symud i wahanol gyfeiriadau ond yn tarddu yn y bôn o'r un fam-afon a fydd yn hawlio eu teyrngarwch cyweirnodol ar ddiwedd y darn.

Yn syml iawn, yn ei hanfod, yr hyn yw cerddoriaeth yw cyfuniad o seiniau fertigol a llorweddol a champ a chrefft y cyfansoddwr yw sicrhau fod pob rhan yn y mosäig sain hwn mor berffaith fel ei bod yn amhosibl hepgor yr un nodyn o'r uned derfynol heb ddinistrio'r cwbl lot.

Ar ddiwedd y flwyddyn gyntaf yn y brifysgol, daeth y canlyniadau a chael fy mod wedi fy nerbyn i'r cwrs anrhydedd mewn Cerddoriaeth a 'mod i wedi fy nerbyn, yn ogystal, i'r cwrs anrhydedd yn Saesneg, – yn un o'r deg detholedig allan o ddosbarth o fwy na chant o fyfyrwyr a fu'n astudio Saesneg yn y flwyddyn gyntaf.

Cerddoriaeth oedd hi am fod, wrth gwrs, ond trist oedd ymadael â'r adran Saesneg gan fy mod wedi derbyn cymaint o fwynhad yn y darlithoedd, yn enwedig rhai bore Sadwrn a oedd yn canolbwyntio ar ddramâu Webster a barddoniaeth John Donne.

Yn yr Adran Gerdd, roedd Ian Bruce yn ddarlithydd ysbrydoledig, yn enwedig ar *repertoire* y ddenawfed ganrif, a'r *Bach chorale* a oedd yn asgwrn cefn i'n hastudiaeth o gynghanedd, maes a ddylai fod yn astudiaeth anhepgor ar gyfer unrhyw un sydd â'i fryd ar yrfa ym myd cerddoriaeth.

Roedd y Bruce arall yn yr adran, sef Robert Bruce a oedd yn canolbwyntio ar gyfansoddi; gŵr a chanddo lawn cymaint o'r ddawn i ysbrydoli â'r Albanwr o'r un enw a barodd gymaint o boendod i'r Saeson. Roedd yn gerddor dawnus a oedd â'r gallu i werthfawrogi'r fflach greadigol. Manteisiai ar bob cyfle i annog a meithrin y fflach honno. Dyma'r adeg pan ddechreuais i gyfansoddi o ddifrif. Roedd pawb yn y dosbarth yn cyfansoddi rhyw ddarn ac yn cael cyfle i berfformio'r gwaith hwnnw o flaen y dosbarth yr wythnos ganlynol. Roedd pawb yn cael mynegi barn yn y sesiynau hyn, ac roedd yn gyfle am ddigon o drafod diddorol. Rydw i'n cofio ysgrifennu darn i'r piano, a oedd yn cynnwys nifer o awgrymiadau eithafol a oedd, mewn gwirionedd, yn mynegi fy ngwrthwynebiad personol i gerddorion a oedd yn gorlwytho eu darnau â gormodedd syrffedus o awgrymiadau nes llesteirio unrhyw ymgais gan y sawl a oedd yn ceisio perfformio'r gwaith rhag llawn arfer ei ddychymyg wrth ei ddehongli. Ar ddiwedd y darn arbennig hwn, ychwanegais fy awgrymiadau ar y copi fel a ganlyn; *On the termination of this piece, the pianist must rise, exhausted, emotionally spent, but exuberant, and humbly acknowledge the applause of the audience.* Ymateb cynnil Robert Bruce oedd – *Mr Hughes, your piece deserved better than that, don't be so self-deprecating.*

Er mai cerddoriaeth oedd fy mhrif bwnc yn y Brifysgol, roeddwn hefyd yn astudio'r Gymraeg yn y flwyddyn gyntaf a chefais y fraint o gyfarfod â darlithwyr fel Saunders Lewis. Rydw i'n cofio un ddarlith, pan gerddodd i mewn i ystafell lle roedd oddeutu tri deg o aelodau'r dosbarth Cymraeg yn disgwyl amdano Edrychodd ar bawb a dweud *Y nofel y flwyddyn hon yw Gwen Tomos, gan Daniel Owen. Ewch adref a'i darllen.* Yna, cerddodd allan. A dyna oedd y ddarlith!

Un diwrnod, es i Benarth gyda chydfyfyriwr o'r Adran Gerdd a oedd yn honni bod perthynas pell rhwng ei theulu hi a theulu yr enwog Saunders. Buom yn cerdded o amgylch clamp o dŷ mawr ond nid oedd y bardd o fewn y muriau neu, a bwrw mai hwn oedd y tŷ cywir a'i fod gartref, ni chafwyd gwahoddiad inni fynd i mewn. Aethom yn ein blaenau i Lavernock, lle reit enwog gan fod Marconi wedi anfon y neges radio gyntaf dros fôr agored oddi yno – o Drwyn Larnog (*Lavernock*) i Ynys Echni (*Flatholm*). Rhyw ddeng mlynedd yn ddiweddarach mi ddes i'n gyfarwydd â cherdd Saunders, 'Lavernock' ac, o dipyn i beth, dyma fwrw iddi i gyfansoddi cerddoriaeth ar ei chyfer. Mae'r gerdd yn un syml iawn, yn sôn am ddau berson yn dychwelyd i Lavernock ymhen blynyddoedd a 'helbulon eu hynt', i syllu ar 'waun a môr' ac i wrando ar 'gân ehedydd'. A fu unrhyw newid? Na. Maen nhw'n canfod nad ydy Lavernock wedi newid dim. Yr unig newid yw fod cân ehedydd '**yn esgyn** drwy libart y gwynt' yn y pennill cyntaf ac yn yr ail bennill mae 'cân ehedydd **yn disgyn** o libart y gwynt'. Mae'r byd yn treiglo'n esmwyth o funud i awr, ac o awr i ddydd, heb falio o gwbl am ein presenoldeb ni 'r meidrolion, ni'r bobol brysur sy'n symud ar garlam o dref i dref, o swydd i swydd ... mae Lavernock yno o hyd, yn llecyn digyfnewid. Mae'r gerdd yn fy atgoffa o gwpled olaf soned T.H. Parry-Williams, 'Dychwelyd' *Ni wnawn, wrth ffoi am byth o'n ffwdan ffol / Ond llithro i'r llonyddwch mawr yn ôl.* Yr un yw neges y geiriau sydd ar y deial aur ar y lawnt ger prif fynedfa Coleg Bangor. Rhybudd, yn ei bryd, i bob myfyriwr gnoi cil arno:

Hêd amser, Meddi. Na!
Erys amser. Dyn â.

Coeliwch fi neu beidio, rydw i newydd gwblhau fy fersiwn terfynol o'r gân 'Lavernock', ryw hanner can mlynedd wedi i mi ei dechrau ... rydw i'n cyfansoddi'n gyflym iawn, ond wedyn yn cymryd amser maith, fel y gwelwch, i fod yn sicr fod pob nodyn yn haeddu ei le yn y darn, dim gwastraff, dim straen lleisiol sy'n deillio'n aml o sgwennu gormodedd o nodau uchel neu isel, ac mae'r holl adolygu hyn yn digwydd yng ngyd-destun fy mwriad i greu'r argraff fod y gân yn ffres a dirodres, yn union fel petai wedi ei chyfansoddi mewn chwinciad llygad. Cyfansoddodd Schubert bedair cân ar eiriau Goethe, *Wanderers Nachtlied,* sef 'Nosgan y Crwydryn', cyn bod yn fodlon fod ei fersiwn olaf yn deilwng o'r cawr o fardd hwnnw. Yr hanes yw fod Goethe wedi colli ei ffordd yn un o goedwigoedd maith yr Almaen. Mae'n dod ar draws caban coedwigwr a chan fod y nos yn prysur orchuddio'r wlad mae'n penderfynu aros yn y caban nes bydd y wawr yn torri ... call iawn meddech chi (cymharer beth wnaeth y gŵr yn y gân Gymraeg

'Llwybr yr Wyddfa'). Ond y peth nesa mae'n ei wneud yw sgwennu pedair llinell o farddoniaeth ar fur caban y coedwigwr, *Wanderers Nachtlied*. Mae'r gerdd yn disgrifio distawrwydd y coed a'r adar wrth i'r nos ddisgyn yn araf ond yn sicr dros y tir ac mae'n gorffen fel hyn; *Warte nur, warte nur, balde ruhest du auch*. ('Aros nawr, aros nawr, Yn fuan byddi di hefyd yn cysgu'n dawel'.) Mae hon yn gân fer, ond yn gân fawr, un o fy ffefrynnau. Eto i gyd, o safbwynt personol, ac i osgoi unrhyw amryfusedd parthed fy mherthynas i fy hun â'r cwsg tragwyddol a ddaw, yn hwyr neu hwyrach, yn rhan o fywyd pob un ohonom, mi faswn yn ychwanegu llinell at y diweddglo tyngedfennol *Dann werde ich auch ruhen, doch noch nicht, und nicht allzu eilend* sef, 'Byddaf innau'n cysgu, ond nid yn rhy fuan, a heb frysio'n ormodol'.

Er bod hanner can mlynedd i gyfansoddi cân yn ymddangos yn afresymol o faith, rhaid cymryd rhywfaint o gysur o wybod fod Schubert wedi cael pedair ymgais cyn bodloni ar ei osodiad yntau ar eiriau gorchestol Goethe, a phwy a ŵyr, pe buasai'r athrylith hwnnw wedi ei fendithio â mwy o flyddoedd na'r 31 a neilltuwyd iddo, efallai y byddai wedi ychwanegu pedair fersiwn arall mewn ymgais i ragori ar ei ymgais ddaearol olaf sydd, yn fy marn i, yn nefolaidd-berffaith.

Symudwn yn ôl yn hamddenol o ddyrys goedwigaeth Bafaria i greigiau a glan y môr Lavernock. Rhyw ddeg mlynedd yn ôl, ar ôl gwneud un neu ddau o newidiadau yn y gân, dangosais yr unawd 'Lavernock' i Aeron Gwyn Jones, y bariton campus o Sir Fôn, ac enillydd y Rhuban Glas yn Eisteddfod Genedlaethol Y Faenol, 2005. Ef oedd un o enillwyr ieuengaf y wobr bwysig hon, a thrist iawn yw gorfod cofnodi ei fod wedi marw, cwta dair blynedd wedi'r fuddugoliaeth yn y Steddfod.

Roedd yn un o'r cantorion gorau a hyfforddais erioed, yn gymeriad annwyl a chanddo bersonoliaeth hyfryd. Roedd mor alluog hefyd mewn llu o feysydd deallusol eraill yn ogystal â cherddoriaeth. Mae'n siŵr mai fi a'i dad hoffus, Gwynfor, oedd yr unig rai i glywed llais soniarus Aeron yn morio drwy 'Lavernock', ond mae'r cof yn felys iawn ac fel teyrnged barhaol i'w enw da fel cantor, rydw i'n cyflwyno fersiwn derfynol y gân iddo ef. Pleser hefyd yw datgan fod y bas-bariton, Robert Wyn Roberts o'r Bontnewydd, enillydd cyson yn y Steddfod Genedlaethol, ffrind personol imi a hefyd i Aeron, wedi cyflwyno'r fersiwn diweddaraf o 'Lavernock' yn y Stiwt, Rhos, mewn cyngerdd a drefnwyd i ddathlu fy mhenblwydd yn 80 mlwydd oed, fis Mehefin 2018.

Un arall o'r Adran Gerdd roeddwn yn fawr fy mharch ato oedd Patrick Piggott fy athro piano. Un o'r storïau diddorol a glywais ganddo oedd honno amdano'n chwarae *concerto* i'r piano gan Mozart gyda Cherddorfa'r BBC mewn darllediad byw o Gaerdydd. Yn y *concerto* dan sylw, roedd y gerddorfa yn chwarae am oddeutu chwe munud cyn i ran y piano ymddangos yn y sgôr ac roedd Patrick Piggott wedi penderfynu peidio ag eistedd wrth y piano tra byddai'r gerddorfa'n chwarae'r cyflwyniad. Roedd yn sefyll â'i gefn yn erbyn wal y stiwdio. Sylwodd, wrth edrych o'i gwmpas, fod golwg go bryderus ar wynebau aelodau'r gerddorfa ond 'doedd ganddo ddim syniad pam. Daeth y foment iddo anelu am y stôl biano ac, er iddo wneud ymdrech deg, ni allai symud gam; roedd ei gôt yn sownd yn y wal a oedd ond newydd gael côt o baent y bore hwnnw. Felly, gydag eiliadau wrth gefn, straffagliodd allan o'r gôt a'i gadael hi'n sownd ar y wal, a llwyddo i gyrraedd y stôl biano ar gyfer y nodau agoriadol!

Yn y brifysgol, roedd gen i dipyn o enw am chwarae darnau piano ar yr olwg gyntaf ac un diwrnod roeddwn i'n ymarfer sonata gan Prokofiev, yn Corbett Road, lle y cedwid pianos y coleg. Ar ôl tipyn, es allan o'r ystafell ymarfer er mwyn cael paned o de a phan ddes i'n ôl i'r ystafell ymarfer, dyna lle roedd merch yn eistedd wrth y piano yn syllu ar y darn gan Prokofiev. Mi es i ati a gofyn yn ddigon diniwed *Be' ydy hwn?*

Darn gan Prokofiev, meddai hithau.

Ie wir? 'Dw i ddim yn ei nabod o, meddwn innau, cyn eistedd i lawr a chwarae'r darn drwyddo. Safai'r ferch yn gegrwth wrth fy ochr yn rhyfeddu at fy ngallu, gan feddwl fy mod yn chwarae'r darn ar yr olwg gyntaf! Roeddwn am gadw fy enw da fel darllenwr

Brian – mab Jerry a Polly Hughes yn 9 mis oed.

Wrth y piano yn 12 oed.

Ysgol Ramadeg Rhiwabon.

Brecwast yn 9 Aberderfyn, Poncie.

Côr Traws Cwecar Mên.

PARTI`R GWALIA
1924 - 1938
ARWEINYDD: EDWARD JONES **CYFEILYDD: JERRY HUGHES**

Parti Gwalia a nhad wrth y piano.

Parti Clarion a nhad yn sefyll ar ben y rhes gyntaf ar y chwith a chopi yn ei law.

Côr Rhosllannerchrugog – wedi buddugoliaeth fawr yn Eisteddfod Genedlaethol Caerdydd, 1938 dan arweiniad John Owen Jones, a nhad y pumed o'r chwith yn y rhes flaen (yn 33 oed).

Côr Orffiws Rhos – a minnau'n gyfeilydd yn eistedd yn y rhes flaen (chweched o'r dde) wrth ochr yr arweinydd J. Raymond Williams (seithfed o'r dde), tua 1961.

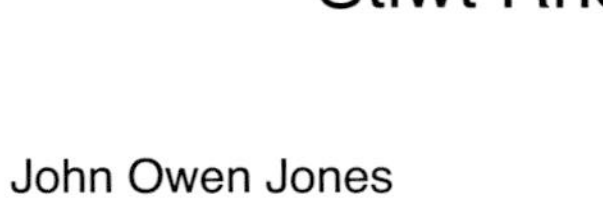

Stiwt a dylanwadau cynnar.

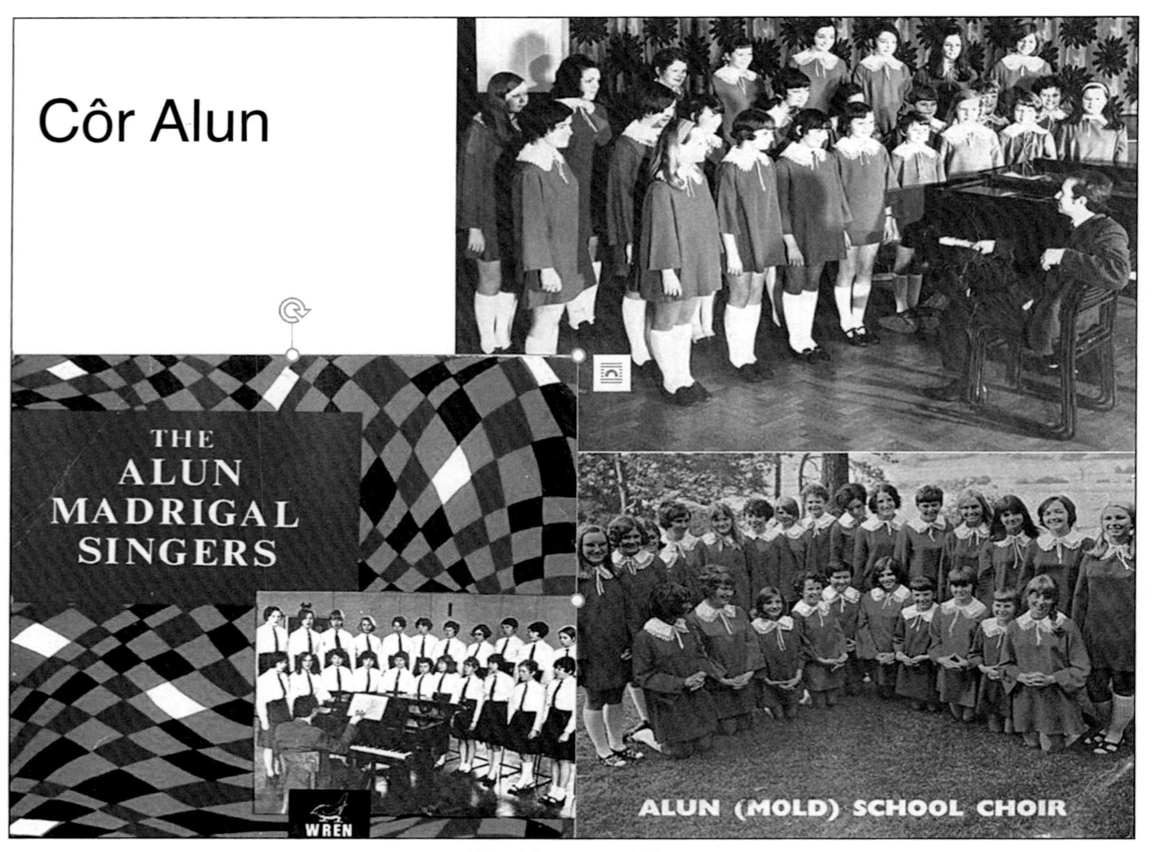

Côr Alun tua 1967.

ar yr olwg gyntaf ac felly 'wnes i ddim ei darbwyllo mai hwn oedd y darn yr oeddwn wedi bod yn ei ymarfer ers oriau!

Roedd astudio'r '48' gan J.S. Bach, a chyfansoddiadau Chopin a sonatas Beethoven gyda Piggot yn fraint ac, ychydig o flynyddoedd wedi imi adael Caerdydd, es yn ôl ato unwaith yn rhagor am dair gwers arbennig ar *repertoire* lleisiol ac offerynnol er mwyn sefyll yr arholiad L.R.A.M. mewn cyfeiliant piano, gradd a ddyfarnwyd imi yn 1962. Rydw i'n cofio sefyll yr arholiad ysgrifenedig yn Llundain, ac yn codi o'm sedd a gofyn (fel Oliver Twist, gynt) am 'chwaneg o bapur am nad oedd digon o ofod yn y bocsys bach ar y ffurflen swyddogol i wneud cyfiawnder â'm dadansodiad o sonata gan Haydn. Cefais 98 marc allan o gant (pa le mae y ddau?), a llwyddais i gael marciau rhagoriaeth hefyd am gyfeilio i soprano ac i fiolinydd.

Mewn un wers, yn gynnar yn y tymor yn y Brifysgol, a'r Athro Joseph Morgan yn traethu'n huawdl ynglŷn â'r motet gan Palestrina – *Sicut cervus* – trodd at y bwrdd du i dynnu sylw at elfen bwysig ynglŷn â'r motet a chymerais innau'r fantais i wneud sylw distaw (nid amherthnasol) am y darn dan sylw wrth fy ffrind Terence Kern a oedd yn eistedd wrth fy ochr. Roedd Terence yn frawd i'r gantores Patricia Kern. Aeth yntau ymlaen wedyn i fod yn arweinydd proffesiynol gyda cherddorfeydd yn Awstralia. Beth bynnag, roedd fy sibrwd wedi taro ar glust yr Athro a throdd oddi wrth y bwrdd du i wynebu'r dosbarth a thaflu toreth o eiriau cas at Terry am siarad. Ond y fi oedd yn euog! Er gwaetha ei brotestiadau ac er i minnau geisio crybwyll mai fi oedd y troseddwr, nid oedd pall ar lach yr athro. Roedd yn rhaid i Terry druan suddo yn isel yn ei gadair a derbyn y cerydd llym. Roedd yn amlwg bod yr Athro wedi'i gynhyrfu'n lân fod aelod o'i ddosbarth wedi meiddio tarfu ar ei ddadansoddiad o un o wyrthiau ei eilun, sef Palestrina.

Yn y bedwaredd flwyddyn arhosais yng Nghaerdydd i ddilyn cwrs hyfforddi i athrawon yn y Brifysgol. 'Doedd y cwrs hwn ddim yn un ysbrydoledig iawn ond roedd yn rhoi rhagflas o'r cymeriadau styfnig a di-fflach mae pob dyn ifanc yn dod ar eu traws yn ystod ei fywyd. Roedd fy athro piano, dyn mwyn a oedd yn casáu unrhyw drafod dadleugar wedi fy rhybuddio am un o'r darlithwyr yn yr adran. Mr X ('wna i mo'i enwi!), gŵr a oedd yn ymfalchïo yn ei rym a'i agwedd tra arglwyddiaethol a thrahaus tuag at y myfyrwyr a oedd dan ei ofal, a byddai'n cael pleser o weld merched y dosbarth yn eu dagrau ar ôl derbyn cerydd parthed eu cymhwyster i ddilyn gyrfa fel athrawon, yn y dyfodol. Rydw i'n siŵr ein bod ni i gyd wedi dod ar draws unigolion cyffelyb (fel arfer unigolion trist ac eiddigus) sy'n coleddu'r mantra *He needs to be brought down a peg or two*, yn enwedig pan fônt yn trafod pobl ifanc. Mae'n siŵr fod peth gwirionedd yn y dywediad Cymraeg, 'yr hen a ŵyr, yr ieuanc a dybia', ond nid ar bob achlysur, 'chwaith. Roedd Piggot wedi fy rhybuddio mai'r ffordd orau i ddelio â Mr X, oedd cydweld â phopeth yr oedd yn ei awgrymu. Roedd hyn yn anathema i mi, ond ufuddhau i gyngor Piggot oedd fy mwriad ar ddechrau ein cyfarfodydd yn Howardian High School for Boys, sef lleoliad fy *school prac* cyntaf. (Ymhlith cyn-ddisgyblion yr ysgol ceir enwau Owain Arwel Hughes, yr arweinydd, Hugh Cudlipp, y newyddiadurwr, a'r gwleidydd, Leo Abse). Ar ddiwedd y wers gyntaf a gyflwynais o flaen y dosbarth, a Mr X yn arsylwi, daeth ataf gydag awgrymiadau, a minnau'n nodio 'mhen yn wylaidd. Aeth yn ei flaen gyda brwdfrydedd i ddatgan bod angen llawer mwy o ddisgyblaeth dros y dosbarth. Gofynnais iddo beth ddylwn wneud pe bai aelod o'r dosbarth yn siarad a chreu rhyw drwbwl neu'i gilydd, a'r ateb dderbyniais ganddo oedd; *If anyone gives you any trouble of any sort, throw them out.*

Yn ystod y wers nesa, pan ddaeth Mr X i'm gweld, teflais chwech o'r cnafon mwyaf anystywallt allan o'r dosbarth, gan feddwl y buasai hyn yn plesio'r dyn. Ar ddiwedd y wers daeth y ddau ohonom at ein gilydd i drafod y wers – ar gornel y corridor, fel mae'n digwydd. Parhaodd y drafodaeth gydol y wers nesaf a'r un nesaf wedyn, a'r plant a oedd yn mynd nôl ag ymlaen i'w gwersi yn sbïo'n syn arnon ni, gan fod y drafodaeth wedi datblygu bellach yn ddadl groch a ffyrnig. Erbyn hyn, wrth gwrs, roeddwn wedi rhoi heibio'r syniad o gydweld â phopeth roedd yn ei ddweud, ac roeddwn yn sicr yn fy meddwl fod rhaid iddo dderbyn mai ef a'm cynghorodd i drefnu ymadawiad y plant o'r dosbarth. Doedd dim modd cael pâs i'r dyn nes imi gyflwyno'r *coup de gras.*

Tell me Mr X, meddwn i, *what exactly is the meaning of the simile of the candle in the cave, page 45, Plato's Republic, one of our set books?*

Taflwyd ef oddi ar ei echel!

What do you mean? gofynnodd.

I would just like an explanation about this particular paragraph in Plato's Republic.

I haven't read it, meddai. A dywedais innau wrtho fod hynny'n amlwg! Yna, fel ymateb od i'm cwestiwn mentrodd,

You see those hydro electric constructions through the window, if we came here tomorrow and they were upside down, there would be something wrong, don't you agree?

No. there wouldn't be anything wrong, atebais innau, *They'd just be upside down*!

Newidiodd ei wyneb i fod yn dudalen o boen a rhuthrodd allan o'r ysgol ... 'welais i mohono byth mwy. Cymaint fu tanbeidrwydd y drafodaeth gyda Mr X, fel y daeth y prifathro ataf wedyn a'm cynghori,

If you're going to argue like that with that man again, take him upstairs to an empty room, I don't want the children of this school to witness such goings on.

Roedd gen i ddamcaniaeth ynglŷn â pham roedd o wedi bod mor gas efo mi, er rhaid cyfaddef ei fod yn llawn mor gas gyda phawb arall. Cofiais gael gwahoddiad, yn ystod fy nhrydedd flwyddyn, i chwarae *piano concerto* gyda cherddorfa'r Brifysgol. Ef oedd arweinydd y gerddorfa. Roeddwn i wedi gwrthod y gwahoddiad ar gyngor yr Athro Joseph Morgan am fy mod ar fy mlwyddyn olaf ac o dan bwysau gwaith aruthrol.

Bu hyn yn baratoad arbennig ar gyfer ambell i Mr X y byddwn yn mynd benben ag o yn y dyfodol.

Pennod 4

YN ÔL I ABERDERFYN A CHWILIO AM WAITH

Daeth yr amser i adael Caerdydd a dechrau meddwl am waith; nid meddwl yn or-ddwys am y peth ychwaith ond, yn hytrach, gysidro bob hyn a hyn ynglŷn â beth fyddai'r cam nesa. Heb chwilio am swydd benodol a chan fy mod yn byw yn y Ponciau, es ar restr athrawon llanw Sir Fflint ac, mewn chwincied, roeddwn ar *supply* yn Ysgol Uwchradd Fflint. Yn fuan iawn, mi sylweddolais, wrth ddysgu caneuon yn y dosbarthiadau, mai breintiedig yw'r plant sy'n cael eu geni â llais i ganu neu, yn hytrach, y plant sydd ag unrhyw syniad sut i ddefnyddio llais, sut i fwynhau llafariaid a chlic cytseiniaid. Os darllenwch y rhagymadrodd i *Ganiedydd Ysgol Sul* 1928 (Annibynwyr), lle mae Dr Caradog yn cyflwyno cyfarwyddiadau i athrawon sy'n dysgu plant, mae'n amlwg fod ein dyled yn fawr i'r gwirfoddolwyr yn y capeli a'r athrawon yn yr ysgolion a oedd, ers talwm, yn rhoi cyfle a modd i ryddhau llais o yddfau plant a gofalu bod gwefr canu yn rhan o'u profiad ym more oes. Roedd rhai pobl, yr adeg honno, yn awyddus i blant dderbyn mwy allan o addysg na'r *3 R's*.

O safbwynt athro newydd yn cychwyn ar yrfa, rhaid cyfaddef i mi ddysgu llawer am sut i beidio â thrin dosbarth yn Ysgol y Fflint. Er hynny, roedd y plant yn llawn egni a ches foddhad mawr o'u harwain mewn gwasanaeth estynedig o garolau o flaen cynulleidfa gref, ar ddiwedd y tymor.

Yn dilyn hyn, daeth cyfle i geisio am swydd yn Ysgol Ramadeg yr Wyddgrug. Roedd y cyfweliad am y swydd yn hir a beichus, bron â bod yn dair awr o hyd, gyda'r tri ymgeisydd yn mynd nôl ac ymlaen, i mewn ac allan trwy ddrws yr ystafell gyfweld fel petaen ni mewn gêm *musical chairs.*

Roeddwn wedi bod ar frys i ddal y trên y bore hwnnw i gyrraedd fy swydd dros dro yn ysgol y Fflint a thoc mi sylweddolais, yn ystod y siwrne fy mod wedi gwisgo crys fy nhad yn y ras i adael y tŷ. Yr anhawster wedyn oedd fod coler y crys yn crychu wrth imi geisio clymu'r tei i'w le, gan ddatgelu i'r byd a'r betws fod rhywbeth mawr o'i le. O ganlyniad, penderfynais beidio â gwisgo tei ar gyfer y cyfweliad, y pnawn hwnnw. Dyma benderfyniad a oedd i gostio dwy awr a hanner o 'mywyd i a bu ond y dim iddo ddiffodd fy ngyrfa gerddorol cyn iddo gychwyn.

Roedd yn amlwg, erbyn cyrraedd hanner ffordd trwy fy ail ymddangosiad yn y stafell gyfweld, fod rhai o'r llywodraethwyr a oedd yn gwrando (os yn wir dyna oedd eu swyddogaeth yn yr ystafell) yn anhapus â'm hatebion. Ar ôl ceisio, yn y lle cyntaf, eu darbwyllo mai fi oedd y dyn ar gyfer y swydd ac, o sylweddoli wedyn nad oedd newid yn eu hagwedd, penderfynais ddelio â'u cwestiynau plentynnaidd â thipyn o ddirmyg a hiwmor a chanolbwyntio ar y garfan arall o'r cwmni a oedd yn ymddangos fel petaent yn mwynhau'r hyn a oedd gen i i'w ddweud, yn enwedig pan wnes i fanteisio ar y cyfle i ddangos fy ngwybodaeth o'r *repertoire* corawl a'm cariad at ganu. Ar ddiwedd y pnawn cofiadwy hwnnw derbyniais y swydd, ond roedd y prifathro am gael gair ...

> *We are offering the post of Head of Music to you, but I must tell you that some of the committee did not like the way you sat in your chair, and your general attitude; the message that came across was that you did not care whether you got the job or not. Also, some of the ladies objected to the way you were dressed, not wearing a tie.*

Dwedais wrth y prifathro fy mod wedi bod yn ymwybodol fod carfan o'r cwmni dethol yn rhoi'r argraff eu bod yn elyniaethus tuag ataf, a 'mod i wedi penderfynu eu hanwybyddu er mwyn canolbwyntio ar y rhai a oedd yn ymddangos yn frwdfrydig o'm plaid. Yna mi es ymlaen i sôn am yr hyn a oedd wedi digwydd y bore hwnnw, sef drama crys fy nhad a'r tei. Edrychodd y prifathro arna i'n syn ac yn betrusgar iawn sibydodd y geiriau,

Welcome to the Alun Grammar School.

Yn dilyn y cyfweliad a derbyn y swydd, roedd yn fwynhad pur cael dechrau, fis Ionawr 1961, yn Ysgol Ramadeg Alun yr Wyddgrug, a gofalu bod digon o ganu corawl yn digwydd yno. Roedd plant Ysgol Alun yn ymddwyn yn dda, neu efallai fod fy nisgyblaeth dros y dosbarth wedi gwella yn dilyn tymor eitha heriol yn Ysgol Fflint.

Roedd y siwrne yn ôl a blaen o'r Poncie i'r Wyddgrug yn gylch o tua deg milltir ar hugain ac roeddwn yn hapus a bodlon fy myd yn dechrau ar gyfnod newydd yn fy hanes.

Roedd nifer o gymeriadau lliwgar fel Mr David Leadbeater, Mr Wyn Williams a Mr Talon Jones ar y staff ac, yn yr adran Gymraeg yn fy helpu i ffitio i mewn i'r gymdeithas, roedd Elisabeth Gilpin, cyd-aelod â mi yng Nghapel Bethlehem, a phriod Dennis Gilpin, un o faswyr Cantorion Cynwrig.

Roedd Talon Jones yn gerddor da ac yn gefnogol iawn i'r gwaith roeddwn yn ei wneud gyda chorau'r ysgol. Roedd wedi chwarae pêl-droed amatur dros Gymru ac yn cymryd dipyn o ddiddordeb mewn rasys 'ffyle. Un diwrnod, pan oeddwn i yn rasys Bangor Is-coed gyda fy ffrind, Len Gilpin, (tenor heb ei ail a gwibiwr cyflym rhwng stondinau'r bwcis), daeth Talon ataf a gofyn ar ba geffyl roeddwn wedi rhoi pres arno ar gyfer y ras nesa. Datgelais mai *Ardlui 5/1* oedd fy newis am fod yr enw yn fy atgoffa o'r adnod yn y salm "Ti a **arlwyi** ford ger fy mron". Enillodd y ceffyl y ras, ac ymfalchïais fod fy nghefndir crefyddol cynnar wedi dwyn ffrwyth bydol yn ogystal ag ysbrydol. Ychydig ddyddiau wedyn, daeth Talon ataf yn yr ysgol a gofyn imi edrych dros emyn-dôn roedd wedi ei hysgrifennu ar gyfer rhyw gystadleuaeth neu'i gilydd.

Rhyw fis neu ddau yn ddiweddarach, dangosodd daflen o ddetholiad Cymanfa Ganu y Methodistiaid imi a dyna lle roedd tôn fuddugol Talon Jones. Ac enw'r dôn? Ie, 'Ardlui' … enghraifft unigryw efallai o sefydliad crefyddol yn talu gwrogaeth i geffyl rasio.

Roedd Leadbeater wedi bod yn Bennaeth yr Adran Saesneg am amser maith ac wedi cael enw o wneud ei hun yn amlwg iawn mewn cyfarfodydd staff â'i sylwadau bolshi a chwerylgar. Beth bynnag, pan adawodd y prifathro, Mr Gareth Lloyd Jones, i ymgymryd â swydd newydd, bwysig ym myd Addysg fel un o Arolygwyr ei Mawrhydi, dyrchafwyd Mr Leadbeater yn brifathro yn ei le. Er syndod imi, wedi ymgymryd â'r barchus, arswydus swydd, newidiodd ei agwedd at ddynolryw – a hynny dros nos.

Yn ystod blynyddoedd cyntaf ei brifathrawiaeth yn Ysgol Alun, bu ambell ffrwgwd rhwng Mr Leadbeater a minnau; pethau bach fel cwyno nad oeddwn wedi troi i fyny ar gyfer dyletswydd bws (sy'n hollol wir!), dyletswydd a olygai fy mod i sicrhau bod rhyw fath o drefn ar y plant a oedd yn aros am y bws ar ddiwedd y dydd; dro arall caem ambell ddadl ffyrnig am bwy oedd i fod i ddysgu mewn ystafell arbennig ar amser penodedig. Ond daeth heddwch yn Israel, a bu 'Led' yn gefnogol iawn i mi ar sawl achlysur. Pan fyddai argyfwng yn bygwth, roedd o yno i'm hachub. Un o'r pethau a etifeddodd y prifathro newydd oedd y fraint o gynnal y gwasanaethau boreol a dewis emyn. Ni fedraf fynd ar fy llw a datgan mai anffyddiwr oedd 'Led' ond gallaf eich sicrhau nad oedd yn hyddysg mewn emynyddiaeth. Roedd yn medru amcanu canu ambell dôn ar *'la, la, la.'* ond ei anhawster mawr oedd nad oedd ganddo'r syniad cyntaf ynglŷn â thraw ac, o ganlyniad, roedd y nodau'n cael eu hyrddio allan megis darn gan Schoenberg neu Alban Berg yn hytrach nag fel alaw ddiniwed, draddodiadol. Un bore yn ei ystafell, cyn mynd i'r neuadd, rhoddodd i mi ei ddatganiad amhersain o'i ddewis emyn ar gyfer y gwasanaeth ar 'la'. Wedi tipyn o bendroni a dyfalu, mentrais gynnig mai'r dôn yr oedd yn ceisio ei gollwng o'i enau oedd 'Franconia' ar y geiriau *Blest are the pure in heart*. Cenais *'doh: ray: me; fah; soh; me;'* a nodiodd

'Led' ei ben, *That's it! That's what I sang*. Gwenais yn siriol arno, gan ddweud *Yes, of course, Mr Leadbatter*, a cherddodd y ddau ohonom i'r neuadd mewn undod llwyr.

Ar waethaf ei ansicrwydd tonyddol, roedd gan 'Led' barch tuag at gerddoriaeth a byddai'n dyfynnu'n aml eiriau Lorenzo yn *The Merchant of Venice:*

> *The man that hath no music in himself,*
> *Nor is not moved with concord of sweet sounds,*
> *Is fit for treasons, stratagems and spoils;*
> *The motions of his spirit are dull as night,*
> *And his affections dark as Erebus:*
> *Let no such man be trusted ...*

Mentrais ysgrifennu tipyn o opera i'w pherfformio gan y disgyblion, sef *Aleliwia* Roedd yr opera wedi'i seilio ar hanes Sant Garmon yn arwain byddin o Frythoniaid yn erbyn byddin y Pictiaid a'r Sacsoniaid ym Mrwydr Maes Garmon sef 'Buddugoliaeth yr Haleliwia' (430 O.C.). Er bod ei ddilynwyr yn y lleiafrif, gorchmynnodd Sant Garmon iddyn nhw sefyll mewn man dewisol, lle y byddai eu lleisiau'n diasbedain. Yna dwedodd wrthyn nhw i weiddi'r gair *Haleliwia* nerth esgyrn eu pennau cyn mynd i'r afael â'r gelyn. O glywed y floedd fyddarol yn atseinio o'u cwmpas, cafodd y Pictiaid a'r Sacsoniaid gymaint o fraw fel eu bod wedi ffoi o faes y gad. Dyna sut y cafwyd 'Buddugoliaeth yr Haleliwia'. Roedd safle'r frwydr ychydig i fyny'r ffordd o Ysgol Alun ac mae colofn yno yn nodi maes y frwydr.

Roedd 'Led' yn llenor gwych, a'r bwriad gwreiddiol oedd iddo fo ysgrifennu'r geiriau ar gyfer fy opera, *Aleliwia*. Ond roedd yn anodd iawn derbyn unrhyw air ysgrifenedig ganddo ar y testun. O'r diwedd, bu'n rhaid bodloni ar droi at y Beibl a Llyfr y Salmau er mwyn llunio rhyw fath o *libretto*, fel y gallwn ddechrau ar y cyfansoddi.

Wrth drefnu'r perfformiad, roeddwn yn awyddus i gynnig cyfle i unrhyw ganwr ac offerynnwr wneud cyfraniad, ac un o'r rhain oedd bachgen o'r enw Ian Jones a oedd yn chwarae'r *oboe*. Nid yw sain yr offeryn hwn yn apelio at glust pawb, yn enwedig y sain a gynhyrchir gan rywun sydd ond newydd ddechrau cael gwersi. A dweud y gwir, roedd y sain a gynhyrchid gan Ian yn ymdebygu i'r hyn a ddeuai o big hwyaden! Felly, er bod ganddo gyfraniad pwysig yng ngwead y gerddorfa, roeddwn o'r farn y byddai'n ddoethach ei leoli y tu ôl i'r gerddorfa mewn coridor y tu draw i gefn y llwyfan er mwyn lliniaru tipyn ar graster sain yr *oboe*. Cyrhaeddwyd y pwynt yn y perfformiad lle roedd cyfle i'r *oboe* ddisgleirio ond, yn dilyn un neu ddau o wichiadau byrion, daeth distawrwydd llwyr. Roedd yn rhaid symud ymlaen, ac ar ddiwedd y perfformiad es i chwilio am Ian a chefais ar ddeall ei fod wedi dechrau chwarae ar ei eistedd yn y coridor, ryw filltir o'r llwyfan, ond yn anffodus roedd Mr Leadbeater wedi dod heibio a'i weld wrthi'n chwarae. Gwaeddodd *Hey, what are you doing there? Don't you know there's an opera being performed?* Ar waetha ymdrechion y bachgen i ddal ati â'i berfformiad, gan geisio, ar yr un pryd, egluro ei fod yn rhan o'r opera (sy'n egluro pam roedd ambell nodyn dieithr a gwichiadau byrion wedi disgyn ar fy nghlust) doedd dim modd dal pen rheswm efo'r Prifathro, a chafodd y perfformiwr ei hel yn ddigon diseremoni o'r coridor am feiddio ag amharu ar y perfformiad!

CYFNOD SEFYDLU CORAU A CHYDWEITHIO AG ALWYN JONES O'R BBC CAERDYDD

Yn yr ysgol, roedd gen i gôr cymysg o dros hanner cant o leisiau gyda nifer o aelodau staff yn helpu er mwyn rhoi hyder i denoriaid a baswyr ifanc y chweched dosbarth. Ond roeddwn hefyd wedi ffurfio côr madrigal yn cynnwys tuag ugain o leisiau dethol a oedd, o reidrwydd, yn cynnwys unigolion a oedd yn medru darllen cerddoriaeth yn gyflym ac yn dangos ymroddiad llwyr i ofynion athro ifanc brwdfrydig yn ystod ein hymarferion amser cinio ac ar ôl ysgol. Er mai côr madrigal oedd yr enw (rhywbeth a etifeddais gan fy rhagflaenydd yn y swydd) roedd *repertoire* eang gan y grŵp yn ymestyn o gyfnod Elisabeth I hyd at gerddoriaeth gyfoes, sef darnau fel *Fendigaid Nos* (Hoddinott), a *Blow,blow thou Winter wind*

(Grace Williams). Sylweddolais fod yma gyfle gwych i mi fel cyfansoddwr. Mi fyddwn i'n cyfansoddi darn yn y bore a'i gyflwyno ar y bwrdd du ar gyfer rihyrsal y côr ar ddiwedd y pnawn ac yna, wedi clywed y darn yn cael ei ganu, gallwn wneud gwelliannau fel bo'r angen. Go brin y cafodd unrhyw gyfansoddwr well amgylchiadau i adolygu a pherffeithio ei gyfansoddiadau. Roeddwn yn cyfansoddi darnau newydd ac yn trefnu alawon gwerin a'r cwbl yn cael eu defnyddio'n rheolaidd mewn darllediadau cyson o dan ofal Alwyn Jones.

Roedd ef wedi ymweld â'r ysgol a thrwyddo ef y daeth y cyfle mawr i ni ddarlledu. Yn bwysicach fyth, roedd Alwyn yn barod iawn i wrando ar *repertoire* newydd. Ond yn fwy na dim, roedd yn canu clodydd y côr yn Llundain. Rydyn ni'r Cymry'n rhy dueddol i ddilyn yn ôl traed y Saeson ac arswydo rhag gwthio ein syniadau gwahanol ein hunain ymlaen. Ond roedd Alwyn yn wahanol, ac o'r dechrau cyntaf ei fwriad oedd cynhyrchu darllediad ar gyfer Radio 3, sef hanner awr o weithgareddau cerddorol gan Ysgol Alun. Roedd Alwyn yn un o'r Cymry prin hynny oedd â digon o hyder i fynd i Lundain a datgan fod talentau i fyny'r M1 a thu draw i Bont Hafren a oedd cystal, os nad gwell, na'r talentau oedd ganddyn nhw yn y ddinas fawr. Roedd yn gefnogol iawn i mi drwy gydol fy naw mlynedd yn y Wyddgrug ac mae hyn yn cael ei adlewyrchu yn y llu o ddarllediadau a wnaethon ni ar y radio ac ar y teledu ar draws gwledydd Prydain yn ystod y cyfnod hwn. Roedd Alwyn, ers blynyddoedd, yn gyfrifol am Wasanaeth Carolau blynyddol o Ganolfan Chwaraeon Glynebwy a fyddai'n cael ei ddarlledu nid yn unig drwy Gymru ond dros Brydain gyfan. Bu côr yr ysgol yn perfformio yn yr ŵyl Garolau hon dros bedair blynedd yn olynol.

Bu nifer o uchafbwyntiau gyda chôr Ysgol Alun. Roedd y *repertoire* a ddysgwyd gennym, fel y soniais eisoes, yn dangos ystod eang – o gerddoriaeth digyfeiliant yr unfed ganrif ar bymtheg hyd at y cyfnod rhamantaidd – yn cynnwys darnau gan Tchaikovsky ac yn arbennig *Ceremony of Carols* gan Benjamin Britten. Ni oedd y côr cyntaf, ac efallai yr unig gôr, i ganu'r gwaith hwn yn Gymraeg.

Cafwyd cyfieithiad arbennig ar gyfer ein perfformiad yng Nghaerdydd, ar deledu ITV–Cymru gydag Osian Ellis yn canu'r delyn. Buon ni hefyd yn canu gweithiau crefyddol gan Scarlatti a'r *Stabat Mater* gan Pergolesi ar y teledu gyda cherddorfa'r BBC. Braf oedd cael cyflwyno gwaith newydd gan Dr. David Harries ar gais Urdd er Hyrwyddo Cerddoriaeth yng Nghymru *(Guild for Promotion of Welsh Music)* mewn cyngerdd gyda'r soprano Margaret Price a James Lockhart. Cawsom wahoddiad i berfformio yn yr Albert Hall, Llundain, deirgwaith.

Mae'r cyngherddau a gawson ni yng nghapel Noddfa, Treorci (capel John Hughes, brawd Arwel Hughes) yn fyw yn y cof o hyd, gyda chantorion fel Ann Murray a ddaeth yn fyd enwog fel rhan o'r *Singers Circle* a'r tenor Arthur Davies. Treorci oedd man cychwyn fy nghyfeillgarwch â Roger Price, perthynas agos iawn i John Haydn Davies, arweinydd ysbrydoledig Côr Meibion Treorci.

Y cam nesaf oedd mynd allan i'r byd mawr i gystadlu. Bu'r côr yn llwyddiannus iawn mewn cystadlaethau yn Llanrwst, Powys, Môn, Southport a Gŵyl Gerdd Ryngwladol Llangollen. Gan fy mod i'n arwain y côr o'r piano, roedd anawsterau'n wynebu rheolwyr llwyfan oherwydd byddwn yn mynnu'n daer fod y piano'n cael ei symud i safle canolog fel y gallwn sicrhau rheolaeth dros y lleisiau – mae'n ddirgelwch parhaol i mi pam mae arweinyddion corau yn hapus i weld y cyfeilydd yn eistedd bellter oddi wrth y cantorion ar adain chwith y llwyfan ac wedyn yn gorfod goddef cwynion aelodau'r côr a fu'n sefyll ar yr adain dde yn edliw nad oeddynt wedi medru clywed y piano.

Roedd perfformio yn Eisteddfod Ryngwladol Llangollen (nid rhywbeth roedd corau o Gymru yn hoff o'i wneud yn y blynyddoedd hynny. Pam, tybed?) bob amser yn her ac yn gyfle i gystadlu yn erbyn goreuon y byd. Cefais fy ngalw *The prince of rubato* gan neb llai na'r cyfansoddwr Herbert Howells, a braf oedd derbyn y geiriau hyn mewn beirniadaeth gan un o feistri'r byd canu corawl, sef Felix de Nobel ar ein perfformiad o *Blow Blow thou winter wind* gan Grace Williams. Cyfeiriodd at y ffaith fy mod wedi arwain y côr wrth y piano:

The fact that the pianist was fully occupied at the keyboard showed how well he had prepared the choir beforehand so that they were absolutely secure in pitch, tempo, dynamics. First class. A tour de force'

Rydw i'n cofio canu un o'i darnau i'r cyfansoddwr o Gymru, Grace Williams, i lawr y ffôn a hithau'n dweud *No one has ever sung my music to me on the phone before;* a thro arall, derbyniais lythyr ganddi yn dweud *This is just to say that I've heard your choir's broadcast of your very attractive folk song arrangements and my 'Icicles' which I thought you sang splendidly.*

Difyr fu'r teithio drwy Gymru i ddarlledu, cynnal cyngherddau a chystadlu, gan gynnwys ambell drip i Lundain i gymryd rhan yng nghyfres Rhaglenni Ysgolion y BBC gyda'r bariton o Gymru, John Huw Davies a'r cynhyrchydd mawr ei barch, William Murphy.

Mewn erthygl yn *Welsh Music*, dywedodd Gethin Williams amdanaf i a'r côr:

> Pan fydd angen cyfeiliant mae'n dewis aros wrth y piano i arwain ei grŵp o gantorion dethol, nid oherwydd ei ragoriaeth fel cyfeilydd ond yn hytrach oherwydd ei fod am i'r cantorion deimlo ac uniaethu eu hunain â'r gerddoriaeth mewn modd mor uniongyrchol ag y gwna ef ei hunan, ac mae'n deyrnged i'w bersonoliaeth feistrolgar ac ymateb parod ei gantorion fod undod llwyr rhwng y cyfeiliant a'r lleisiau yn nodweddu pob perfformiad.

Roeddem yn canu madrigalau fel 'The nightingale' gan Weelkes ac 'All creatures now are merry minded' gan John Bennet, rhan-ganau gan gyfansoddwyr fel Tchaikovsky, Vaughan Williams a Brahms, a byddai darnau gan y cyfansoddwr Kodaly o Hwngari yn herio ein gallu i ganu heb gyfeiliant ac, wrth gwrs, i fentro ar iaith newydd mewn darnau megis 'Esti Dal' ac 'Egytem begytem'.

Rydw i'n sicr yn fy meddwl mai un o hanfodion côr llwyddianus yw amrywiaeth *repertoire*

Os mai canu yn yr hen rigolau drwy gydol yr amser ydy hanes côr, ni fydd llawer o ddyfodol i'r côr hwnnw. Rhaid bod yn barod bob amser i arbrofi gydag unrhyw arddull a chofiaf deithio, eto i Gaerdydd, i recordio caneuon yn arddull y *Swingle* gydag offerynnwr Bas Dwbl y Gerddorfa a phawb yn mwynhau'r profiad yn eithriadol. Mae'r rhaid wrth ehangu cyson ar *repertoire*.

Ond, o bryd i'w gilydd, mae'r 'cythraul canu' yn codi ei ben yn y byd cystadlu i lesteirio unrhyw fenter i ymestyn gorwelion, gan rwgnach am y sawl sy'n anelu am yr eithriadol a'r uwchraddol. Gwell fyddai peidio â mynd i ormod o fanylion ynglŷn â'r achlysur pan gynigiodd ysgrifennydd un steddfod go bwysig swm anrhydeddus (mwy na'r wobr gyntaf, os cofiaf yn iawn) i mi a'r côr fynd adre heb ganu nodyn. Fe bwyswyd arno i wneud hyn oherwydd iddo dderbyn cwynion a gwrthwynebiad unfrydol y corau a oedd yn cystadlu yn ein herbyn am eu bod wedi cytuno â'i gilydd fod safon ein canu yn rhy 'broffesiynol' i gystadleuaeth 'amatur' mewn eisteddfod, a hynny cyn ein bod wedi canu nodyn!

CÔR GENETHOD Y RHOS 1961–1966

Yr un flwyddyn ag y ffurfiwyd Côr Ysgol Alun, sef 1961, roeddwn hefyd wedi ffurfio côr plant, yn y Rhos, sef Côr Genethod y Rhos. Ar y dechrau, bu'n dipyn o siom, gweld nad oedd ysgolion lleol yr ardal yn frwd eu cefnogaeth i'r grŵp newydd, gan eu bod nhw, am 'wn i, yn meddwl bod y côr newydd hwn yn peryglu bodolaeth y corau o fewn yr ysgolion. Bûm yn arwain y côr o 1961 hyd 1966, a chael peth llwyddiant mewn cystadlaethau, gan ddod i'r brig yn Eisteddfod Genedlaethol y Drenewydd 1965. Y cyfeilydd oedd Eifion Wyn Jones ac ef a'm dilynodd i fel arweinydd y côr.

Cofiaf hyd heddiw ryw brofiad reit ysgytwol a ges i yng nghapel Penuel, Rhos. Roedd y côr wedi canu grŵp o ganeuon yn cynnwys 'Ave Maria' gan Arcadelt, darn dwys, llyfn o gyfnod y Dadeni. Yn sydyn, cododd gŵr nid anenwog o Fangor ond â'i wreiddiau yn y Rhos, a datgan ei siom grefyddol fod plant y Rhos yn canu clodydd i'r Forwyn Fair a chlywais swn sibrwd o gytundeb yn codi o'r gynulleidfa. Roedd y dyn hwn yn aelod blaenllaw yn enwad y Bedyddwyr ac, yn wir, ychydig flynyddoedd wedyn, roedd yn uchel ei gloch mewn ymgyrch i uno'r holl eglwysi dan faner Crist.

Codais o'm sedd yn y galeri, rhoi glamp o glep i 'nghes a cherdded yn swnllyd allan o'r capel. Ychydig ddyddiau wedyn cefais lythyr gan J.T. Jones, fy mhrifathro yn ysgol Rhiwabon a Bedyddiwr selog, yn ymddiheuro am yr hyn a ddigwyddodd y noson honno ym Mhenuel; roedd JT yno, ac am i mi wybod fod rhan helaeth o'r gynulleidfa yn cywilyddio dros eiriau rhagfarnllyd y Bedyddiwr cul.

Gyda'r corau plant, roeddwn wedi dechrau arbrofi efo seiniau. Bellach roeddwn yn awyddus i ehangu gorwelion a chreu seiniau corawl gwahanol a'r cam nesaf fyddai dod o hyd i'r adnoddau i wireddu hyn ... ac efallai ffurfio côr cymysg.

Pennod 5

CANTORION CYNWRIG

Erbyn hyn roedd Arwel Hughes, y cyfansoddwr a rheolwr cerdd y BBC yng Nghaerdydd wedi rhoi'r ail wobr i gôr Ysgol yr Alun yn Eisteddfod Ryngwladol Llangollen. Yn y cyfnod hwnnw roedd safon cystadleuaeth y corau plant yn uchel iawn. Ceid tua tri deg o gorau'n ymgeisio a'r chwe chôr gorau'n gystadleuwyr peryglus dros ben, yn canu *repertoire* uchelgeisiol. Ar sail hyn y gofynnodd imi ystyried ffurfio côr cymysg yn ardal Wrecsam gyda'r gobaith o ddarlledu'n gyson ... a dyna sut y daeth Cantorion Cynwrig i fod.

Felly ffurfiais gôr cymysg. Sail y côr oedd merched Côr Ysgol Alun ac roeddwn wedi estyn gwahoddiad i nifer o denoriaid a baswyr o ardal y Rhos a Wrecsam, rhai'n unawdwyr profiadol ac eraill wedi canu mewn corau erioed, i ymuno â ni. Rydw i'n cofio'r ymarfer cyntaf yng nghapel Christchurch, Talbot Road, Wrecsam, ar nos Sul ym mis Hydref 1966. Un o'r darnau cyntaf i ni eu perfformio oedd y 'Cherubic Hymn' gan Tchaikovsky, a'r 'Alleluia' gan Weelkes. Roedden nhw'n ddarnau'n addas iawn i'r cyfoeth lleisiau a oedd yn greiddiol i'r côr. Roedd dros ddeg ar hugain yn yr ymarfer cyntaf ac o fewn amser sefydlogodd yn grŵp o tua wyth ar hugain o ffyddloniaid.

Oherwydd natur ddaearyddol aelodaeth y côr, golygai hyn gryn dipyn o deithio rhwng y Rhos a'r Wyddgrug. Byddem yn ymarfer ddwy waith yr wythnos, ar nos Iau, yn Ysgol yr Wyddgrug (yn ddiweddarach yn Ysgol Castell Alun, yr Hôb) ac, ar y Suliau, byddai merched ardal yr Wyddgrug yn dod draw i'r Rhos i ymarfer yn ysgoldy capel Bethlehem, lle roedd *grand piano* yr adeg honno (offeryn sydd bellach wedi hen ddiflannu o'r adeilad). Byddai teuluoedd baswyr a thenoriaid y côr yn gofalu bod merched Ysgol Alun yn cael te ar eu haelwydydd cyn ymadael am adref. Roedd yna ysbryd braf ac awyrgylch cymdeithasol gwych ymhlith y cantorion, er nad oeddem yn cael fawr o amser i drafod a sgwrsio yn ystod yr ymarferion oherwydd ein bod yn gweithio'n hynod o galed gydol dwyawr yr ymarfer, yn symud o'r naill arddull i'r llall. Fodd bynnag, mi fyddem yn cael cyfle i ymlacio gyda'n gilydd ar ddiwedd y sesiwn.

Roedd gofyn rhoi enw i'r côr. Yn Ysgol Ramadeg y Bechgyn Rhiwabon, 'slawer dydd, roedd pedwar tŷ a byddai cystadlu brwd rhyngddynt yn ystod yr eisteddfodau blynyddol, y mabolgampau a'r gemau criced a phêl-droed. Y tai oedd Madog, Wynnstay, Rhuddallt a Chynwrig – sef trefgorddau yn nalgylch yr ysgol. Yn nhŷ Cynwrig roeddwn i ac felly cafodd y côr cymysg newydd ei fedyddio'n 'Cantorion Cynwrig'

Ymhen llai na blwyddyn, sef mis Medi 1967, cynhaliwyd ein cyngerdd cyntaf ar y cyd â Chôr Merched yr Alun, yn y Stiwt, Rhos ac o fewn y cyfnod cymharol fyr hwn roedden ni'n medru cynnig y rhaglen isod:

> *Magnificat* (Pachelbel), *Cherubic Hymn* (Tchaikovsky) *Alleluia* (Weelkes), *Kyrie* a'r *Gloria* o'r *Offeren yn G* (Schubert), dwy fadrigal *Come away sweet love* (Greaves), *Sweet Suffolk Owl* (Vautor), *En Hiver* (Hindemith), *Heaven-Haven* (Barber) *The Springtime of the year* (Vaughan Williams), fy nhrefniannau i o *Pescatore, Pa le mae 'ngharïad i, Y March Glas,* ac yna, yn y dull swingle, *Finale, Water Music* (Handel), a *Phreliwd Rhif 11* (J.S. Bach).

Deufis yn ddiweddarach, roeddem yn recordio ein rhaglen radio gyntaf i'r BBC yn yr Wyddgrug gyda'r tenor Edgar Evans yn unawdydd. Y rhaglen oedd:

> *Come away sweet love* (Greaves) *Canzonetta* (Vecchi) *Sweet Suffolk Owl* (Vautor), tri threfniant gen i, sef *Pescatore, Jonah, Pa le mae 'ngharied i?* yna *In stille Nacht* (Brahms), *Allelujah* (Weelkes), *En Hiver* (Hindemith) a *Finale, Water Music* (Handel) yn y dull Swingle.

Mae'r ddwy raglen uchod, y naill mewn cyngerdd a'r llall ar y radio, yn rhoi darlun eithaf teg o rychwant y *repertoire* a natur ein gweithgareddau, sef canu mewn cyngherddau ac ar y radio.

Dros gyfnod pymtheg mlynedd bodolaeth Cantorion Cynwrig cynhaliwyd 118 o gyngherddau a 34 o raglenni radio a theledu BBC ac ITV. Efallai mai un o'r anrhydeddau mwyaf a gawsom oedd .gwahoddiad i gynrychioli Cymru mewn cyngerddd ysblennydd yn Neuadd Colston, Bryste, fis Tachwedd 1972, yn nathliadau hanner can mlwyddiant y BBC.

Ar y pryd, araf oedd y gwahoddiadau i gyngherddau a drefnid gan y Clybiau Cerdd ac mi benderfynon ni ffurfio pwyllgor ac ethol swyddogion er mwyn trafod dyfodol y côr. Cyn hynny, roedd pob penderfyniad yn cael ei roi o flaen y côr cyfan. Wedi cryn drafod, cytunwyd y dylem roi cynnig ar gystadlu yn yr Eistedfod Genedlaethol yn y gobaith y byddai hynny'n rhoi mwy o gyhoeddusrwydd inni.

Felly ymlaen â ni i Eisteddfod Genedlaethol Bangor 1971, lle yr enillon ni ddwy wobr, gan ddod i'r brig yng nghystadleuaeth y côr cymysg yn canu'r darnau gosod 'Tresaith' (Dilys Elwyn Edwards) a 'Na foed it fraw' (o *Elijah* Mendelssohn) a hefyd y gystadleuaeth i gorau madrigal yn canu 'Wylo wnaf i' (Dowland) a 'Feinwen pan welaf di' (Wilbye).

Y diwrnod cyn cystadleuaeth y corau cymysg, mi es i a Gareth Pritchard Hughes i'r eisteddfod. Roedd ymarfer i fod yn y Stiwt y noson honno ond pan ddaeth hi'n amser inni gychwyn am adre doedden ni ddim yn gallu dod allan o faes parcio'r steddfod am oriau. Roedd aelodau'r côr wedi bod yn aros yn amyneddgar amdanaf yn y Stiwt ac ar fin mynd adre, gan feddwl yn siŵr fod fy sêl gystadleuol wedi oeri a'm bod am gilio o faes y frwydr drannoeth. Yn hwyr y dydd, cawsom ein hymarfer olaf cyn y gystadleuaeth. Ond roedd amser yn gwasgu am reswm arall. Mae unawd yn 'Tresaith' ac ar yr awr olaf roeddem wedi darllen y print mân ynglŷn â rheolau'r gystadleuaeth a gweld na chaniateid i un person mewn côr ganu'r unawd – rheol hollol hurt! Felly ar yr unfed awr ar ddeg, bu'n rhaid dewis dwy soprano arall i ddysgu'r unawd a gofalu bod lleisiau'r triawd newydd-anedig yn asio a chydsymud fel un.

Daeth y côr i sylw cynulleidfa ehangach a chawsom flas ar gystadlu!. Buom yn llwyddiannus yn Eisteddfod Hwlffordd 1972. Y darnau gosod oedd 'Y Llwynog' (Grace Williams) a 'Mor hawddgar yw dy bebyll di' (Brahms) ac wedi'r gystadleuaeth dywedodd y beirniad, Syr Thomas Armstrong, (cyn Brifathro'r Academi Gerdd Frenhinol ac aelod o fwrdd cyfarwyddwyr y Tŷ Opera Brenhinol, *Covent Garden*) y byddai wrth ei fodd yn ein cael yn gorws mewn opera Yna daethom i'r brig am y trydydd tro yn olynol yn Eisteddfod Rhuthun 1973, yn canu 'Eia Mater' (Dvořák) ac 'Wrth afonydd Babylon' (Palestrina). Wedi'r tair buddugoliaeth yn olynol daeth cystadlu yn yr Eisteddfod Genedlaethol i ben, yn bennaf gan fy mod, erbyn hyn, wedi cael fy ngwadd i fod ar banel beirniaid cerdd yr Eisteddfod. Eto i gyd, cawsom lwyddiannau wedi hynny yn eisteddfodau Pontrhydfendigaid, Aberteifi a Phowys ac yng Ngŵyl Gerdd enwog Blackpool, 1977, pan enillon ni'r wobr fel côr gorau'r ŵyl – y gorau o 57 o gorau – yn canu 'The Armado' (Elizabeth Maconchy) ac 'Ave Maria' (Rachmaninov). Ysywaeth, nid yw'r ŵyl hon, fel sawl un arall, yn bodoli erbyn hyn.

Yn ystod Eisteddfod Rhuthun, roedden ni wedi derbyn gwahoddiad i ganu yng nghyngerdd nos Wener yr ŵyl, a gofynnwyd inni hefyd gynnwys 'Y Môr' gan Daniel Jones, Abertawe, yn ein rhaglen. Comisiynwyd y gwaith, a seiliwyd ar eiriau Gwyn Thomas, gan yr Eisteddfod Genedlaethol gyda chefnogaeth Cyngor Celfyddydau Cymru ar gyfer ei berfformio yn

Eisteddfod y flwyddyn flaenorol ond gan na ddigwyddodd hynny, ar ben y paratoadau ar gyfer cyngherddau, cystadlu a darlledu, bu'n rhaid i ni fynd i'r afael â dysgu gwaith Daniel Jones – profiad pleserus ond cyfnod prysur ar y naw.

Yn sgil y llwyddiannau hyn roedden ni'n derbyn beirniadaethau gan gerddorion o bwys yn gwerthfawrogi ein hymdrechion ac yn tynnu sylw at y ffaith ein bod yn gôr unigryw a gwahanol. Dyma ambell ddyfyniad o'r beirniadaethau hynny:

> *A performance of fine dramatic feeling and vocal distinction. We all appreciated the virtuoso aspect of the performance* (Thomas Armstrong)
>
> *The control of the choir is most impressive – lovely tone and most musical and sympathetic singing. The song flowed with luminosity and distinction* (Dr. Arthur Veal)
>
> *Beautifully sensitive and musical performance –a sense of projection and a moving final page. The choir showed tremendous visual and audible energy and this was a beautifully sensitive rendering of an extremely difficult composition* (Herrick Bunney)

Canlyniad ennill yn yr eisteddfodau oedd derbyn mwy o wahoddiadau gan y clybiau cerdd. Rhaid cydnabod y gefnogaeth arbennig i gorau ac unawdwyr a gafwyd gan y clybiau cerdd hyn ac mae'n drist gweld bod cynifer ohonyn nhw wedi diflannu erbyn hyn. Cawsom groeso arbennig yn Nolgellau, Clwb Cerdd Maelor yn Llannerch Banna *(Penley)*, Porthaethwy, Llanidloes, Aberdyfi, Y Trallwm, Llandudno, Caernarfon, Dinbych, Y Bala, Caersws, Brychdyn, Rhuthun, Y Drenewydd, Theatr Ardudwy (Harlech) Llanwddyn, Treffynnon, a'r Wyddgrug.

Yn ystod yr ymarferion, roeddwn yn arwain a chyfeilio oddi wrth y piano, gan weiddi cyfarwyddiadau tra byddai'r côr yn canu. Roedd gen i ambell ymadrodd y byddai aelodau'r côr yn ymateb iddyn nhw ar amrantiad. Pan oeddwn i am iddynt ganu'n fwy trydanol mi fyddwn i'n gweiddi 'MANWEB!'. I gael sain fwy trwchus gan yr altos mi fyddwn i'n gweiddi 'Chest!' Os oedd angen estyn rhywfaint ar lyfnder cymal neu lafariad neu air 'Rhowch o drwy'r mangyl!' fyddai'r gorchymyn. Mae angen defnyddio'r corff cyfan i ganu; mae'r sain yn dechrau yn modiau traed y canwr. Pan fyddwn am gael mwy o angerdd ac emosiwn yn y canu mi fyddwn i'n cyfeirio at un rhan benodol o'r anatomi gwrywaidd – cartref yr emosiwn – ond byddai golwg o benbleth a 'sut-yn-y-byd-mawr-mae-disgwyl-inni-wneud-hynny!?' yn amlwg ar wynebau'r merched pan fyddwn yn gweiddi *Sopranos, sing from your balls!*

Pan fydden ni'n cystadlu a chynnal cyngerdd, byddwn yn gofyn i Colin Jones, un o gyfeilyddion mwyaf medrus gwledydd Prydain, gyfeilio inni. Roeddem ein dau wedi ein magu yng Nghapel Bethlehem ac wedi mynychu yr un Ysgol Ramadeg yn Rhiwabon ac yn ddiweddarach, fel y caf gyfle i ymhelaethu wrth sôn am gyfnod Manceinion, buom yn cydweithio yng Ngholeg Cerdd Brenhinol y Gogledd Manceinion, gan deithio'n ddyddiol gyda'n gilydd o'r Rhos i Fanceinion. Yn ddiweddarach cawsom Rona Jones yn gyfeilydd mewn sawl cyngerdd a darllediad. Un arall a fu'n cyfeilio inni oedd y diweddar Geoffrey Knowles, organydd hynod o ddawnus Eglwys y Plwy, yr Wyddgrug. Bu'n cyfeilio inni mewn sawl darllediad o Eglwys yr Wyddgrug ac ef sydd wrth yr organ pan recordiodd Sain *Dan ei Faner Ef,* ein record hir (bellach ar CD) o emyn-donau'r Dr Caradog Roberts, pan ddathlwyd canmlwyddiant ei eni ym 1977 – CD sydd wedi cael gwerthiant sylweddol dros y blynyddoedd.

Organyddion eraill y buon ni'n cydweithio â nhw ar y radio a hefyd mewn perfformiadau o weithiau Schubert a Mozart oedd Graham Elliot, organydd cadeirlan Llanelwy a J.Raymond Williams a fu'n cyfeilio pan gyflwynon ni *Messiah* (Handel) a *Requiem* (Mozart) yng Nghapel Bethlehem ac i'n perfformiad olaf un yn Eglwys y Plwy Wrecsam pan berfformiwyd *Crucifixion* (Stainer) a *Via Crucis* (Liszt) yno, fis Ebrill, 1981.

Buom hefyd yn rhannu llwyfan â dwy organydddes o'r radd flaenaf – Gillian Weir oedd yr unawdydd mewn darllediad o Eglwys y Plwy yr Wyddgrug a'r unawdydd arall oedd y ddiweddar Carys Hughes, mewn cyngerdd yn y Capel Mawr, Rhos. Bu Carys yn un o'm disgyblion cyntaf yn Ysgol Alun, Yr Wyddgrug.

Gwnaethom raglen deledu yng Nghaerdydd gyda'r pianydd jazz a'r cyfansoddwr, Oswald Russell, Athro Piano yn y Conservatoire de musique de Genéve, a chanon ni ddau drefniant ganddo o ganeuon gwerin Jamaica 'Ole him Joe' a 'Liza' a darn Swingle efo triawd jazz. Er chwilio a chwalu, methiant fu pob ymdrech i ddod o hyd i recordiad o'r rhaglen ddifyr honno.

O bryd i'w gilydd, byddai gwahoddiad yn dod i ganu mewn neuaddau ysblennydd fel Neuadd Albert, Llundain, Neuadd y Dref Birmingham, a Neuadd Brangwyn Abertawe.

Nid oedd pethau'n mynd rhagddynt yn rhwydd bob amser ym mhob neuadd, ychwaith. Roeddem yn canu mewn neuadd bentre yn Llanwddyn pan ddiffoddodd y golau'n gyfan gwbl. Wedi peth ffwdan a rhuthro yn ôl a blaen, cafwyd hyd i ganhwyllau. Mi ges i un gannwyll, tra oedd Colin yn eistedd wrth y piano rhwng fflamau dwy gannwyll, yn ymdebygu i Liberace (ond wedi'i wisgo'n llai llachar ac yn ymddwyn yn llai rhodresgar na hwnnw, cofiwch). Ond roedd y côr mewn tywyllwch llwyr! Gan ein bod yn dysgu cymaint o ddarnau newydd yn gyson ac yn canu darnau maith a chymhleth, roedd y cantorion yn defnyddio copïau bob amser. Un o'r darnau oedd 'Beatus Vir' (Monteverdi), darn pur faith. 'Wn i ddim hyd heddiw sut y llwyddwyd i ganu'r gwaith trwyddo heb faglu unwaith.

Ar gorn ein perfformiad o 'Alleluia' gan y cyfansoddwr o America, Randall Thompson, yng Ngŵyl Gerdd Menai, daeth gwahoddiad gan y cyfansoddwr William Mathias, a oedd yn digwydd bod yn y gynulleidfa, i ganu yng Nghadeirlan Llanelwy yn yr ŵyl yr oedd wedi ei sefydlu yno, sef Gŵyl Gerdd Gogledd Cymru. Y Cynwrig oedd y côr amatur cyntaf i gael gwahoddiad i'r ŵyl. Ein rhaglen yno oedd *Canite Tuba in Sion* (Palestrina), *En Natus est Emmanuel* (Praetorius), *O Vos Omnes* (Croce) *Crucifixus* (Lotti), *Laudate Dominum* (Handl) *O Nata Lux* (Tallis) *Surge Illuminare* (Byrd) *O beatum et sacrosanctum diem* (Phillips) *O Lord increase my faith*

(Gibbons) *Alleluia* (Weelkes), *Ave Maria* (Rachmaninov) *Ave maria* (Stravinsky) *Pater Noster* (Stravinsky) *Alleluia* (Thompson) a'm trefniannau i o'r alawon Negroaidd *Jonah, Sweet Chariot*, a *Norah*.

Ar gyfer Gŵyl Menai, cefais gomisiwn i gyfansoddi gwaith newydd. Cyfansoddais waith i lefarydd a chôr ar y gerdd 'Grêt efo Het', stori am drychineb moto-beic gan yr annwyl ddiweddar Gwyn Thomas, athrylith y ces i'r fraint o gydweithio ag ef droeon. Roedd Gwyn a minnau wedi trafod nifer o brosiectau eraill, dros y blynyddoedd a thrist yw sylweddoli bellach na ddônt byth i olau dydd. Efallai mai hwn oedd y darn mwyaf arbrofol a ysgrifennais erioed – darn wedi ei ddylanwadu gan waith Ernst Toch. Roedd y côr yn canu'n ddigyfeiliant ac yn aml yn defnyddio techneg *sprechgesang*, sef canu heb sain sefydlog ... tebyg i lafarganu. Roedd moto beic i'w weld ar y llwyfan ac roedd goleuadau lliwgar hefyd yn rhan o'r perfformiad.

Mae'r gerdd yn sôn am Ned, gyrrwr moto beic yn 'wfftio byw bach sidêt / Y pen oedd mewn helmet;' ac o'r herwydd mae'n cael ei ladd 'pan aeth ei ben o'n slwtj' yn erbyn wal nad oedd 'yn malio / Am degwch ei bryd na hyd ei wallt o'. Ond roedd wedi mwynhau bywyd cyffrous i'r eitha. I'r gwrthwyneb i hyn, treuliodd y dyn a ddyfeisiodd yr helmet flwyddyn olaf ei bedwar ugain mlynedd yn lled-fodoli mewn cartre dethol cyfforddus a dim ond ei '... ddannedd mewn gwydyr yn gwmpeini'. Yr hyn roeddwn yn ceisio ei wneud yn 'Grêt efo Het' oedd creu darlun ac argraffiadau o'r beic modur a'r gyrrwr yn hedfan drwy'r awyr, olwynion ei foto beic yn troi, ac yntau'n disgyn i'w farwolaeth. Roedd y gerdd yn gomig ac yn drasig ar yr un pryd; roedd elfennau o dristwch, ond roedd gwên yn treiddio drwy'r cyfan.

O 1976 ymlaen roeddem hefyd yn perfformio gweithiau oratorio, gan gynnwys y *Messiah, Acis a Galatea* (Handel) *Requiem* a *Vesperae Solennes de Confesore* K339 (Mozart), a *Mass in G* (Schubert). Roedd hyn yn cynnig profiad newydd i'r cantorion, sef canu i gyfeiliant cerddorfa ac, yn aml, offerynwyr y *Manchester Camerata* fyddai'n cyfeilio i ni, gan sicrhau perfformiad o safon uchel dros ben. Roedd nawdd gan y clybiau cerdd yn ein galluogi i ariannu'r gerddorfa.

Byddem yn berfformwyr cyson yn Eglwysi Plwy Wrecsam, a'r Wyddgrug a Chadeirlan, Llanelwy. Yr egwyddor fawr y tu ôl i'r penderfyniad i baratoi *repertoire* estynedig oedd gosod her i mi'n bersonol a hefyd her i aelodau'r côr. Erbyn y diwedd, roeddem yn perfformio gwaith Charles Ives, darnau a oedd, rydw i'n siŵr, yn cael eu clywed am y tro cyntaf yng Nghymru. Enghraifft arall o dorri cwys newydd oedd y *Geographical Fugue* gan Ernst Toch, sy'n ymddangos ar ein cryno ddisg. Er bod y darnau'n heriol, oherwydd bod y côr yn mwynhau eu dysgu a'u perfformio, roedd hynny'n cael ei drosglwyddo i aelodau'r gynulleidfa a oedd wrth eu bodd yn eu clywed ac yn ymateb yn gadarnhaol iawn. Mae hyn wrth gwrs yn chwalu'r myth fod yn rhaid perfformio darnau sydd eisoes yn gyfarwydd i'r gynulleidfa os am fod yn gymeradwy gan wrandawyr. Hen. hen stori ydy honno – oes, mae 'ne le i hen ddarnau, ond hefyd dylai fod lle i ddarnau newydd. Onibai bod y perfformwyr yn fodlon ac yn awyddus i arbrofi er mwyn ehangu a pharatoi amrywiaeth yn eu rhaglenni, ni fydd unrhyw ddyfodol iddynt.

Yn ystod pymtheg mlynedd ei fodolaeth, roedd y côr wedi dysgu a pherfformio 175 o ddarnau o bob cyfnod rhwng yr 16ed ganrif a'r 20fed ganrif, yn cynnwys 36 motet, 22 madrigal, 22 carolau, 28 crefyddol, 38 alawon gwerin 29 corws o fyd opera ac oratorio. Roedd hyn heb gyfrif gweithiau fel *Messiah* ac *Acis and Galatea* (Handel), *Requiem* a *Vesperae Solennes de Confesore* K339 (Mozart), *Magnificat* (Pachelbel) *Cantatas 11, 22, 38, 78* gan J.S. Bach, *Offeren yn G* (Schubert) a *Gloria* (Vivaldi) *Jubilate Deo* (Gabrieli), *Saul, Saul* a *Salm 8 Herr, unser herrscher* (Schutz) a rhaid cynnwys gwaith estynedig a gyfansoddais i: *Sacrum Convivium* i gôr SATB ac unawdydd bas a berfformiwyd yng Nghapel Bethlehem, Rhos fis Rhagfyr 1969 gyda'r baswr Emyr Green a J.Raymond Williams wrth yr organ.

Gwaith comisiwn oedd y *Green Desert* a ddarlledwyd o neuadd William Aston, Wrecsam Mai 11, 1973. Roedd James Williams, cynhyrchydd rhaglenni cerdd y BBC ym Mangor, yn frwdfrydig iawn dros gefnogi darnau newydd, cyfoes, ac yn awyddus iawn i'w hyrwyddo a'u darlledu. Colin Jones oedd yn cyfeilio. Roedd y gwaith wedi'i seilio ar bedair cerdd o'r gyfrol *Green Desert* gan Harri Webb, 'Tyddewi', 'Tywi Idyll', 'Song for July' a 'Local Boy makes Good'. Cofiaf Gantorion Cynwrig yn canu 'Local Boy Makes Good' yn Neuadd Albert, Llundain, gyda'r gynulleidfa yn ei dyblau yn chwerthin wrth wrando ar ddelweddau annisgwyl y bardd:

When Christ was born on Dowlais Top
The ironworks were all on stop,
The money wasn't coming in,
But there was no room at the Half Moon Inn.

The shepherds came from Twyn y Waun
And three kings by the Merthyr and Brecon line,
The star shone over the Beacons' ridge
And the angels sang by Rhymney Bridge.

Yn wir, yn wir, mae lle i hiwmor mewn cerddoriaeth. Darnau eraill llawn hiwmor a gyfansoddais ar gyfer corau meibion, oedd 'Tom Tom the Piper's Son' ac 'Oes gafr eto', gan ddilyn yr un egwyddor, sef ysgogi'r gynulleidfa i chwerthin, a cheisio chwalu'r syniad fod gwaith clasurol modern yn rhywbeth pruddglwyfus a bod pob darn i gorau meibion yn gorffen gydag 'Amen'. Er enghraifft, mi agorais 'Tom, Tom, the piper's son' ag anferth o 'Amen'!

Yn ogystal â cherddi Harri Webb, fel rhan o gyfres darnau'r *Green Desert,* roeddwn wedi cynnwys dwy gerdd Gymraeg, sef 'Eryr Pengwern' o Ganu Heledd, darn i lefarydd, lle roedd y côr yn rhydd-gordio yn y cefndir i ddwysáu awyrgylch ofidus yr olygfa, lle mae Heledd yn crwydro drwy gaer Pengwern yn galaru am ei brawd, Cynddylan. Datblygais y darn yma ychydig flynyddoedd wedyn mewn gwaith comisiwn ar gyfer y Steddfod Genedlaethol – darn i soprano, bariton a phiano.

Y gân Gymraeg arall yn y casgliad oedd cerdd grafog o'r

ddeunawfed ganrif gan y crydd o Geredigion, Evan Thomas, 'I wraig Fonheddig Neuadd Llanarth' oherwydd iddi garcharu ei afr dros ddeuddydd am feiddio â phori yn rhy agos i'w phlas. Dyma'r pennill:

Y rhawnddu, fwngddu, hagar
Beth wnest ti â'th chwaer, yr afar?
'Run gyrn â'th dad, 'run farf â'th fam
Pam rhoist hi ar gam yng ngharchar?

Roeddwn o'r farn nad oedd y 'fwngddu hagar' yn haeddu na nodau ar erwydd nac alaw ac felly roeddwn wedi trefnu'r darn ar gynllun rhythmau llafar yn llawn trawsacenion yn null 'Geographical Fuge' (Ernst Toch), darn a ddaeth yn rhan boblogaidd o'n *repertoire* yn ddiweddarach. Mae traw penodol fel rhyw angor i'r gynghanedd ond mae'r canolbwyntio i gyd ar fydr a rhythmau cymhleth sy'n cyfleu hiwmor a thanlinellu ymateb y bardd i drosedd gwraig fonheddig Llanarth. Yn ddiweddarach, datblygais orwelion y darn ac yn ei ffurf bresennol mae'n cael ei ddefnyddio gan Islwyn Evans, *Cywair,* mewn cystadlaethau rhyngwladol.

Dylanwad arall oedd y gwaith 'Rondes' (Folke Rabe) darn nad oedd iddo *staves* ond yn hytrach flociau hirsgwar a oedd yn cynnwys sgwiglau o fewn y blychau. Roedd y copi'n debyg iawn i gynlluniau pensaer. Pan welodd Harry Pritchard, adeiladwr ac aelod o'r côr, ffurf y darn, wrth dderbyn ei gopi gen i ei ymateb oedd – *If you get planning permission, I'll put up the bugger for you!* Canwyd y darn hwn oddeutu deugain mlynedd yn ôl, pan ofynnwyd i'r Cynwrig gyflwyno rhaglen o ganeuon tra byddai'r beirniaid yn penderfynu ar enillwyr cystadleuaeth y corau meibion ar nos Sadwrn olaf Eisteddfod Genedlaethol Wrecsam 1977. Bûm yn ddigon dewr i gynnwys yr arddull arbennig hwn a'i osod gerbron cynulleidfa draddodiadol Gymreig. Roedd gan aelodau'r côr ddigon o ffydd a hyder ynof fel nad oedd neb am gwestiynu na gwrthod ymgymryd â'r her. Yn hytrach, roedd holl aelodau'r côr yn llawn hyder ac ymroddiad ac am weithio hyd eithaf eu gallu er mwyn arbrofi mewn maes hollol newydd. Roedd yr aelodau, un ac oll, yn fodlon mynd trwy ddŵr a thân i'm cefnogi. Wedi'r cyngerdd hwn cafwyd ymateb hynod o gefnogol i'n rhaglen gan y gynulleidfa ac yn ôl adolygydd cerdd y *Daily Post,* Neil Barkla:

> *A recital by the Cynwrig Singers under their conductor J.Brian Hughes, was a notable part of the evening and produced singing of quite outstanding brilliance.*

Yn ystod y cyfnod tra buon ni'n cystadlu yn yr Eisteddfod Genedlaethol buom dan y lach o sawl cyfeiriad ac mi rydw i'n cofio un darllediad ar y radio pan oedd panel o gerddorion (yn cynnwys nifer o rai tra adnabyddus a dylanwadol) yn trafod a oedd hi'n deg bod corau amatur yn cystadlu yn erbyn Cantorion Cynwrig a oedd yn gôr o leisiau dethol yn canu i lefel broffesiynol. Os am flas o'r proffesiynoldeb hwnnw, prynwch y CD 'Cantorion Cynwrig 1968-81' (Sain 2001) a gwrando ar ambell un o'r 26 o ddarnau sydd ar y ddisg, darnau fel 'Roedd yn y wlad honno' (trefniant Caradog Roberts)', 'Resonet in laudibus' (Handl) 'Emyn i'r Fam Fendigaid' (Tchesnokov) a 'Geographical Fugue' (Toch).

Wrth gwrs, roedd cynhyrchwyr y BBC, fel Alwyn Jones yng Nghaerdydd ac yn enwedig James Williams, yn y Gogledd, yn ein hannog i arbrofi ac yn rhoi hwb enfawr i ni gynnwys *repertoire* heriol ac arbrofol ar gyfer y darllediadau. Roedd y ddau'n ymwybodol hefyd fod safonau perfformio'r côr yn uchel ac am fanteisio ar bob cyfle i ddangos hyn i'r genedl.

Ymhen blynyddoedd, clywais berfformiad o'r darn 'Rondes' yn Eisteddfod Ryngwladol Llangollen gan gôr o'r Swistir ac roedd pawb dan yr argraff ei fod yn rhywbeth arbrofol a syfrdanol o newydd. Ond roedd hwn yn waith a oedd wedi ei berfformio gennym dros chwarter canrif ynghynt.

Mae 'Noa' yn ddarn sy'n nodweddiadol o'm harddull gerddorol. Mae'n ddarn sy'n llawn hiwmor ac sy'n ymhyfrydu mewn ysgogi gwên ymhlith y gynulleidfa ac mae, wrth gwrs, yn rhoi cyfle i'r arweinydd ddefnyddio ei ddychymyg wrth ei ddehongli. Roedd perfformiad Glanaethwy dan arweiniad Cefin

Roberts yn rhan o'u rhaglen ar gyfer cystadleuaeth Côr Cymru yn fythgofiadwy. Roedd y golygfeydd a grëwyd ganddo yn hyfryd, a hyd yn oed yn ychwanegu elfennau nad oeddwn wedi eu rhagweld wrth gyfansoddi'r darn. Roedd rhai o'r awgrymiadau a ychwanegais ar y copi, parthed pwysigrwydd sicrhau bod paced o dabledi teithio *Quells* wrth law cyn dechrau canu'r darn yn rhoi awgrym pendant i'r arweinydd na ddylai gymryd y testun ormod o ddifrif. Yn ystod ei berfformiad, mentrodd Cefin i'r eithafion a roddwyd pleser mawr nid yn unig i mi fel cyfansoddwr ond, yn naturiol ddigon, i'r gynulleidfa yn ogystal.

Gwaith comisiwn arall a ges gan y BBC oedd 'Donna del Paradiso', darn digyfeiliant o ryw ugain munud o hyd ar gyfer côr cymysg a dau unawdydd (soprano a bas) yn disgrifio Mair yn syllu ar ei mab yn marw ar y groes. Os yw hyn yn eich atgoffa o'r *Stabat Mater* rydych ar y trywydd cywir. Mae'r geiriau gan yr un bardd, sef Jacapone da Todi, o gyfnod y Dadeni, ond yn y 'Donna' mae llai o fyfyrio a mwy o ddrama a chymeriadu. Comisiynwyd y gwaith gan Alwyn Jones a chafodd y perfformiad cyntaf ei ddarlledu'n fyw o Eglwys y Plwy, Yr Wyddgrug, fis Mawrth 1980 gyda James Williams yn cynhyrchu.

Yn ogystal â gweithiau Toch a Folke Rabe, cawsom hefyd gyfle i recordio 'Salm 90' a 'Salm 150' gan y cyfansoddwr arbrofol o America, Charles Ives, yng Ngŵyl Gerdd Menai. Gydol ei oes, anwybyddwyd ei waith ond, er clod i James Williams, roedd yn fwy na pharod inni gynnwys dau ddarn Ives yn ein rhaglen radio. Yn rhannu llwyfan efo ni yn y darllediad hwn roedd y bariton enwog, Delme Bryn Jones.

Fel y gwelir o'r rhestr isod, roedd y côr yn perfformio gweithiau gan gyfansoddwyr o sawl gwlad a sawl cyfnod: Monteverdi, Lassus, Tallis, Palestrina – Bach a Handel, Bruckner Rachmaninov, Tchaikovsky – Hindemith, Barber, Britten, Vaughan Williams, Messiaen, Janáček, Elizabeth Maconchy, Ernst Toch, a'r cyfansoddwyr o Gymru, Daniel Jones, Grace Williams, William Mathias, Alun Hoddinott, Dilys Elwyn Edwards a'm cyfansoddiadau innau.

Roeddwn hefyd yn mynnu canu'r darnau yn yr iaith wreiddiol, gan sicrhau fod ynganiad pob gair yn gywir trwy ymgynghori ag ambell ieithgi yn y côr ac, yn ddiweddarach, pan oeddwn yn aelod o staff Coleg Cerdd Brenhinol y Gogledd Manceinion, byddwn yn manteisio ar wybodaeth arbenigwyr ieithoedd tramor y coleg. Felly byddai'r côr yn perfformio mewn Rwsieg, Groeg Eidaleg, Almaeneg, Ffrangeg, Tsiec, heb sôn am Saesneg, Cymraeg a Lladin.

Yr unig adegau pan na fyddem yn canu yn yr iaith wreiddiol oedd yn ystod cyfnod o gystadlu yn yr Eisteddfod Genedlaethol dan amodau'r rheol Gymraeg.

Oherwydd y cysylltiadau a oedd gen i â chantorion ifainc yn y coleg ym Manceinion byddwn yn eu cael fel unawdwyr yng nghyngherddau'r côr a hefyd pan fyddem yn perfformio gweithiau estynedig Handel, Bach, Mozart, Schubert, a Liszt. Yn ddiweddarach, daeth rhai ohonyn nhw'n gantorion o fri – Arthur Davies (a fu am gyfnod yn aelod o'r côr, cyn iddo fynd i'r Coleg Cerdd ym Manceinion), Sandra Browne, Ann Murray, Robin Leggat, Philip Joll, Deborah Rees, Robert Dean, Ann Dawson, Barry Banks, a chawsom gyfle i rannu llwyfan hefyd gyda chantorion ac offerynwyr o safon – Helen Field, Delme Bryn Jones, Gillian Weir (organyddes) a'r soprano Kiri Te Kanawa.

Oherwydd costau teithio, ni fyddem yn perfformio mor aml yn Ne Cymru, eto i gyd, cawsom wahoddiad i ganu yn Neuadd Reardon Smith, Caerdydd ac yng Nghapel Noddfa, Treorci ar gais John Haydn Davies, arweinydd côr meibion enwog Treorci. Roeddwn wedi canu yno gyda Chôr Madrigal yr Alun, Yr Wyddgrug ac roedd hi'n braf dychwelyd i un o gapeli mwyaf enwad y Bedyddwyr, fis Ebrill 1971, gyda Chantorion Cynwrig a dau unawdydd a oedd yn fyfyrwyr yng Ngholeg Cerdd Brenhinol Manceinon ar y pryd – Ann Murray (mezzo-soprano) ac Arthur Davies (tenor). Roedd cysylltiad rhwng Capel Noddfa a'r Rhos gan fod John Hughes, brawd Arwel Hughes y cyfansoddwr a'r arweinydd, wedi bod yn gôr-feistr yno am flynyddoedd – yn wir, fe'i hadwaenid fel John Hughes Treorci. Pan symudodd yn Drefnydd Cerdd i'r hen sir Feirionnydd fe'i hadwaenid fel John

Hughes, Dolgellau. Am ryw reswm neu'i gilydd, chafodd o mo'r teitl John Hughes Rhos na John Hughes Poncie.

Buom yn Neuadd Brangwyn, Abertawe ar gais Côr Meibion Pontarddulais. Yr unawdwyr gwadd oedd Kiri Te Kanawa. Roedd hi'n gantores ifanc iawn bryd hynny. I gloi'r cyngerdd, ymunodd Côr Meibion Pontarddulais, Cantorion Cynwrig a Kiri Te Kanawa i berfformio 'Emyn y Pasg' allan o *Cavalleria Rusticana* (Mascagni). Ar gyfer yr eitem hon roeddwn i wedi ymuno efo baswyr y côr. Tua diwedd y darn, methodd y soprano ifanc â dod i mewn. Roedd altos y côr yn rhai go effro ac yn saff eu nodau ac felly mi ganon nhw'r cymal yn ei lle. Ar amrantiad, dyma Kiri Te Kanawa yn troi tuag atyn nhw'n gyhuddgar, ddirmygus a rhoi golwg y cythraul iddyn nhw, edrychiad a fyddai'n peri i'r gynulleidfa dybio mai altos y côr oedd ar fai ac nid hi. O weld ei hymateb sydyn ac achubol i'r sefyllfa, dyma un o'r baswyr a oedd yn canu wrth fy ochr yn sibrwd *Mi eith hon yn bell, iti!* Gwir y darogan. Do, mi aeth hi'n bell iawn, iawn yn y byd proffesiynol!

Cawsom hefyd wahoddiad i Blas Gregynog i ganu rhai o emynau Ann Griffiths yn ystod ysgol breswyl dathlu dau-canmlwyddiant geni'r emynyddes. Gwell fyddai crybwyll mai canu geiriau'r ferch athrylithgar hon ar alawon gwerin oedd ein bwriad y tro hwn ... esiampl o greu rhywbeth newydd o'r hyn oedd â'i wreiddiau yn y gorffennol; ac mae'n fwy na thebyg mai fel hyn y cenid geiriau syfrdanol Ann Griffiths yng nghyfnod eu creu. Yn ei ragair i'r gyfrol a olygodd, *Y Ferch o Ddolwar Fach*, bu Dyfnallt Morgan yn ddigon caredig i gyfeirio at ein perfformiad yno.

> *Cafwyd hefyd, un noson, ddatganiad ysbrydoledig o rai o emynau Ann Griffiths gan Gantorion Cynwrig, o dan eu harweinydd Brian Hughes, a detholiad o gerddoriaeth glasurol ei chyfnod ar y piano gan Rona Jones.*

Byddai Rona, gyda'r mwyaf dawnus o'r rhai y bûm yn rhoi gwersi piano iddyn nhw, yn cyfeilio i'r côr mewn nifer o gyngherddau a rhaglenni radio.

Yn y gynulleidfa roedd y Tad Barnabas, y Cymro a ymunodd

â'r Eglwys Uniongred ac a anrhydeddwyd â'r teitl Archimandriad, sef pennaeth mynachlog neu grŵp o fynachlogydd. Sefydlodd eglwys heb fod nepell o Gregynog, lle y cynhaliai wasanaethau mewn pwt o adeilad gerllaw ei dŷ. Cawsom wahoddiad i fynd yno, a chyflwynodd anferth o gyfrol imi – Siantiau Eglwys Uniongred Rwsia – a chan ei bod wedi bod yn gorwedd am flynyddoedd mewn cwpwrdd damp rhyw eglwys ym Mharis cyn dod i'w feddiant, roedd arogl llwydni go drwm yn codi oddi arni – drewdod a dreiddiodd i bob twll a chornel fy nghartref er mawr ofid i'r teulu! O bori trwy'r gyfrol, mi ddes o hyd i ddarnau gan Tchesnokov a Tchaikosky ac ychwanegwyd y rhain at *repertoire* y côr, darnau y bydden ni'n mwynhau eu canu a'u darlledu, a'u canu yn y Rwsieg gwreiddiol – mae'r gân gan Tchesnokov ar ein CD. *Cantorion Cynwrig 1968-81* (Sain 2001).

Trannoeth y cyngerdd, ar y bore Sul, mi benderfynais i ac un arall o'r cor, Gareth Pritchard Hughes, ddychwelyd i Gregynog i wrando ar y Dr. Derec Llwyd Morgan yn trafod gwaith Ann Griffiths. Ar y cwrs preswyl, roedd nifer o lenorion, ysgolheigion, gweinidogion a phrif feirniaid llenyddol Cymru ac ar ôl y ddarlith estynnodd y Tad Barnabas wahoddiad i bawb ymuno ag ef mewn gwasanaeth yn yr adeilad bach a safai wrth ochr ei gartref. Ac ffwrdd â ni yn un fflyd. Gyferbyn â'r eglwys fach Uniongred roedd capel, lle roedd cynulleidfa fach o ffyddloniaid anghydffurfiol yn araf ymgynnull fesul un a dau. Eironi'r sefyllfa oedd ein bod ni, ar draws y ffordd iddyn nhw, ar bnawn Sul o bob diwrnod, yn gynulleidfa sylweddol o rai a fagwyd yn sŵn emynau Pantycelyn ac a fu'n dathlu daucanmlwyddiant Ann Griffiths, ar fedr troi ein cefnau ar Anghydffurfiaeth ein rhieni i gofleidio seremoniau'r Eglwys Uniongred ac anadlu mwg arogldarth y Tad Barnabas!

Ond daw diwedd i bopeth. Y prif reswm i ni ddod a'r côr i ben yn ystod 1981 oedd prinder tenoriaid, a phrinder aelodau a oedd o'r un safon â'r rhai blaenorol. Ar waetha sawl ymdrech lew, doedd dim modd symud ymlaen, gan fod yr hen aelodau wedi ymateb i mi hyd at eithaf eu gallu a doedd dim gobaith bellach ddod o hyd i aelodau newydd o'r un anian. Rhaid cyfaddef yn ogystal nad oedd y farchnad mor ffafriol erbyn hyn. Roedd y clybiau cerdd wedi dirwyn i ben bron yn gyfan gwbl, a doedd cynulleidfaoedd Cymru, hyd yn oed yn y Rhos, erioed wedi bod yn or-gefnogol iawn i'r math o ganu roedd y Cynwrig yn ei gynnig. Felly, oherwydd cyfyngiadau'r farchnad yn ogystal â phrinder tenoriaid, yn anffodus, bu'n rhaid rhoi terfyn ar y côr. Canodd y côr ei nodyn olaf ar ddiwedd perfformiad o *Crucifixion* (Stainer) a *Via Crucis* (Liszt) yn eglwys y plwy Wrecsam ar Ebrill 17, 1981.

Ond cofiwch am ein CDs. Mae 'Emyn i'r Forwyn Fendigaid' gan Tchesnokov a 'Resonet in Laudibus' gan Jacob Handl ar y CD *Cantorion Cynwrig 1968-81* (Sain 2001) yn adlewyrchiad teg o'r hyn a gyflawnwyd a'r safon roeddem bob amser yn anelu tuag ati.

Does neb am ddilorni ysbrydoliaeth y gerddoriaeth grefyddol sy'n treiddio i mewn i ddirgelion yr enaid, ond dylid rhoi lle hefyd i ddarnau seciwlar heb negeseuon athronyddol na diwinyddol; canu er mwyn canu a chael blas ar greu rhywbeth o'r newydd, gan gredu'n ddiffuant mai dyma oedd yr hyn y dymunai pobl ei glywed rhagor yr un hen bethau y buwyd yn rhygnu arnynt er cyn cof.

Mae hon wrth gwrs yn ddadl dragwyddol. Mae lle i'r hen ganiadau ac i'r hen gyfansoddwyr ond, ar yr un pryd, mae'n hanfodol creu lle i gyfansoddwyr newydd ac edrych ymlaen i'r dyfodol. Cofiaf ysgrifennu at yr Eisteddfod Genedlaethol a gofyn iddyn nhw drefnu cystadleuaeth 'Cenwch im yr Hen Ganiadau' – a dyna pam mae'r gystadleuaeth honno'n bodoli hyd heddiw- tra oeddwn, ar yr un pryd, yn yr un llythyr, yn pwysleisio bod rhaid cael cydbwysedd a chynnal cystadlaethau 'Cenwch im Ganiadau Newydd' yn ogystal. Yn anffodus, dydy hynny byth wedi digwydd!

SOAVI CONCENTI 1987–1991

Ar ôl saib byr, daeth cyfle i ffurfio côr newydd dan yr enw *Soavi Concenti*, lle gosodwyd amodau eithaf llym ynglŷn ag aelodaeth. Y targed oedd perfformio gweithiau megis *Y Dioddefaint yn ôl Sant Ioan* ac *Oratorio'r Nadolig* gan Bach, *Requiem* (Mozart) a *Messiah* (Handel). Roedd yr amser ymarfer cyn pob perfformiad yn cael ei gyfyngu i bum sesiwn o dair awr. Roedd angen darllenwyr medrus neu rai a oedd yn gallu dysgu'n gyflym. Roedd nawdd Clwb Cerdd Yr Wyddgrug yn talu am y gerddorfa a'r unawdwyr a'r perfformiadau'n cael eu cynnal yn Theatr Clwyd. Roedd cnewyllyn bach o gyn-aelodau Cantorion Cynwrig yn aelodau o'r côr newydd, gydag eraill yn teithio o Landudno a'r Rhyl, a chefais lawer o bleser yn hyfforddi'r côr newydd hwn. Oherwydd i Glwb Cerdd Yr Wyddgrug gau pen y mwdwl ar ei weithgareddau, diflannodd y nawdd a oedd yn gwbl hanfodol i lwyddiant llwyfannu gweithiau mawr, a daeth y cyfan i ben.

GADAEL YSGOL ALUN

Ond, daeth yn amser i feddwl am symud i swydd newydd a sialens newydd ac ehangu fy mhrofiad o'r byd canu.

Cyn imi adael Ysgol Alun, gan fod y côr wedi gwneud cymaint o ddarllediadau, daeth y BBC i'r ysgol i ffilmio'r dyddiau olaf a'r cyngerdd olaf. Roedd yn braf cael cwmni nifer o ffrindiau o'r de, ac yn ei plith Roger Price, ysgrifennydd Eisteddfod y Glowyr, Porthcawl, a chefais ddau ddiwrnod difyr iawn yng nghwmni William Mathias y cyfansoddwr, a oedd yn ymgynghorydd i'r ffilm ddogfen. Treuliodd dri diwrnod yn dilyn ymarferiadau'r côr a chyhoeddodd ei argraffiadau yn rhifyn Haf 1970 y cylchgrawn *Welsh Music:*

> *During the three days spent at Mold ... a number of impressions remain with me.*
> *First, of dedication to the achievement of high standards of performance – standards reflected not merely in brilliance of effect but also in the far more testing matter of musical phrasing and characterisation.*

Second, of Brian Hughes's highly effective method of training – rehearsals conducted with a minimum of talk (rendered unnecessary by a maximum of rapport) and always directed towards the perfection of musical subtleties.
Third, of the choir's range of expression and stylistic identification developed naturally out of the singing of as wide variety of music.
Fourth, and certainly not the least, of a sense of musical adventure and of eagerness to encompass new modes of musical thought and sound – even the treatment of folk-songs (many specially arranged by the conductor) was conditioned by this sense of adventure and hence the re-creation of material from a past era in twentieth century terms.

Mae paragraff olaf ei erthygl yn haeddu sylw:

> *Here at least is a young choir that has set itself high standards and, in achieving them, has made itself known over the past few years well beyond the borders of Wales. It is to be hoped that in doing so it has also provided us with something of a guide-line to the future in our schools.*

Mae rhai o berfformiadau'r côr ar gof a chadw o hyd ar y ddwy E.P. a wnaethom (gweler Atodiad 1).

Ni allaf gau pen y mwdwl ar atgofion plesurus iawn fy nghyfnod yn Yr Wyddgrug heb ddweud mor braf oedd gweld fod llawer o'r genethod a oedd yn fy ngôr madrigal wedi mynd ymlaen i ganu gyda chorau eraill ar ôl gadael yr ysgol ac rydw i'n falch dros ben o Jean Stanley Jones, un o'm sopranos disglair, a ddaeth yn arweinydd cenedlaethol ac a gomisiynodd lawer o ddarnau arbrofol gen i megis 'Canticum Sirenum' ar gyfer ei chôr *Sirenian Singers*, darnau a oedd i fod yn ddefnyddiol iawn yn sicrhau llu o wobrau iddi hi a'i chantorion mewn cystadlaethau ym Mhrydain ac yn Ewrop.

Bu sawl rheswm dros benderfynu gadael Ysgol Alun. O safbwynt dysgu, roedd pethau wedi mynd yn anos yn Ysgol Alun, erbyn hyn, oherwydd ei bod hi bellach yn Ysgol Gyfun ac roedd ethos yr hen Ysgol Ramadeg wedi diflannu. Roedd y cwricwlwm cenedlaethol yn colli ei ffocws ar sylfeini cerddorol y gorffennol ac roedd cynghanedd a gwrthbwynt yn prysur ddiflannu fel pynciau gwerth eu hastudio. Y duedd bellach oedd cyffredinoli ym mhob pwnc ac roedd newid cyson yn y maes llafur. Dyna'r cyfnod pan oedd y pwyslais ar elfennau technegol megis cynghanedd yn lleihau er mwyn annog mwy o ddisgyblion i ddilyn y cwrs cerddoriaeth. Ond rydw i'n gredwr cryf yn y ffaith syml mai dim ond nifer fach freintiedig sydd â'r gallu i astudio cerddoriaeth. Mi fyddwn i, er enghraifft, yn berygl bywyd i bawb o fewn hanner milltir imi pe bai gofyn imi fentro gafael mewn cŷn a morthwyl a thrin darn o bren. Fydda i byth bythoedd yn saer nac yn saer maen yn adeiladu waliau, gan nad wyf yn gymwys nac yn addas ar gyfer gwaith o'r fath. Yn yr un modd, nid oes gan nifer fawr o bobl y cymwysterau cynhenid ar gyfer astudio Cerdd. Mae'n bwnc arbenigol. Rydw i'n gredwr cryf mewn arbenigedd. Ond y meddylfryd ym myd addysg, ar y pryd, oedd fod pawb yn meddu ar y ddawn i fedru ymdopi ag unrhyw beth mewn unrhyw faes – *education, education, education* – ond, wrth gwrs, nid cariad at y celfyddydau oedd y gyfundrefn addysg yn ei ddymuno gyda'r mantra hwn ond yn hytrach addysgu pawb i fod yn aelod pwrpasol a defnyddiol i gynnal gweithgareddau'r wladwriaeth mewn byd cyfalafol. Mae gofalu bod y cyfle ar gael yn iawn ond mae'n rhaid ystyried yn ogystal addasrwydd yr unigolyn ar gyfer gofynion maes penodol y cyfle hwnnw. Rhaid pwyso a mesur beth sydd gan yr unigolyn i'w gyfrannu at y pwnc. Dydw i ddim wedi maddau i bwy bynnag a benderfynodd fy mod yn gorfod astudio tipyn bach o fathemateg yn ystod fy ngyrfa ysgol. Dyna bwnc nad apeliodd erioed ata i a bu'n orthrwm mawr i mi drwy gydol fy oes.

Roeddwn i felly'n barod i adael y byd addysg uwchradd a throi fy nghefn ar fod yn athro mewn ysgol er mwyn symud i leoliad lle roedd arbenigedd yn dal i fod yn bwysig a lle y byddwn yn wynebu sialens newydd ac yn ehangu fy mhrofiad o 'r byd canu.

Clywais fod swydd yn cael ei hysbysebu yng Ngholeg Cerdd Manceinon. Byddai symud yno'n golygu y byddwn yn gweithio gyda chantorion a oedd â'u bryd ar fod yn gerddorion proffesiynol. Er bod fy mhrofiad o gerddoriaeth yn weddol gyflawn, roedd gyrfa newydd yng Ngholeg Cerdd Manceinion yn denu. Byddwn innau'n cael cyfle arbennig i ddysgu mwy am sut oedd y llais yn gweithio, yn ogystal â'r hyn oedd yn ofynnol i unawdydd addawol ddatblygu er mwyn cyrraedd safonau proffesiynol.

Roeddwn yn bur gyfarwydd ag *arias* unigol o fyd yr opera, ond roeddwn yn rhagweld fod yna gyfle ychwanegol i astudio opera yn ei chyfanrwydd a dod i ddeall sut mae paratoi unawdwyr a cherddorfa ar gyfer perfformiadau. Byddai cyfle hefyd imi weithio gyda chynhyrchwyr a gweld sut oedd ymddwyn ar lwyfan ac, yn bennaf oll, byddwn yn cael astudio sgôr yn fanwl, fanwl a gweld sut oedd cyfansoddwyr fel Verdi, Puccini, Britten a Stravinsky yn defnyddio'r gerddorfa. Ond yn gyntaf roedd rhaid mynd drwy gyfweliad.

Pennod 6

COLEG CERDD BRENHINOL Y GOGLEDD MANCEINION

Roedd y cyfweliad yng ngholeg Manceinion, *The Royal Manchester College of Music*, yn dra gwahanol i'r cyfweliad yn ysgol Alun ... am un peth, roeddwn yn gwisgo tei. Roedd y coleg hwn a'r *Northern School of Music*, rhyw filltir i lawr Oxford Rd. i uno â'i gilydd i ffurfio *The Royal Northern College of Music* mewn adeilad newydd heb fod nepell o'r ddau goleg ac, fel canlyniad, roedd myfyrwyr y ddau goleg gwreiddiol a hefyd aelodau staff y ddau sefydliad yn awyddus i ddangos eu gallu cyn yr ecsodus i'r coleg newydd dan deyrnasiad y pennaeth newydd, Syr John Manduell.

Dyma gerdded i mewn i hen adeilad Fictoraidd ... digon o le i anadlu a digon o arwyddion i'n hatgoffa o draddodiad disglair cynfyfyrwyr a hyfforddwyr y sefydliad i'w gweld yn amlwg iawn yn y lluniau ar y muriau. Roedd rhyw naws yn perthyn i bensaernïaeth y lle yn gyffredinol.

Adroddodd un o athrawon llais y coleg, Patrick McGuigan, stori ddiddorol wrthyf am ei ymweliad cyntaf â'r coleg. Roedd wedi cael ei dderbyn fel myfyriwr yn y coleg ac wedi cyrraedd Manceinion o Iwerddon, bedwar diwrnod cyn i'r tymor ddechrau. Ar ôl peth helbul, daeth o hyd i'r coleg yn Ducie St. Er bod y drws ar agor, roedd y lle yn hollol ddistaw ... neb yno ond rhyw ddyn, a golwg braidd yn anhrwsiadus arno, yn gwisgo beret ar i ben. Meddyliodd yn siŵr mai hwn oedd y gofalwr. Cerddodd Paddy ymlaen drwy'r adeilad. Yn sydyn, clywodd lifeiriant o nodau yn dod o un o stafelloedd y llawr isaf. Roedd rhywun yn chwarae'r piano a hwnnw'n dipyn o athrylith. Meddyliodd *Jesus, if that's what the caretaker can do, I'd better take the next boat back to Dublin.* Ychydig wedyn, erbyn dallt, y *caretaker* blêr o bianydd oedd un o'r pianyddion mwyaf disglair welodd y byd erioed, sef y digymar John Ogdon.

Felly dyna lle roeddwn i, yn sefyll yn yr union fan lle y cafodd Paddy ei flas cyntaf ar safon gerddorol y coleg. Cerddais i fyny'r grisiau a chael fy arwain i sedd yn ymyl stafell Freddie Cox . Ef oedd pennaeth yr hen goleg, un o'r hen ysgol ond efallai yr hyfforddwr llais mwyaf enwog yn y wlad. Yn ystod ei yrfa bu'n unawdydd tenor, yn gyfansoddwr ac yn hyfforddwr llais, ac yna'n brifathro hen goleg Coleg Cerdd Brenhinol Manceinion (1945–1970) ac wedi uno'r ddau hen goleg, bu'n hyfforddwr llais yn y sefydliad newydd, sef Coleg Cerdd Brenhinol y Gogledd Manceinion (1975–1985). Ymhlith ei fyfyrwyr ceir unawdwyr enwog fel John Mitchinson, Joseph Ward, Ryland Davies, Anne Howells, Elizabeth Harwood, Rosalind Plowright, Dennis O'Neill, Mary Brennan, Sandra Browne, ac Ann Murray.

Dywedai rhai ei fod wedi gwasanaethu Prydain fel ysbïwr, yn yr Eidal, yn ystod yr Ail Ryfel Byd a bod ei alwedigaeth fel hyfforddwr llais yn fwgwd arbennig o effeithiol er mwyn celu'r gwir reswm dros ei bresenoldeb yng ngwlad y gelyn. Efallai mai'r ffaith iddo fod yn un o weision y Swyddfa Dramor (1939–1945) oedd ffynhonnell y sibrydion hyn. Stori arall amdano oedd iddo raddio o Goleg Oriel, Rhydychen a thra bu yn yr Eidal yn ystod yr Ail Ryfel Byd, cafodd gyfle nid yn unig i ymweld â thai Opera fel La Scala ond hefyd i gyfeilio yng ngwersi hyfforddwr llais enwog a oedd wedi dysgu neb llai na Caruso. Dyna fu man cychwyn ei yrfa fel hyfforddwr llais.

Gydag ef yn y cyfweliad, roedd David Jordan, arweinydd y

gerddorfa, a'r dyn a fyddai'n arwain y rhan fwyaf o operâu'r coleg yn y blynyddoedd i ddod. Yn ffodus iawn, roedd David wedi gweld a chlywed Côr Ysgol Alun ar y teledu nifer o weithiau ac felly roedd yn gwybod rhywfaint am fy ngallu fel cerddor. Roedd gweld David Jordan yn gyrru ei Rolls Royce drwy strydoedd Moss Side yn codi gwên ar wyneb ac roedd ei acen uchel-ael a'i drem aristocrataidd yn gwrthgyferbynnu'n llwyr â'i awydd parhaus i fwynhau sigaret slei yn encilion dirgel y coleg.

Doedd gen i ddim syniad faint o bobl oedd yn ceisio am y swydd, ond cefais gip ar Alfred Hallet, tenor proffesiynol roeddwn wedi cyfeilio iddo yn y gorffennol. Cyn imi fynd drwy ddrws yr ystafell gyfweld ymddangosodd un o'r ymgeiswyr yn flinedig a golwg arno fel petai wedi cael ei dynnu drwy fangl.

Rydw i'n cofio bod Freddie yn ffraeth iawn ac yn gofyn cwestiynau am fy mhrofiad a'm syniadau am ganu ac yn egluro beth oedd bod yn rhan o'r Adran Opera yn ei olygu. Wedyn, bu'n rhaid chwarae'r piano dan arweiniad David Jordan; dau ddarn allan o *Peter Grimes* gan Britten, darnau hollol ddieithr i mi, a'r corws 'Dies Irae' o *Requiem* Verdi.

Cefais y swydd, a dyma ddechrau ar siwrnai ddyddiol o drigain milltir bob ffordd a oedd i fod yn rhan o 'mywyd i am y pum mlynedd ar hugain nesaf. Wrth gwrs, roedd tipyn o wahaniaeth rhwng teithio i'r Wyddgrug a theithio i Fanceinion. Roedd pedwar ohonom yn rhannu car: Colin a finnau, John Daniel, a ddaeth yn arweinydd llwyddiannus gyda Chôr Meibion Froncysyllte, Côr Merched y Rhos, a Chôr Meibion y Rhos, a'r diweddar Arthur Davies a fu farw yn 2018, y tenor a aeth ymlaen i fod yn un o brif denoriaid Opera Cenedlaethol Cymru. Cofiaf iddo ganu rhan y Dug ar y teledu (cynhyrchiad chwyldroadol Jonathan Miller o gampwaith Verdi, *Rigoletto*) a hyn, yn anad dim, a seliodd yrfa lwyddiannus Arthur. Dyma un o'n ffaeleddau ni fel Cymry, aros nes i'r Saeson gydnabod talent anghyffredin cyn gweld a chredu yn y dalent honno ein hunain – gormod o barch i farn y Sais a dim digon o hyder yn ein barn ni'n hunain. Medrwch glywed llais Arthur ar ei orau mewn recordiau o *Elijah* gan Mendelssohn ac yn

Stabat Mater (Rossini), lle mae'n esgyn yn rhwydd yn yr aria 'Cuius Animam' i nodau uwchben 'C' uchaf. Bydd pawb a fu yng nghwmni Arthur yn cofio ei wên ddireidus a'i bersonoliaeth fywiog, gyfeillgar a thra oeddwn yn cyfeilio iddo mewn gwers, yn y dyddiau cynnar ym Manceinion, y daethom ar draws yr athro a oedd *the flavour of the month* yn y coleg, Joseph Ward. Er bod oddeutu hanner can mlynedd wedi mynd heibio, rwy'n cofio mai 'Love sounds the alarm' allan o *Acis and Galatea* gan Handel roedd Arthur yn ei ganu, gyda phob 'G' uchel yn seinio fel cloch, a Joe yn canmol ein datganiad i'r entrychion.

Byddai Colin yn cychwyn yn y Rhos, yna'n codi John Daniel, cyn galw amdanaf yn Aberderfyn, ac wedyn mynd ymlaen i Herbert Jennings Avenue, Wrecsam er mwyn nôl Arthur Davies. Roedd Arthur, fel roedd hi'n digwydd, yn byw drws nesaf i Don Thompson, enillydd y fedal aur yn y ras gerdded 50 cilomedr yn Chwaraeon Olympaidd Rhufain, Haf 1960. Roedd y daith i'r Coleg oddeutu awr a hanner – awr hyd at hen gae pêl-droed *Manchester City* yn *Maine Road*, ac yna hanner awr o ymlusgo drwy draffig trwm y ddinas i gyrraedd y Coleg.

Ar y daith adref o Fanceinion roedden ni'n aml yn ceisio chwilio am ffyrdd newydd, gan droi am y De o ddinas Caer a mynd drwy bentrefi bach tra Seisnig Swydd Gaer, llefydd fel Dunham on the Hill a Guilden Sutton, mewn ymgais (aflwyddiannus, gan amlaf) i docio munud yma ac acw oddi ar y siwrne.

Roedd gan Colin lais bariton cyfoethog, yn union fel ei dad, Bob Haydn, a oedd, fel fy nhad innau, yn aelod o'r côr meibion, côr y bu Colin ei hunan yn arweinydd tra llwyddiannus arno am dros ddeng mlynedd ar hugain – un o'r cyfnodau, os nad y cyfnod mwyaf euraid, yn hanes y côr, yn ddiamau. Er ei fod wedi cael llwyddiant mawr fel pianydd disglair iawn, dywedodd yn aml wrthyf, *'Sgen i ddim diddordeb mwyach yn y piano, y llais 'di popeth i mi rŵan*. Ac felly y bu. Pan fu farw'r athro llais, Gwilym Gwalchmai, aeth Colin a oedd yn fyfyriwr yn y coleg yn athro llais yno yn ei le.

Ar y siwrne hir o awr a hanner i'r coleg (nid oedd yr M56 yn bodoli y pryd hynny) roedd cryn drafod – sôn am gantorion, am athrawon, pêl-droed, neu'r opera newydd y byddem yn ei pherfformio yn y coleg. Rhaid dweud bod Colin a minnau'n cael dipyn o hwyl wrth roi sialens i bawb ganu camau cerddorol fel *doh: fah':doh: lah': doh:te': doh: ta'*, a rhediad cerddorol fel *soh: doh': lah: ray': me: lah': se'*.

Boed law, storm, neu eira mawr roedd y car yn cyrraedd Manceinion erbyn 10 o'r gloch y bore, a gadael am 5 o'r gloch i ymlwybro drwy draffig trwchus Princess Rd. cyn cyrraedd y ffordd agored ac anelu am Gymru. Roeddwn yn gweithio pedwar diwrnod yr wythnos, ond pan fyddai dyddiad y perfformiad opera yn agosáu roedd yn ofynnol i mi fynd i'r coleg ar y Sadwrn a'r Sul.

Byddai Colin a fi'n mwynhau perfformio deuawdau piano a buom, nifer o weithiau, i Fryn Meirion, stiwdio'r BBC ym Mangor, i ddarlledu. Roedd dau *grand piano* da yno a rydw i'n cofio carlamu drwy 'The arrival of the Queen of Sheba' allan o *Solomon* gan Handel, a nifer o symudiadau o *Carnival of the Animals* gan Saint Saëns (tybed a oes tapiau o'r perfformiadau hyn dan glo mewn hen gwpwrdd rywle ym Mryn Meirion, Bangor?).

Un anhawster mawr i Colin a minnau oedd ein parodrwydd i gael pwl o chwerthin afreolus a hynny ar fyr rybudd ac ar esgus gwan. Arweiniodd hyn i drybini, ambell dro. Pan ddigwyddai'r pyliau chwerthin hyn byddai Colin yn stwffio cadach poced yn ei geg mewn ymgais i atal effaith y pwffian a'r igian a'r ebychiadau herciog, a byddai gweld hyn, wrth reswm, yn dyblu dwyster fy chwerthin afreolus innau.

Pan fyddai James Williams (Adran Gerdd BBC Bangor a ffrind mawr i Gantorion Cynwrig a Chôr Meibion y Rhos) yn traethu ar y ffôn ynglŷn â'r trefniadau ar gyfer darllediadau arfaethedig ein deuawd biano, ac yn pwysleisio pryd roedden ni'n dau i fod yn y stiwdio ac yn y blaen, ac yn y blaen, ac yn y blaen, roedd yn anodd atal yr ysfa i chwerthin. Roedd Mr Williams yn enwog am lifeiriant ei sgyrsiau dros y ffôn – cymal ar ôl cymal heb hyd yn oed gymryd anadl, ac roedd hyn yn peri poendod i'r sawl a fyddai ar ben arall y ffôn, (y fi, fel arfer) ond nid i'r sawl oedd yn gwrando a gwylio'n wên i gyd, dan brocio drwg, sef Colin.

Mae'r llun ohonom wrth y piano efallai'n dangos y wên a'r elfen chwareus oedd bob amser yn bygwth ffrwydro pan fyddai Colin a fi wrthi'n perfformio ... o na fuasai mwy o wên yn gyffredinol mewn perfformiadau o gerddoriaeth glasurol.

Rydw i'n cofio un diwrnod yn fuan ar ôl dechrau yn y coleg, fel roedd Colin a minnau'n anelu am y drws i gynnal ymarfer côr mewn neuadd fach ar draws y ffordd i'r prif adeilad, dyma Mr Z. yn agor y drws. Doedd Mr Z ddim yn hollol ddall ond roedd yn fyr iawn, iawn ei olwg a'r cwestiwn ofynnodd inni oedd; *Is either of you Gillian Shufflebottom?* Medrwch ddychmygu'r effaith gafodd hynny ar y ddau ohonom. Ni chafodd ateb i'w gwestiwn, a bu'n rhaid inni redeg o'i olwg yn ddagrau o chwerthin. Wedyn, roedd rhaid dyfalu sut i gyrraedd yr ystafell ymarfer heb ddod wyneb yn wyneb ag o, unwaith eto.

Roedd y ddau ohonom o'r un pentre, o'r un capel, yn gynddisgyblion yn Ysgol Ramadeg y Bechgyn, Rhiwabon, yn bianyddion, wedi cael gwersi piano gan Lottie Williams Parry, ac wedi syrthio mewn cariad â'r llais a'r *repertoire* lleisiol. Pa ryfedd, felly, fod Colin a minnau ar yr un donfedd o ran y flaenoriaeth y dylid ei rhoi i bwysigrwydd ansawdd llais, boed yn unawdydd neu'n gôr.

Yr argraff gyntaf a gefais yn y coleg oedd fod y cantorion o ddifrif. Buasai John McEnroe yn dweud; *This is serious, man.* Uchelgais pob un o'r myfyrwyr oedd canu yn Cov*ent Garden* ac, er na fyddai pawb yn cyrraedd y nod, roedd eu hymroddiad a'u dyfalbarhad yn llwyr a phob munud o'u diwrnod yn cael ei ddefnyddio i geisio gwireddu eu breuddwydion.

Yr opera gyntaf y bûm yn gweithio arni oedd *Cosi fan tutte* (Mozart); cast o chwe chymeriad yn cynnwys Rosalind Plowright, Ann Murray, Eiddwen Harry, ac Arthur Davies, pob un i gael dyfodol disglair yn y byd canu. Hwn fyddai eu cyfle cynta i arddangos eu medr i'r cwmnïau opera proffesiynol. Er bod *arias* pwysig yn y gwaith, mae'r llu o ddeuawdau, triawdau a chwechawdau hudolus Mozart ar eu disgleiriaf wedi argyhoeddi'r rhan fwyaf o wybodusion y byd cerdd mai hon yw'r opera *ensemble* orau a sgwennwyd erioed. Roedd y cyfle i gyfeilio i'r ensemblau hyn a'u harwain yn rhywbeth newydd i mi ac yn fy argyhoeddi mai dyma oedd y lle i fod. Ond wrth gwrs roedd rhaid bod yn gymwys i reoli'r grŵp hwn o dalentau mwyaf disglair y coleg, ac roedd yn bwysig hefyd fod gen i rywbeth i'w ddweud am y gerddoriaeth, rhywbeth trawiadol a fyddai'n ysgogi dychymyg y cantorion.

Rhaid cofio hefyd mai cyfnod o newidiadau ac ansicrwydd oedd hwn, cyfnod o aros nes dôi'r alwad i'r ddau goleg, *The Royal Manchester* a'r *Northern,* roi'r gorau i'w hen adeiladau a'r hen gystadlu a fu rhyngddynt, cyn iddyn nhw uno a symud i mewn i'r coleg newydd. *The Royal Northern College of Music.*

Ar y pryd, y sefydliad newydd hwn oedd yr unig goleg ym Mhrydain oedd â neuadd gyngerdd a theatr opera dan yr un to. Roedd Syr John Manduell, y pennaeth newydd, yn hoff iawn o achub y blaen ar golegau Llundain. Beth bynnag, roedd yn eironig na chafodd yr adran opera, sef yr hysbyseb fwyaf blaengar a'r ffenestr siop amlycaf i arddangos gweithgarwch y coleg, le penodol o fewn y muriau newydd (mae'n swnio dipyn fel y sefyllfa yn stori'r Nadolig). Wrth gwrs roedd ymarferiadau canolog yr opera a hefyd yr *opera scenes* yn digwydd yn y theatr ac roedd ymarferion corawl ar gyfer gweithiau fel *Requiem* (Verdi) a *Child of our Time* (Tippet) yn cael eu cynnal yn y neuadd gyngerdd ond roedd y gwaith caib a rhaw, y paratoi manwl, yn digwydd mewn adeiladau a oedd ar wahân i brif adeilad coleg. Yn ystod fy holl gyfnod yn y coleg, roedd yr adran opera yn symud o un lleoliad i'r llall, y tu allan i'r coleg ei hun. Mae gen i gof inni ddefnyddio o leiaf pedwar adeilad, yr olaf o'r rhain yn dwyn yr enw *The Sidney Building.* Coeliwch neu beidio, roeddwn yn dysgu yn hen ystafell yr athronydd Wittgenstein, felly roedd angen cynnal cryn dipyn o safon.

Wrth sôn am *Sidney Building,* rydw i'n cofio perfformiad

diddorol yno. Roedd yn hen adeilad helaeth, ac roedd digon o le a digon o ofod ac uchder yno, gan ei wneud yn adeilad atseiniol iawn o ran acwstig. Roedd grisiau gosgeiddig yn esgyn mewn hanner cylch i fyny at yr ail lawr a phenderfynodd Malcolm Fraser (cynhyrchydd mwyaf arbrofol y coleg) a minnau drefnu cyflwyniad dramatig ar y grisiau hyn. Roedd y perfformiad yn cynnwys dwy garfan, sef y Palestiniaid a'r Iddewon, ac yn y canol, rhwng y ddwy garfan, roedd merch, soprano, yn myfyrio ar y drydedd salm ar hugain.

Roedd y gerddoriaeth i'r ddwy garfan, sef y ddau gôr, heb eiriau, felly roedd yn ofynnol i'r cantorion fynegi eu teimladau mewn iaith newydd, iaith a oedd i'w greu gan y cantorion eu hunain. Dyna oedd bwriad yr arbrawf, sef rhoi cyfle i'r myfyrwyr ddefnyddio sain bur yn hytrach na sain o fewn caethiwed geiriau i gyfleu ystyr ac emosiwn. Roedd chwaraewr soddgrwth enwog yn dysgu yn *Sidney Building* ac yn un o'r gynulleidfa. Mi ddôth ata i ar y diwedd a dweud mai dyna oedd y profiad cerddorol gorau roedd wedi ei gael yn y coleg.

Yn anffodus nid oes gen i ond ychydig nodiadau o'r sgôr a sgwennais i'r achlysur ond, mewn gwirionedd, roedd yn rhywbeth unigryw, yn rhywbeth a grëwyd gan yr unawdydd soprano, pob un o'r cantorion, Malcolm a minnau a'r *Sidney Building* ei hunan. Roedd fel petai'r adeilad wedi anadlu am hanner awr ac wedyn ymdawelu a diflannu'n ôl i'r gorffennol. I ddisgrifio cyfaredd penfeddwol profiad o'r fath, mae Islwyn Ffowc Elis yn defnyddio'r geiriau 'eiliadau tragwyddol' yn un o'i ysgrifau, eiliadau na chânt eu mesur yn ôl tipiadau'r cloc. Mae'n bosibl y gall yr 'eiliad tragwyddol', tebyg i'r profiad yn y *Sidney Building*, ddigwydd mewn rihyrsal neu efallai wrth glywed un *chord* arbennig pan fo'r cydbwysedd lleisiol yn berffaith ac yn esgor ar ryw ddolen gyswllt ryfeddol â chyfres harmoni, *the music of the spheres*. Tybed ai awgrymu rhywbeth tebyg wna Islwyn yntau yn ei gerdd 'Y Dylanwad' (sydd hefyd yn dwyn yr is-deitl ' *The vision and the faculty divine*,') pan luniodd y llinell *Ynom mae y sêr* ... Mae'n brofiad sy'n perthyn i gyflwr uwchlaw trafferthion a ffwdan ein bywyd bob dydd. Yn fuan wedyn daeth y cysylltiad rhwng y coleg a'r adeilad i ben, a dyna fu diwedd y gân i Sidney.

Roedd ambell unawdydd, wrth gwrs, yn sefyll allan ymhlith eu cyfoedion; daeth Rosalind Plowright, soprano o Loegr, yn fyd enwog ac Ann Murray, mezzo soprano wych, yn rhan o'r cylch enwog, *The Singer's Circle,* o dan gyfarwyddyd y cyfeilydd o fri, Graham Johnson. Wrth ddod i adnabod y cantorion hyn, byddwn yn eu gwahodd i gyngherddau efo Cantorion Cynwrig, a byddai Colin Jones yn dilyn yr un patrwm drwy wahodd myfyrwyr fel Ryland Davies neu Kenneth Langabeer i berfformio gyda Chôr Meibion y Rhos. Byddwn i'n dweud wrth bobl y Rhos, yn ystod y cyngherddau, *Rydych yn derbyn gwasanaeth y cantorion hyn yn rhad iawn heddiw, ond ymhen deng mlynedd, ni fyddwch yn gallu eu fforddio!*

Roedd hwn yn llwyfan gwych i'r myfyrwyr rhagorol hyn fwrw eu prentisiaeth o flaen cynulleidfaoedd beirniadol y Rhos a thu hwnt, mewn cyngherddau gyda chorau a oedd yn cyrraedd safonau uchel. Roedd yr unawdydd a'r côr, fel ei gilydd, yn elwa ar yr un pryd.

O'r dyddiau cyntaf yn y Coleg, byddwn yn mynd i'r afael â'r corws, ac ymhen tair blynedd fe'm penodwyd yn Gôr-feistr Swyddogol, cyn cael dyrchafiad i gyfrifoldeb y swydd Pennaeth Adran Staff Gerddorol Opera'r Coleg. Roeddwn i'n treulio'r rhan fwyaf o f'amser yn ymwneud â'r operâu a oedd gennym ar y gweill i'w perfformio yn y coleg.

O'r foment gyntaf, roedd Joseph Ward yn gefnogol iawn i mi fel newydd-ddyfodiad i'r coleg. Roedd yn parhau i ganu'n rheolaidd ar lwyfannau proffesiynol ac, ar y pryd, roedd yn brysur gyda *Scottish Opera* yn canu Loge, sef Duw Tân allan o'r opera *Das Rheingold* gan Wagner.

Hon oedd rôl fawr Joseph Ward. Ar y llwyfan roedd yn gwisgo mwng trwchus o wallt coch, gyda mellt yn gwibio o dop ei ben; roedd yn rôl a oedd yn gyfle gwych iddo gyfuno ei ddoniau canu ac actio. Bron na ellid dweud nad oedd dim rhaid iddo actio oherwydd roedd ganddo'r osgo a'r drem gynhenid angenrheidiol.

Ef oedd athro Arthur Davies ac wedyn Joan Rodgers, soprano a ddaeth yn enwog drwy Brydain am ei pherfformiadau oratorio a chân gelf, yn enwedig caneuon gan gyfansoddwyr o Rwsia (roedd ganddi radd mewn Rwsieg). Byddai Joan bob amser yn datgan wrth drefnwyr cyngherddau er mwyn sicrhau bod ei henw'n gywir ar y rhaglen "My name is spelt with a 'd' and not just a 'g' and I'm certainly no relation to Roy!" Ychydig flynyddoedd wedyn, bu'n athro ar Jane Eaglen, soprano a ddaeth yn fyd-enwog am ganu rhannau'r arwresau yn operâu Wagner. Yn nes adref, ef oedd athro'r tenor Geraint Dodd o'r Rhos a gafodd yrfa lwyddiannus iawn yn canu gydag Opera Cymru. Bu hefyd yn canu gweithiau fel *The Dream of Gerontius* (Elgar) gyda chymdeithasau corawl ledled Prydain.

Roedd Joe wedi fflyrtio â'r byd pop (mae recordiad ohono'n canu 'Be my love' ar *YouTube*), ac roedd yn ffrind i nifer o eilunod y chwe-degau, cymeriadau trendi fel Twiggy. Roedd yn hanu o Preston, Lancashire ac wedi canu er pan oedd yn fachgen, ond anaml iawn y byddai'n siarad am hyn. Yn ddiweddar mi ddes ar draws ffilm ohono'n canu 'The Holy City' fel trebl, a rydw i'n amau fod cefndir theatrig yn ei deulu a bod y profiad o lwyfannu wedi bod yn rhan o'i fywyd cynnar. Ni chlywais ef erioed yn sôn am grefydd, ond roedd ei storïau am gymeriadau'r byd canu'n chwedlonol ac yn ddifyrrwch pur. Fel myfyriwr yn y coleg ym Manceinion, cafodd wersi canu fel bariton gan Fredric Cox, a gwersi drama gan Sheila Barlow ac roedd, byth a beunydd, yn talu teryrnged iddynt. Ar ôl canu am nifer o flynyddoedd fel bariton gyda gwahanol gwmnïau opera, esgynnodd tua'r nefoedd i fod yn denor. Efallai fod y broses hon, newid byd, newid cwrs ei fywyd, dysgu *repertoire* hollol newydd a mentro, mewn gwirionedd, ar ail yrfa wedi cyfrannu at ei bersonoliaeth liwgar a thanbaid. Roedd yn debyg i geffyl ras, yn osgeiddig, yn gyflym, yn sensitif i'r eithaf ac yn un hawdd ei gynhyrfu; gallai ffrwydro ar amrantiad ac arllwys llifeiriant geiriol o fawl neu gerydd. Droeon, galwai Joe y cwmni at ei gilydd ar ddechrau diwrnod yn y theatr a chyhoeddi; *I would like to introduce you to Jack ... he is our new stage manager ... you must always do what he tells you, immediately and without question*. Ar ddechrau'r sesiwn pnawn, byddai galwad eto i'r cwmni ymgynnull ar lwyfan y theatr, a Joe yn cyhoeddi; *Jack has left us ... your new stage manager is Sam.*

Roedd pawb yn y byd opera drwy'r wlad yn ymwybodol o gymeriad ymfflamychol Joe Ward, (rydw i'n cofio iddo anfon chwe llythyr ymddiswyddiad at y pennaeth cyn i hwnnw ei gymryd o ddifrif) ond roedd pawb hefyd yn ei edmygu fel perfformiwr ac yn ymwybodol o'i brofiad operatig. Roedd wedi canu gyda'r Pavarotti ifanc a gyda Joan Sutherland, wedi bwrw ei brentisiaeth gyda chwmni opera Carl Rosa ac wedi mwynhau cyfnod hir fel aelod o gwmni *Covent Garden.* Roedd hefyd yn aelod o'r garfan o gantorion proffesiynol yr oedd Benjamin Britten yn hoff o'u defnyddio. Ef oedd y Starveling cyntaf yn *Midsummer Night's Dream* ac yn un o'r rhai cyntaf i ganu Billy Budd a hefyd y cymeriad Sid yn yr opera *Albert Herring.*

Byddwn yn aml yn anfon myfyrwyr ato i ofyn am fenthyca tâp ohono'n canu 'Billy Budd' ac yn eu cynghori i sylwi'n fanwl ar ei grefft amheuthun o ynganu geiriau. Byddai Joe wedyn yn fy ffonio ac yn dweud ; *Thank you, Brian, for recommending my recording of Billy.* Buaswn innau wedyn yn ateb; *Not at all; I want them to listen to that tape so that it can inspire them to value the power and magic of impeccable diction* ac, wrth gwrs, byddai'r geiriau hyn yn rhoi pleser mawr iddo. Roedd ei wybodaeth am *repertoire* yn eang ac roedd ei statws fel awdurdod ar gerddoriaeth Benjamin Britten yn ddiamheuol. Byddai'n dweud, *Ben would take that section quicker,* neu *at this point Ben would always say ...*

Byddai'r *notes session* yn dilyn *dress rehearsal* yn rhywbeth i ryfeddu ato, gyda Joe a finnau'n cystadlu am sylw pob un o'r cast a oedd yn eistedd o'n blaenau yn y theatr. Roedd y ddau ohonom yn ymwybodol o bwysigrwydd y sesiwn – cyfle i gywiro ffaeleddau'r perfformiad oedd newydd ei gwblhau. Roedd Joe yn mynnu mai nodiadau am actio oedd i'w trafod, a minnau'n traethu fod y gerddoriaeth yn rhan o'r actio. Roedd bob amser yn sesiwn o wrthdaro ffyrnig rhyngom ond y gobaith oedd y byddai'r myfyrwyr yn elwa o'r ymryson tanbaid. Roedd gan Joe ddarlun bob amser yn ei ben o beth oedd yn ofynnol mewn sefyllfa arbennig ar y llwyfan a byddai'n tasgu canmoliaeth ar unrhyw un a ddangosai fflach o ddychymyg. Rydw i'n cofio rihyrsal o'r ddawns yn *Midsummer Night's Dream* a Joe wedi pwysleisio bod angen i bawb adlewyrchu eu cymeriadau yn y camau stepio y bydden nhw'n eu mabwysiadu. Cafodd Stephen Allen, a oedd yn chwarae rhan Starveling (rhan wreiddiol Joe ei hun) y syniad fod ei gymeriad yn dioddef o grydcymalau, crydcymalau mor eithafol nes ei fod yn methu ag ymsythu ac yn cael ei orfodi i berfformio'r ddawns bron ar wastad ei gefn, ryw chwe modfedd uwchlaw'r llawr. Gan fod y ddawns *Dance of the Rustics* yn parhau am ryw dri munud, roedd cyfraniad Stephen fel rhan o'r cylch dawnswyr yn orchest athletaidd yn ogystal â bod yn wledd i'r llygad. Roedd Joe uwchben ei ddigon gyda'r bachgen ac yn y chwe pherfformiad dilynol dawns Starveling oedd uchafbwynt y noson ... rhywbeth efallai na fuasai'n plesio'r cyfansoddwr ond rhywbeth sy'n dangos dawn Joe i ysbrydoli potensial.

Roedd Joe hefyd yn feistr ar fanteisio ar unrhyw sgiliau annisgwyl oedd yn cael eu datgelu o bryd i'w gilydd, ac er mawr syndod i bawb, ar gyfer perfformiadau o *Billy Budd* (opera gan Benjamin Britten ar libreto'r nofelydd E.M. Forster ac Eric Crozier a oedd wedi'i seilio ar nofel fer Herman Melville) roedd Joe wedi cynllunio tair lefel ar fwrdd y llong *Indomitable.* Roedd hyn yn creu darlun trawiadol dros ben yn edrych allan yn fygythiol tua'r gynulleidfa. Campus, meddai bawb, ond oherwydd bod y *top-deck* mor uchel roedd pryder am ddiogelwch y cast. Roedd y corws, hynny ydy, criw y llong, wedi eu dosbarthu ar y tair lefel yn gwrando ar ryw gyfarwyddyd gan Joe. Dwedodd; *That's it. Take it from the top* a symudodd pawb yn ôl i'w lleoliad cyntaf. Roedd Simon Keenlyside, y bariton byd enwog, ar y lefel uchaf, y *top-deck* ... neidiodd o'i safle a disgyn yn ysgafn ar y lefel isaf a chwbwlhau'r symudiad gyda *forward roll* cyn ymsythu unwaith eto. Syfrdanwyd Joe a phawb arall oedd yn dyst i'r olygfa a gwaeddodd *Simon, keep that in ... at the moment its the best thing we have in this show*. O'm rhan i, roeddwn yn gwybod bod Simon yn athletwr a oedd wedi rhedeg y ras can metr i Loegr ond roedd ei gamp gymnastaidd wedi dangos ei fod yn medru cynnig priodoleddau ychwanegol a manteisiodd Joe ar y cyfle i'w defnyddio yn rheolaidd yn y cynhyrchiad.

Byddai Joe wrth ei fodd yn datgloi unrhyw dalent ond os na ddangosai myfyriwr fod ganddo gymhwyster a blas am gyffro neu os nad oedd ganddo amcan sut i adweithio i gyfarwyddiadau, medrai fod yn hyll o greulon. Roedd Joe wedi gweld *Midsummer Night's Dream* (Britten) yn cael ei gyfansoddi bron o flaen ei lygaid, ac ambell dudalen (os medrwn ei goelio) yn cael ei chyfansoddi o'r newydd gan Britten rhwng rihyrsal y pnawn a pherfformiad y nos. Yn opera Britten, mae Puck yn gymeriad direidus a bywiog, yn ysbryd sy'n hedfan drwy'r goedwig ac yn gwneud camgymeriadau sy'n creu dryswch llwyr a throeon annisgwyl. Nid oes ganddo nodau i'w canu, dim ond ambell araith chwareus i'w chyflwyno. Doedd dim angen unrhyw gymhwyster arall ... dim ond y gallu i 'hedfan'! Y bwriad oedd fod Puck yn ymddangos ar ochr dde'r llwyfan ac yn hedfan ar draws y llwyfan a glanio'n saff ar yr ochr chwith – tipyn o naid! Ar ôl ambell ymgais pitw gan y myfyriwr anffodus i geisio dal ysbryd chwareus goruwchnaturiol Puck, a Joe yn cynnig cyngor mewn dull reit cwrtais, dyma newid yn yr awyrgylch; *Barry, that's not Puck ... you're clambering across the stage like a carthorse. I've told you how its done ... give it one more go and if it's no better I'll have to come up there and demonstrate.*

Roedd ymgais nesaf Barry yn waeth na'r chwe ymgais flaenorol i herio deddf disgyrchiant a dyma Joe yn codi o'i sedd gan ollwng ochenaid ddofn. Erbyn hyn, roedd si wedi crwydro drwy weddill y coleg fod Joe yn paratoi i hedfan yn y theatr, ac roedd cantorion disgwylgar yn graddol lenwi'r lle. Dechreuodd y gerddoriaeth ac fel ffrwydriad o wn mawr hedfanodd Joe drwy'r awyr, glanio a llithro ar ei liniau ar hyd y llawr fel sgïwr ar eira, a derbyn cymeradwyaeth fyddarol y gynulleidfa syn. Y gwir amdani, wrth gwrs, oedd na fyddai unrhyw fyfyriwr yn medru cyrraedd safon Joe. Nid oedd ganddynt y dechneg na'r awydd creadigol, ond roedd pawb a oedd yno yn gwerthfawrogi'r ffaith fod dyn, a oedd

Diwrnod yng Ngholeg Manceinion yn y saithdegau cynnar.

1. Paratoi'r adnoddau ar gyfer y gwaith; 2. Gadael 9 Aberderfyn; 3-4-5. Colin Jones yn cyd-deithio efo mi; 6. Cyrraedd Hen Goleg, Manceinion; 7. Arwain Côr y Merched ym Manceinion; 8. Ymarfer aria operatig gydag unawdydd; 9. Sgwrs dros baned efo Colin; 10. Ymarfer deuawd ar y piano efo Colin; 11. Cyrraedd adref yn y gwyll.

Côr Merched yn hen Goleg Manceinion yn ymarfer ar gyfer Cyngerdd Hallé "Midsummer Nights Dream" gan Mendelssohn.
Rhes flaen: Rita Cullis a Rosalind Plowright.

Ymarfer Cantorion Cynwrig cyn Steddfod Genedlaethol Bangor 1971.

Arwain ymarfer Spring Symphony, Britten, yn Neuadd Gyngerdd Coleg Cerdd Brenhinol y Gogledd, Manceinion.

Joseph Ward – Tenor Rhyngwladol, Cyn Bennaeth Opera ac Adran Astudiaeth Llais, Coleg Cerdd Brenhinol y Gogledd, Manceinion.

Tri Chôr Rhosllannerchrugog – Buddugwyr Eisteddfod Genedlaethol Bangor 1971.

Arweinyddion y tri chôr buddugol: Eifion Wyn Jones (Côr Genethod y Rhos), Brian Hughes (Cantorion Cynwrig), Colin Jones (Côr y Rhos). Eisteddfod Genedlaethol Bangor 1971.

Buddugoliaeth Cantorion Cynwrig yn Eisteddfod Genedlaethol, Hwlffordd 1972.

Cantorion Cynwrig yn Theatr Clwyd 1976.

Cantorion Cynwrig – Theatr Clwyd.

J. Brian Hughes, Gwyn Hughes, Len Gilpin, Gareth P. Hughes a Phil Davies gyda'r cwpanau a enillwyd yng Ngŵyl Gerdd Blackpool Hydref 29,1977. Fe ddyfarnwyd Cantorion Cynwrig yn Gôr Gorau'r Ŵyl (allan o 57 o gorau) ac ennill Dysgl Rhosynnau enwog Gŵyl Blackpool.

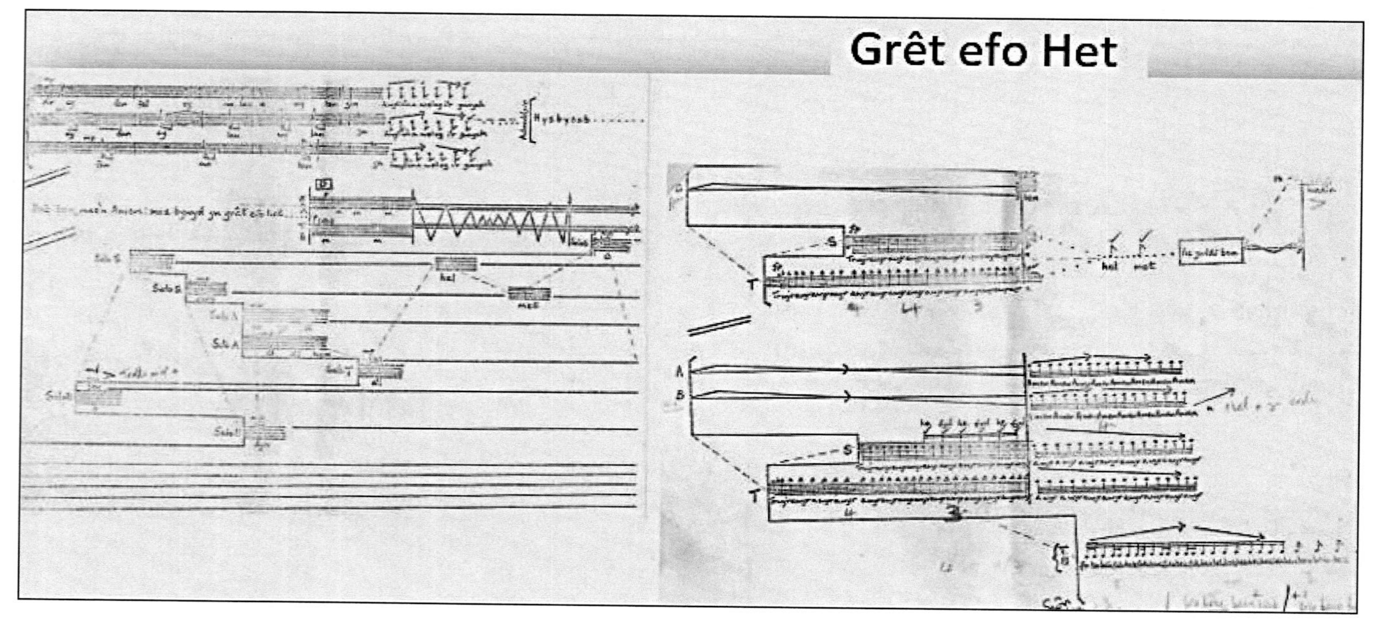

Sgôr arbrofol – tudalennau o'm gwaith comisiwn 'Grêt Efo Het', y geiriau gan Gwyn Thomas, a berfformiwyd am y tro cyntaf yng Ngŵyl Menai yn Neuadd Ysgol David Hughes, Porthaethwy, Ebrill 27, 1978.
Yr unawdydd gyda'r côr oedd Delme Bryn-Jones. Recordiwyd y cyngerdd gan BBC (cynhyrchydd James Williams).

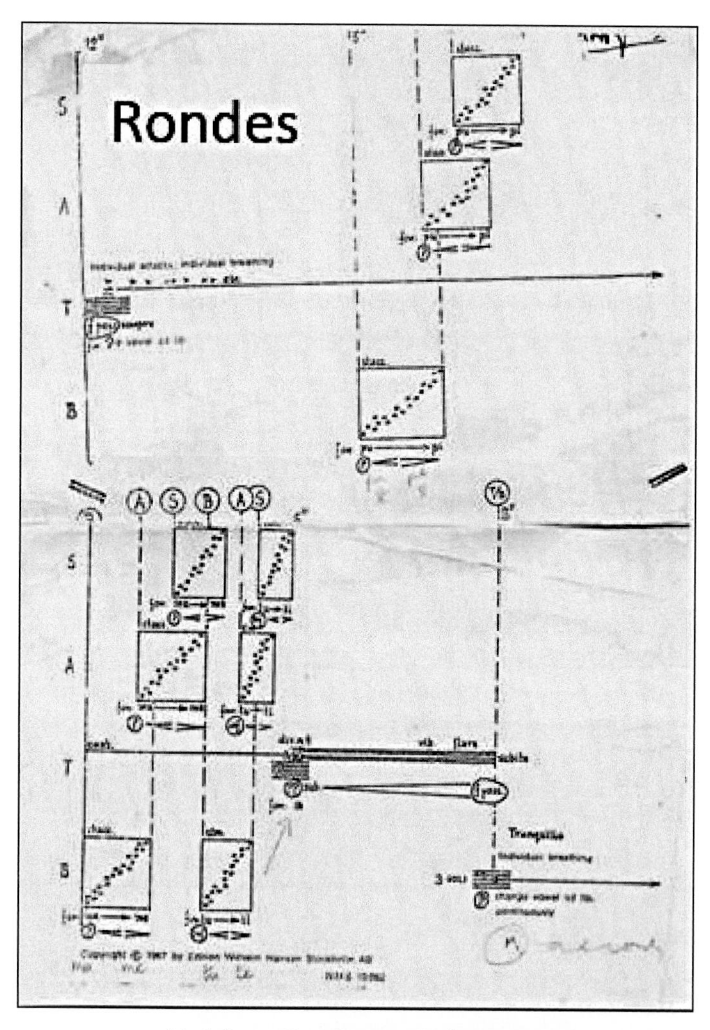

Tudalen o Rondes gan Folke Rabe.
Perfformiwyd y darn ar lwyfan Eisteddfod Genedlaethol Wrecsam a'r Cylch 1977.

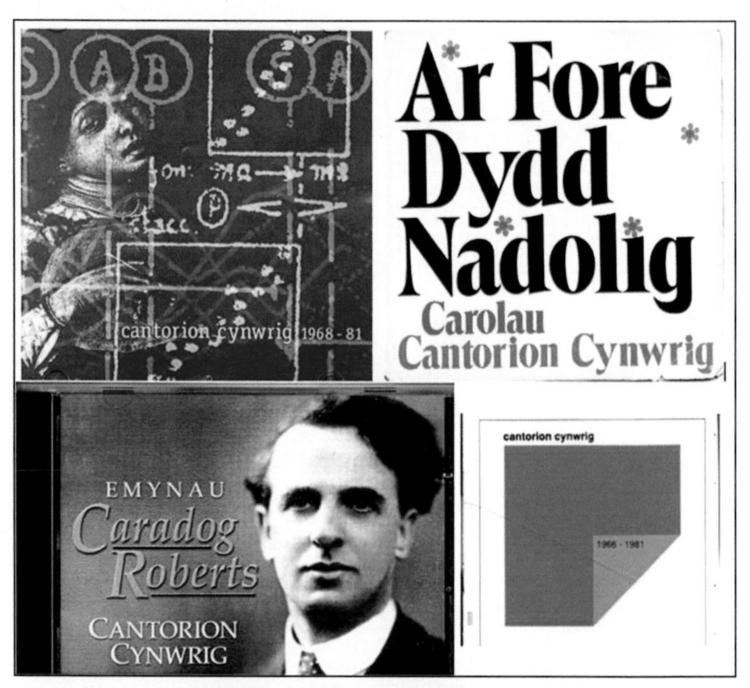

Rhai o recordiau Côr Cynwrig.

Cyfarfod y cyfansoddwr Sir Michael Tippett
yn dilyn perfformiad "A Child of Our Time".

Dathlu fy mhenblwydd ar lan y Fenai gyda'r hen stejars, Meirion Wyn Jones, Kate Griffiths, Robert Wyn, Eleri Owen Edwards, fi a'r groten newydd ar y bloc, Carly Owen.
Pob un yn enillydd yn yr Eisteddfod Genedlaethol.

Cyfarfod â myfyrwyr yng Ngholeg Brenhinol y Gogledd ym Manceinion ar gyfer Radio Cymru. Erin Rossington, Ryan Davies, Rhys Meirion, Emyr Wyn Jones a John Ieuan Jones.

Neuadd Alun Hoddinott, yng Nghanolfan y Mileniwm, Caerdydd, Medi 2018 – Sorrows of the Somme
– y dorf ar eu traed yn cymeradwyo ar ddiwedd y perfformiad.

Daniel yn fuddugol yng Ngystadleuaeth Texaco.

Y wyrion, Elijah a Jonah gyda Miriam a 'Teulu Coed-poeth (Miriam, Alex, Elijah a Jonah) yn blasu rhywfaint ar hanes Merica yn ystod eu hymweliad â'r UDA.

Teulu Noddfa, Gresford – fi, Miriam, Daniel a Cerys.

Anifeiliaid Anwes

Anifeiliaid anwes – (o’r top ar y chwith yn glocwedd) Cerys efo Deio, fi efo penddelw Alfred y Gorila, Llew, Saul, Daniel efo Evie Mair a Miriam efo Beni.

Fi efo Rhys Meirion yn Stiwdio Sain yn recordio CD i ddathlu ugain mlynedd Rhys yn y byd canu proffesiynol.
Diolch i Dafydd Roberts, Cwmni Sain am y llun.

bellach yn ei bum-degau, mor heini ac yn barod i fentro ei enw da o flaen cynulleidfa.

Mae Joe bellach yn byw yn Awstralia ers nifer o flynyddoedd, yn bennaeth adran lleisiol yn y Coleg Cerdd yn Brisbane ac, mae'n siŵr gen i, ei fod yn parhau i gyflawni gwyrthiau ac, ar unrhyw esgus, yn galw am gyfarfodydd staff yn fuan, fuan yn y bore.

Pan fyddai canwr wrthi'n astudio a meistroli rôl dros gyfnod o ddau neu dri mis, a mis olaf y cyfnod hwnnw'n golygu ymarferion gyda'r cynhyrchydd, roedd angen edrych ar ôl y llais drwy geisio osgoi canu â'r llais llawn am gyfnodau maith yn ystod yr ymarferion hyn. Adwaenir y broses o atal y llais llawn fel *marcio* yn y proffesiwn, techneg sydd yn un anodd i'w mabwysiadu. Yn aml iawn, ar ôl i'r canwr fod wrthi'n ceisio marcio, pan ddeuai'r amser i ganu gyda'r llais llawn, byddai'n methu â gwneud hynny. Rydw i'n cofio un digwyddiad, pan oeddwn yn cydweithio efo Joseph Ward, mewn sesiwn ymarfer o *L'Elisir d'Amore* gan Donizetti, roedd y bariton, David Ellis, yn marcio. Roedd Joseph Ward yn cyfarwyddo ac yn dweud a dweud wrthyf fod yn rhaid i mi ddarbwyllo David rhag marcio a'i gael i ganu â llais llawn. Eglurais wrtho fod David yn ceisio arbed rhywfaint ar ei lais, ac er bod Joseph Ward yn deall o'r gorau pam oedd o'n gwneud hynny dyma fo'n dweud, *I know why he's marking, but we can't hear him; we have to carry on with the production, this rehearsal is not going anywhere because he's marking! Go and tell him!*

Roedd trosglwyddo'r neges i David yn peri cryn benbleth. Roedd ar y llwyfan yn perfformio a doedd dim dichon tynnu ei sylw. Ond roedd angen iddo ddechrau lleisio, gan fod Phillip Edwards, y cynhyrchydd sain, yn bresennol ac roedd ar hwnnw eisiau mesur lefel y sain, ac onibai bod David yn defnyddio ei lais llawn a rhoi'r gorau i'r marcio, nid oedd unrhyw ddiben iddo fod yno. Roedd yn rhaid i mi fynd, eto fyth, i asgell y llwyfan, a sibrwd wrth y canwr fod yn rhaid iddo ddefnyddio ei lais llawn. Sibrydodd yntau'n ôl nad oedd yn fodlon gwneud hynny o gwbl a'i fod yn benderfynol o gadw a swcro ei adnoddau lleisiol ar gyfer y perfformiad go iawn, y diwrnod dilynol. Hynny ydy nes iddo glywed gorchymyn Joe Ward yn taranu drwy'r theatr *David! Sing out!*

Adwaith David i'r cyfarwyddyd oedd, *Fuck you and your bloody opera,* a brasgamodd oddi ar y llwyfan. Un enghraifft yw hon o'r awyrgylch trydanol, llawn tyndra sy'n bodoli mewn ymarferion pan fo'r perfformiad cyntaf yn agosáu ... mae pawb yn orsensitif ac yn orofalus nes bod ffrwydrad yn digwydd a bydd hyn yn rhyddhau'r emosiynau sydd wedi bod yn cronni a mudferwi dros gyfnod.

Rydw i'n dod yn ôl, byth a hefyd, at y pwynt sylfaenol a'r elfen bwysicaf oll, sef pwysigrwydd *repertoire.* Fel y mae'n rhaid i Gristion adnabod ei Feibl rhaid i gerddorion yn y byd lleisiol ddod i adnabod y gweithiau allweddol ym myd yr opera. Yn ddiau, Beibl y byd opera yw *Priodas Figaro* gan Mozart. Byddai Alexander Young, y tenor o fri, a oedd yn bennaeth astudiaethau lleisiol yn y Coleg ym Manceinion, yn dweud wrthyf, er mai rôl fach sydd i'r tenor yn y gwaith hwn gan Mozart, serch hynny, hon, yn ei farn ef, oedd yr opera fwyaf perffaith. Rydw i'n cydweld ag ef i raddau, o ystyried amrywiaeth y cymeriadau a chyfoeth yr agweddau unigryw yng ngwead personoliaeth pob un ohonynt. Figaro ei hun, wrth gwrs, yna Susanna, yr iarlles a'r iarll Almaviva, heb ddiystyru'r rhannau llai megis Basilio, Bartolo, Cherubino, a'r gwaith *ensemble* sy'n cynnwys pob un ohonyn nhw, yn eu tro, ac yn galluogi'r holl gymeriadau lliwgar i greu argraff ar y gynulleidfa.

O dipyn i beth, deuthum i adnabod llawer o operâu, gan edmygu nid yn unig y defnydd o'r llais ond hefyd y defnydd o'r gerddorfa. Yn aml, wedi i'r unawdydd ganu ei frawddeg olaf mae'r gerddorfa yn parhau i fynegi ei deimladau ac, yn wir, i'w datblygu a'n harwain at droeon nesa'r stori.

Opera arall y bûm yn gweithio arni yn fy nyddiau cynnar oedd *The Bear* gan William Walton. Opera un act oedd hon ond un a oedd yn llawn drama. Ar ôl uno'r ddau goleg ym Manceinion, sef Coleg y *Northern* a'r *Royal Manchester College of Music* dan yr enw *Royal Northern College of Music,* hwn fyddai'r cyfle cyntaf i geisio dod â myfyrwyr y ddau goleg at ei gilydd ond, fel y digwyddodd pethau yn dilyn y cyfweliadau, sylweddolwyd bod y ddau brif gymeriad a ddewiswyd yn fyfyrwyr o'r hen *Northern School Of Music*, sef coleg Ida Carroll. Roedd y prif ran, cymeriad gwyllt a thanllyd yr arth ei hunan, wedi ei rhoi i John Rawnsley, bariton cyffrous iawn a ddaeth wedyn yn fyd-enwog am ei bortread o Rigoletto. Gwelwyd yn ystod yr ymarferion ar gyfer y *The Bear* ei fod yn ganwr talentog a dawnus. Nid yn unig roedd yn meddu ar lais da iawn, ond roedd ganddo hefyd bresenoldeb trawiadol ar y llwyfan. Serch hynny, roedd yn cael trafferth i ddysgu rhan y cymeriad 'Stepanovich', a oedd wedi ei gyfansoddi ar gyfer bariton uchel iawn. Mae stori'r opera yn datblygu i gyflwyno'r weddw, Popova (*mezzo soprano*), yn ei gofid a'i dagrau oherwydd marwolaeth ei gŵr. O fewn pum munud, mae Stepanovich yn curo ar ei drws, ac yn mynnu'r arian a oedd yn ddyledus iddo gan ei gŵr.

Ambell dro, byddai'n rhaid imi ddefnyddio celwydd gwyn i blannu hedyn hyder ym meddwl yr unawdydd. Y seicoleg a ddefnyddiais yn achos Rawnsley oedd ei atgoffa mai John Shaw, unawdydd o Awstralia, a fu'n gyfrifol am greu'r rhan yn wreiddiol ac mai ef oedd ar y recordiad cyntaf, gan ychwanegu wedyn (er nad oedd rhithyn o wirionedd yn y ffaith), *Yesterday, you and John Shaw, the Australian baritone, were the only two people who knew and were capable of singing this role, This morning, you are the only one. John Shaw died last night. That means, John, that you are the world's authority, on this role. Nobody knows it like you, nobody can compare!*

Really? meddai yntau – ac o'r funud honno, datblygodd John Rawnsley i fod y perfformiwr mwyaf hyderus yn y byd wrth ddehongli rhan 'The Bear'. Mae hyn yn profi bod y meddwl yn chwarae rhan mor bwysig parthed perfformio llwyddiannus.

John Rawnsley ymgymerodd â'r rhan pan deithiodd y Coleg i Copenhagen, ac yn ystod yr ymarfer gwisgoedd olaf (a'r drefn yn yr ymarfer olaf hwn yw fod y canu'n gorfod symud yn ei flaen yn ddi-dor, 'waeth beth fo'n digwydd) dyma gyrraedd y pwynt anodd a fu'n peri anhawster i John – a bu'n rhaid stopio.

Ond mewn ffordd gwbl nodweddiadol o John, achubodd y

blaen ar yr arweinydd a chan godi ei freichiau i'r awyr, gwaeddodd, *Tim! Why do we always have a problem when we come to this point? Pull your finger out!* Yn wir, llefarodd â'r fath argyhoeddiad, arddeliad ac awdurdod fel yr ymddiheurodd Tim Reynish yn syth bin, er nad oedd o mewn gwirionedd wedi rhoi cam o'i le.

Bariton uchel oedd John Rawnsley ac roedd y gân 'Eri tu' allan o *Un Ballo in Maschera* gan Verdi yn un o'i hoff ddarnau. Mewn un cyfweliad, rwy'n cofio mai cân fer oedd yn yr opera ddewisedig ar gyfer y llais bariton. Cyn y daeth tro John i ganu, sibrydodd yn fy nghlust, ei fod wedi synhwyro y byddai'r panel yn bownd o ofyn am ryw *aria* arall yn ogystal â'r aria fach o'r opera. O fod wedi rhagweld hynny, roedd wedi cynnwys copi o'i hen ffefryn, 'Eri Tu', yn ei fag yng nghefn y llwyfan.

Wedi iddo ganu'r darn prawf, gofynnwyd iddo a oedd ganddo unrhyw ddarn arall. *I'm not sure,* meddai *What would you like?*

Gofynnodd un o'r panel iddo *Have you got something like ... 'Eri Tu'?*

I'll have a look in my bag, meddai yntau, gan roi'r argraff nad oedd wedi rhagweld y cais annisgwyl hwn am *aria* arall ac y byddai'n gorfod canu 'Eri Tu' yn hollol ddibaratoad. Yna aeth ymlaen a'i chanu'n wych, wrth gwrs. Roedd tactegaeth slei o'r fath yn rhan o gymeriad direidus John Rawnsley ac yn wir mae'r agwedd *dog eat dog / 'trechaf treisied, gwannaf gwaedded'* yn rhan bwysig o feddylfryd cantorion sy'n llwyddiannus mewn proffesiwn sy'n gofyn llawer.

Roedd gan un o gydymgeiswyr John am y rôl, sef David Marsh, lais dymunol dros ben, ond roedd yn gymeriad llai hyderus. Beth bynnag, penderfynodd y panel rannu'r rôl rhwng y ddau fariton, gan gynnig tri pherfformiad yr un iddyn nhw. Byddai John yn cyrraedd yn y bore, ac yn galw i'm gweld yn fy ystafell. Os byddai'n clywed David Marsh yn canu mewn ystafell gyfagos âi at y drws i wrando. Gwyddai mai gwendid Marsh oedd yr 'F' uchel a oedd yn hollbwysig ar gyfer rhan Amonasro yn *Aida* gan Verdi. Ar yr union eiliad y byddai Marsh ar fin canu'r nodyn uchel, curai Rawnsley ar y drws yn swnllyd a chamu i mewn i'r ystafell dan weiddi *Good morning David!* a thaflu David truan oddi ar ei echel yn llwyr. Roedd hynny'n erfyn effeithiol gan Rawnsley i danseilio hyder yr un a rannai'r brif rôl ag ef ac yn enghraifft nodweddiadol o'r elfen greulon sy'n bodoli, yn aml iawn, yn y proffesiwn. Eto i gyd, am ei fod yn wên o glust i glust pan fyddai hyn yn digwydd, nid oedd yn hawdd dweud y drefn wrtho nac ychwaith wneud unrhyw sylw heb wneud y sefyllfa'n fwy poenus i bawb.

Roedd cydweithio ag arweinyddion enwog fel Bryden Thomson, Syr Charles Groves, Mark Elder, Elgar Howarth ac yn y blaen yn bwysig iawn, yn ogystal â chydweithio gyda chynhyrchwyr fel Stefan Janski.

Cofiaf hefyd am berfformiad o'r gwaith comisiwn *The Trumpet Major* gan Alun Hoddinott, a oedd yn gyfaill mawr i Syr John Manduell, Pennaeth y Coleg.

Fel rhan o'm gwaith, roedd gen i'r cyfrifoldeb i sicrhau bod y myfyrwyr yn hapus efo'u hymarferiadau hyd at y perfformiadau olaf, gan gynnwys clustfeinio am *ensemble* a chydbwysedd rhwng y lleisiau a'r gerddorfa a gofalu nad oedd y cantorion yn blino'n ormodol.

Mae gen i gof am un achlysur pan oeddwn yn gwrando ar y gerddorfa, dan arweiniad David Jordan, Cyfarwyddwr yr Adran Opera. Roedd y cyfansoddwr, Alun Hoddinott ei hun, yn bresennol yn ystod yr ymarfer. Daeth Hoddinott ataf a datgan fod y gerddorfa'n llawer iawn rhy gryf a bu'n rhaid i mi fynd at yr arweinydd, David Jordan, i drosglwyddo pryderon y cyfansoddwr iddo. Roedd yr arweinydd bob amser yn barod i wrando, gan ofyn am fy marn i ynglŷn â hyn a'r llall, a dywedais wrtho fy mod yn cytuno fod y sain gerddorfaol yn rhy uchel. Trosglwyddodd yntau y neges i'r gerddorfa ond, ymhen dim o dro, cynyddodd y sain unwaith yn rhagor. Cwynodd Hoddinott wrthyf unwaith eto. *It's too loud! My music isn't coming through, and I can't hear the singers!* Awgrymais y dylai fynd i lawr at y gerddorfa a dweud ei ddweud yn rymus, nid wrth yr arweinydd, ond yn uniongyrchol wrth yr offerynwyr eu hunain a chyhoeddi'n blwmp ac yn blaen eu bod yn chwarae'n rhy gryf. Mewn amrantiad, rhuthrodd Hoddinott i lawr y grisiau, gan dorsythu uwchben 'pwll y gerddorfa' a gweiddi *It's too bloody loud!*, Roedd effaith ei eiriau'n hynod ddramatig, gyda sylw pawb erbyn hyn wedi ei hoelio arno. Roedd pawb yn sylweddoli mai'r cyfansoddwr ei hun oedd uwch eu pennau yn mynegi ei farn yn ddiflewyn ar dafod ... ac roedd cydbwysedd rhwng yr offerynnau a'r lleisiau wedi'i sefydlu nawr ac am byth parthed opera Alun. Rhai blynyddoedd wedyn, comisiynwyd pumawd offerynnol gennyf gan Alun, a chwaraewyd y darn yn Neuadd Reardon Smith yng Nghaerdydd, lle nid anghyfarwydd imi er fy nyddiau coleg. Rwy'n cofio sgwrsio ag un o'r porthorion ar bnawn y perfformiad a holi a oedd disgwyl am gynulleidfa dda y noson honno ... ei ateb oedd,

We usually get a very good audience but tonight there's a new piece by a young composer so there won't be so many here ... a meddyliais *T'was ever thus*!

Arweinydd profiadol arall y bûm yn cydweithio ag ef o bryd i'w gilydd oedd yr enwog Syr Edward Downes, o *Covent Garden*. Cerddor medrus a dawnus a oedd yn gallu cyfieithu'n rhwydd o'r Rwsieg ar gyfer y cwmni opera yn Llundain. Roedd yn berson sylwgar iawn ac, un bore, wrth fwynhau paned o goffi yn yr ystafell ger y ffreutur, tynnodd fy sylw at fachgen a oedd yn cymryd hydoedd i droi ei de. *I've been watching him*, meddai, *and also in the theatre, and I can tell he's a lazy bugger from the way he stirs his tea!*

Bûm mewn un ymarfer efo Edward Downes, yn paratoi *ensemble* ar gyfer sesiwn yn y theatr drannoeth. Bu'r sesiwn cyntaf yn eithaf llwyddiannus a thrannoeth cafwyd ail sesiwn yr un mor llwyddiannus Ar ddiwedd y sesiwn, gofynnais iddo a oedd o angen ymarfer arall rywbryd. *Good God, no!* meddai. *They've learnt it so well with you, that they didn't listen to a word I'd said. Everything I told them to do yesterday, they ignore, and just did what you had told them to do!*

Un o'r rhesymau dros drefnu bod arweinyddion gwadd yn dod i'r coleg, oedd er mwyn codi ymwybyddiaeth y myfyrwyr fod y proffesiwn yn un caled ac y byddai'r gofynion yn fwy llym pan fydden nhw'n mentro allan i'r byd mawr. Yn y coleg roedd arweinyddion yn ail adrodd cyfarwyddiadau hyd at bedair gwaith, ond yn y proffesiwn dim ond un cynnig oedd i'w gael, ac os nad oedd ymateb i'w weld ar ôl y tro cyntaf, fe fyddai anawsterau'n codi. Cofiaf fynd at Edward Downes ar un achlysur ac yntau'n arwain a chwynais fod adran gyrn y gerddorfa'n rhy gryf. Dywedodd yn syth *Horns, too loud in the section beginning bar 26 to bar 56, keep down*. Yn dilyn hynny, dyma wrando unwaith yn rhagor, ond roeddwn o'r farn na fu unrhyw ymateb o gwbl i'r gorchymyn. Pan ddwedais wrtho'r eildro fod adran y cyrn yn parhau i fod yn gryf, ymateb Downes oedd *I've told them once, I won't tell them again*! A dyna oedd y wers.

Roedd pawb yn ymwybodol fod gan Downes broblem efo'i lygaid, ac ar ddiwedd yr opera, roedd pawb yn bryderus y byddai'n syrthio i lawr i bwll y gerddorfa islaw pan fyddai'n plygu dros ymyl y llwyfan i gydnabod perfformiad yr offerynwyr. Yn yr un modd, pan oedd yn arwain, anaml iawn y codai ei lygaid oddi ar y sgôr o'i flaen, er ei fod yn rhoi arwydd pendant â'i freichiau i sicrhau bod yr *ensemble* yn gadarn. Ni fyddai'n ymwybodol o lawer o'r hyn oedd yn digwydd ar y llwyfan. Beth bynnag, ar un achlysur ac yntau'n arwain yr opera *Ernani*, stopiodd y gerddorfa, gan ofyn i'r cynhyrchydd,

Who is the gentleman dressed in red approaching me from the right?

That, Mr Downes, is the Pope.

Ah, I see, the Pope indeed. Well can you move him to the left, because I can't see the two principal singers? And in general, it would be good if the Roman Catholic Church could move a little bit more to the left!

Yn yr un opera, *Ernani*, rydw i'n cofio myfyriwr addawol, yn canu rhan y tenor. Roedd ganddo lais ag iddo atseinedd a thinc Eidalaidd ond, ysywaeth, doedd y tenor hwn yn aml ddim ar yr un dudalen â gweddill y perfformwyr nac ychwaith yn sicr pa opera oedd yn cael ei pherfformio. O ganlyniad, roedd yn ganwr anodd iawn i'w arwain. I'r gwrthwyneb yn llwyr, roedd rhai yn meddu ar sgiliau anghyffredin. Un o'r goreuon oedd Gwion

Thomas, y bariton uchel o Betws Bledrws, a ddaeth yn arbenigwr yn y dull *avant garde*. Cefais brofiad trawiadol o'i allu anghyffredin i ddarllen darnau ar yr olwg gyntaf, hyd yn oed pan fyddent ar ffurf llawysgrif, ac roedd yn un o'r ychydig rai a oedd yn gallu ymdopi â darn heriol a gyfansoddais ar eiriau T.S. Eliot, sef 'Cân yr Hippopotamus'.

Roedd y soprano a oedd yn canu rhan Elvira yn yr opera *Ernani* bob amser yn siŵr o'i gwaith ond roedd canu deuawd gyda'r tenor anwadal yn mynd i fod yn dipyn o antur, a dweud y lleiaf. Edward Downes oedd yn arwain, ac fel y dywedais eisoes, ni fyddai byth yn edrych i fyny i gyfeiriad y llwyfan, ond y tro hwn gwaeddodd, *Stop!* a syllu i gyfeiriad yr unawdwyr. Roedd yn siarad mewn dull staccato, bron fel Almaenwr, a dyma fo'n dweud wrth y soprano, *Madam! You are one bar behind*. Fe ddigwyddodd hyn eto, a'r tro hwn fe gyhoeddodd Downes, *Madam! You are three bars behind! Do something about it,* gan ychwanegu ochenaid drom, yn ôl ei arfer. Erbyn y trydydd tro, sylwais fod y soprano yn eithaf dagreuol, tra oedd y tenor yn wên o glust i glust. Roedd Edward Downes heb ddweud 'run gair wrtho fo. Pan barhaodd Edward Downes i gwyno fod y soprano, erbyn hyn, **chwe** bar y tu ôl i'r curiad, cwynodd hithau o'r diwedd, gan bwyntio at y tenor *But what about him?* a chael yr ateb, *Oh he's sixty three bars behind, and it's nothing to do with you!*

Roeddwn i'n meddwl bod y soprano'n gwneud gwaith da iawn, a mentrais ganu ei chlodydd mewn sgwrs ag Edward Downes. Ei ymateb swta fu ddefnyddio delwedd o Genesis, sy'n sôn am Onan fab Jwda yn gwneud 'yr hyn oedd ffiaidd gan yr Arglwydd', wrth fwmian *Yes, she's very good, as long as she doesn't masturbate in the recitatives!*

Gan amlaf, roedd tri pherfformiad o'r opera ddewisedig bob tymor. Yn y *warm up* cyn i'r llenni esgyn roedd gwaith pwysig i'w gyflawni. Nid yn unig roedd angen ymarfer y llais, ond hefyd sicrhau bod y myfyrwyr yn canolbwyntio eu meddyliau ar bwysigrwydd cyfraniad pob unigolyn tuag at lwyddiant y noson. Fel arfer, nid oedd unrhyw anhawster gyda'r perfformiad cyntaf ...

roedd y cyffro mewnol, yr adrenalin, yn cicio i mewn a byddai hynny'n bownd o sicrhau y byddai'r perfformiad yn fywiog ac yn llawn mynegiant. Roedd yr ail berfformiad bob amser yn mynd i fod braidd yn fflat, felly, yn y *warm-up,* roedd rhaid pwysleisio hyn wrth y côr i sicrhau nad oedd unrhyw un yn ymlacio a thorheulo yn llwyddiant y noson gyntaf. Ar y noson olaf, byddwn yn gwneud araith reit emosiynol. Byddwn yn datgan bod yr achlysur hwn, y perfformiad olaf un, heb unrhyw amheuaeth yn rhywbeth unigryw ... ni fyddai'r cwmni hwnnw byth yn cyfarfod eto gyda'i gilydd i berfformio'r opera arbennig yna ... a hwn fyddai'r tro olaf yn ystod eu bywydau i hyn ddigwydd. Felly roedd rhaid gwneud yn fawr o'r achlysur er mwyn sicrhau y byddai cyfraniad unigol pob aelod o'r cast yn rhoi bodlonrwydd esthetig llwyr iddyn nhw, y cantorion, gan wneud y perfformiad yn un bythgofiadwy ac yn gam arall wrth iddyn nhw ddringo ysgol y byd canu proffesiynnol. Dyna ni, roedd y bregeth drosodd. Ymlaen wedyn i gael gair â'r unawdwyr oedd wedi bod yn yr adeilad ers dwy awr yn paratoi ac yn edrych ymlaen at y wefr o reoli a hawlio'r llwyfan pwysig hwn.

Roedd y gwaith hwn yn rhoi pleser mawr i mi ond roedd, wrth gwrs, ambell agwedd ar fywyd y coleg yn llesteirio brwdfrydedd – er enghraifft, y cyfarfodydd staff diddiwedd a chwerylgar. Roedd yn weddol rwydd dylanwadu ar fyfyrwyr ond tasg anoddach o lawer oedd ceisio dwyn perswâd ar benaethiaid adrannau i gydweithio y tu allan i derfynau eu hadrannau eu hunain.

Pennod 7

CYFARFODYDD A CHYMERIADAU DIDDOROL AR Y STAFF

Roedd pnawn dydd Mercher yn y coleg i fod i'w neilltuo ar gyfer *private study* y myfyrwyr, ac yn esgus i gynnal cyfarfodydd staff. Byddai Colin Jones a minnau, ambell dro, yn manteisio ar y cyfle i fynd i weld *Manchester City* yn chwarae yn *Maine Road*, rhyw gwta filltir o'r coleg, ac o'r herwydd bydden ni'n cyrraedd pob cyfarfod yn hwyr. 'Wyddwn i ddim i sicrwydd a oedd Syr John Manduell, Pennaeth y coleg, wedi clywed gan rywun fod dau aelod o'i staff yn diflannu ar ôl cinio ar ddydd Mercher nes iddo'n cyfarch wrth inni droi fyny'n hwyr i un cyfarfod gyda'r cwestiwn *Gentlemen, what's the score?*

O sôn am gyfarfodydd, rydw i'n cofio Syr John Manduell yn galw cyfarfod ar ôl i'r llenni ddisgyn ar ddiwedd un opera. Roedd si ar led fod Undeb y Cerddorion yn bygwth cymryd y coleg i'r llys barn am drefnu tymor o operâu yn Llundain ac felly, yn eu tyb nhw, yn dwyn gwaith oddi ar berfformwyr proffesiynol. Nonsens llwyr oedd hyn, wrth gwrs, ond ar ddechrau'r cyfarfod hwyrol yn y neuadd gyngerdd orlawn, roedd rhan o'r cwmni o blaid yr Undeb. Ar ddiwedd y noson, a hithau erbyn hyn ymhell wedi hanner nos, roedd grym huodledd y Pennaeth wedi argyhoeddi pawb fod syniadau'r Undeb yn brwydro yn erbyn hawliau myfyrwyr a bod barn gyfreithiol a chefnogaeth Undeb y Myfyrwyr yn gadarn o blaid hawl unrhyw goleg i berffornio mewn unrhyw ddinas ym Mhrydain; a mwy na hynny, roedd yr Undeb, yn ei ffolineb, yn brwydro yn erbyn darpar berfformwyr proffesiynol y dyfodol a fyddai, yn ôl pob tebyg, yn dod yn aelodau o Undeb y Cerddorion maes o law. Roedd y cwmni bellach yn danbaid-unfrydol o blaid y coleg a'r Pennaeth a fynnai'r hawl i bob unigolyn gael y cyfle i arddangos ei allu mewn cymdeithas rydd.

Roedd pawb yn byw mewn parchedig ofn o'r pennaeth, Syr John Manduell, ond efallai am ein bod ein dau'n gyfansoddwyr ac yn bendant am ein bod yn trafod cerddoriaeth yn hytrach na ffeithiau sych bywyd beunyddiol y coleg pan fydden ni'n cyfarfod, roedd y ddau ohonom bob amser yn mwynhau cwmni'n gilydd.

Aeth y ddau ohonom i gyd-feirniadu yn Bromsgrove; roedden ni'n eistedd yn ymlacio yn y gwesty pan ddaeth y wetar atom a gofyn, *What would you prefer, tea or coffee?*

Ateb y pennaeth oedd, *We would prefer champange, but coffee will do.*

Roeddwn yn adnabod ac yn edmygu cyfansoddiadau'r pennaeth, ei weithiau siambr i linynnau a'i ddarnau i'r clarinét ac roedd yn ddirgelwch parhaus i mi pam nad oedd ei gynnyrch fel cyfansoddwr yn cael ei arddangos yn fwy aml yn y coleg ac yn y byd cerddorol yn gyffredinol. Yr unig ateb sy'n cynnig ei hun yw fod llawer o arbenigwyr mewn cerddoriaeth glasurol ar staff y coleg ond prin oedd eu gwybodaeth am gerddoriaeth gyfoes a doedden nhw ddim yn dangos fawr o empathi tuag ati, ychwaith Roedd y gwendid amlwg yn cael ei guddio gan y mwyafrif hyn am eu bod bob amser yn pregethu y dylai'r myfyrwyr dreulio eu hamser yn y coleg yn astudio'r gweithiau a oedd yn mynd i fod yn fara menyn iddyn nhw yn y dyfodol ac na ddylen nhw wastraffu eu hamser ar gerddoriaeth newydd nad oedd yn rhan o'r *repertoire* cydnabyddedig ... trist meddwl mai dyma'r bregeth a'r agwedd a fyddai'n wynebu myfyrwyr yn ystod eu gwersi un i un.

Roedd yna athro ffidil o Hwngari yn y Coleg ac er hwylustod

mi wnawn ei alw'n Mr Y ar gyfer y gyfrol hon. Roedd wedi codi ar ei draed yn un o'r cyfarfodydd er mwyn protestio yn erbyn rhyw eitem arbennig ar yr agenda nad oedd, ym marn Mr Y, yn haeddu trafodaeth. Roedd ei Saesneg yn fratiog ac, ar ôl eistedd, cododd unwaith yn rhagor i egluro ei bwynt. Roedd wedi codi ac eistedd gymaint o weithiau nes peri i'r Pennaeth, Syr John Manduell, roi taw ar bethau gyda'r gorchymyn *Please sit down Mr Y, we understand you perfectly and we will take the appropriate action*. Beth oedd y canlyniad ? Wn i ddim.

Ond ar achlysur arall, er mawr embaras i bawb a oedd yn bresennol, yn wylofus iawn, cynigodd un o'r Penaethiaid Adran ei ymddiswyddiad, a gwnaeth hynny a'r dagrau'n llifo. Asgwrn ei gynnen oedd bod nifer o athrawon wedi cynnig awgrymiadau am y sylabws roedd wedi'i ddyfeisio ac roedd hyn, yn ei dyb ef, yn tanseilio ei awdurdod ef fel Pennaeth Adran. Roedd y cyfarfod yn digwydd ar drydydd llawr yr adeilad a bu'n rhaid i Syr John ddefnyddio ei holl sgiliau darbwyllo i atal y clwyfedig un rhag taflu ei hun drwy'r ffenestr.

Mae'r ddwy stori'n tanlinellu'r awyrgylch o frwydro am statws a oedd yn digwydd yn gyson yn y Coleg a phob un yn canolbwyntio ar adeiladu ei deyrnas ei hunan yn hytrach na chanolbwyntio ar yr agweddau a fyddai orau i'r myfyrwyr. Ymdrechais ar brydiau i uno'r adrannau, mewn un prosiect hollgynhwysol. Er enghraifft, pan fyddai'r adran opera yn cyflwyno opera gan Janáček, dyweder, gwelwn fod yma gyfle i'r adran gerddoriaeth siambr gyflwyno pedwarawdau llinynnol y cyfansoddwr a chyfle i'r gerddorfa hefyd, weithio ar ei gerddoriaeth gerddorfaol, megis *Taras Bulba*, ac i'r Adran Leisio gyflwyno ei ganeuon. Ond, bob amser, byddai rhyw faen tramgwydd yn rhwystro'r cynllun a doedd y penaethiaid adrannau ddim yn dangos unrhyw awydd i gydweithio, gan eu bod i gyd mor fewnblyg yn canolbwyntio'n gyfan gwbl ar eu hadrannau eu hunain.

Roedd Mrs Barlow, Sheila Barlow, wedi bod yn dysgu drama i fyfyrwyr canu am flynyddoedd lawer ac yn cael ei chydnabod fel awdurdod yn y maes gan bawb oedd yn ymhel â chanu yn y pedwar Coleg Cerdd ym Mhrydain. Roedd yn honni fod ei thechneg dysgu wedi ei seilio ar syniadau Francois Delcarte, ond mae gen i syniad fod George Formby wedi cael tipyn o ddylanwad hefyd. Roedd George, y canwr gwên-lydan, danheddog a'i iwcalili, yn byw drws nesa i Mrs Barlow yn Preston pan oedd hi'n eneth ifanc. Cân fawr George oedd *If you could see what I can see when I'm cleaning windows*, cân ysgafn yn llawn ensyniadau bach direidus, digon tebyg i ganeuon yr enwog Gracie Fields a oedd yn adlewyrchu'r math o hiwmor a oedd yn boblogaidd iawn ar y pryd – *music-hall entertainment* – a hefyd ddoniolwch cynhenid gwerin Swydd Gaerhirfryn.

Un nodwedd a'i gwnâi'n wahanol i bob cymeriad arall o fewn y coleg oedd sain unigryw ei llais a'i dull o ynganu geiriau nad oedd wedi llwyr golli tinc acen Swydd Gaerhirfryn. Byddai Mrs Barlow yn gorbwysleisio geiriau neu ystumiau er mwyn tynnu'r perfformwyr o'u cragen, fel petai, a'u hannog i fod yn fentrus ac yn llawn argyhoeddiad yn eu cyflwyniadau. Cyfaddefai ei bod, ar brydiau, yn amau a oedd y Pennaeth, Syr John Manduell, yn deall ei gwir amcanion, gan gyfeirio'n aml at ambell sylw dirmygus a wnâi fel, *Mrs Barlow and her little plays*. Roedd hi wrth gwrs wedi cydweithio llawer efo'r cyn bennaeth, Freddie Cox, ac roedd y ddau mewn cytundeb llwyr ac yn rhannu'r un meddylfryd ynglŷn â'r adnoddau angenrheidiol yr oedd eu hangen ar gyfer perfformio.

Byddai Sheila Barlow yn sôn o hyd am gymryd amser i edrych yn fanwl ar sut oedd pobl yn ymddwyn, pa symudiadau oedd yn eu nodweddu, sut oedd eu hwynebau yn newid wrth geisio rhoi neges drosodd. Un o'i thasgau i'r myfyrwyr fyddai, *Next Saturday morning I'd like you to go to Bolton Market and watch people buying and selling, for two hours.*

Roedd yn medru trawsnewid myfyriwr trwsgl a stiff i ymddwyn yn hamddenol-rwydd a hunan-feddiannol wrth ganu. Hynny ydy, medrai wneud i weithred annaturiol, sef 'canu', ymddangos yn rhywbeth mor naturiol ag anadlu a 'siarad'. Pan fyddai tenor yn llawn tyndra mewn golygfa garu a oedd i arwain at gusan lwyfan, dyweder, byddai'n dweud; *It's your elbows dear, soften those elbows.*

Pan fyddai soprano dal yn chwifio'i breichiau'n ormodol mewn ymgais i gyfleu emosiwn byddai'n dweud, *I know what's wrong, dear ... its your feet* a'r ferch, o ganlyniad, yn syllu i lawr yn gyhuddgar-feirniadol ar ei thraed tramgwyddus tra byddai Mrs Barlow yn gweithio ar y cydbwysedd rhwng gwahanol rannau ei chorff.

Yn aml buasai'n datgan wrth lond lle o fechgyn cyhyrog: *Gentlemen, you must walk on your balls,* a byddai hyn yn siŵr o greu dipyn o ddifyrrwch ymysg y rhai oedd yn gwrando.

Fel oedd yn digwydd, ar un cyfnod yn y coleg roedd tri aelod o staff y theatr yn rhannu'r un enw bedydd, Richard Griffiths, Richard Evans, a Richard Thomas, a phan fyddai Mrs Barlow yn gweiddi *Richard! Richard!,* a'r tri yn ateb o wahanol gyfeiriadau,*Yes, Mrs Barlow?; Yes, Mrs Barlow Yes, Mrs Barlow* mi glywech Mrs Barlow'n ymateb *O dear me, Richard, Richard everywhere and not a Dick amongst them.*

Ychydig wedi imi ddechrau yn y coleg, cyflwynodd hi lyfr trwchus i mi yn anrheg, llyfr Kobbe sy'n ddadansoddiad gwych o'r operâu sy'n cael eu perfformio amlaf heddiw. Mae'r sgwennu'n gryno ac onest ac nid oes neb wedi gwella ar y gyfrol hon hyd heddiw. Wrth gyflwyno'r llyfr i mi dwedodd *You will always need Kobbe at your side.* ac mae hyn yn berffaith wir ... fel mae'r Beibl i Gristion mae Kobbe i Gerddor.

Un arall o gymeriadau staff y coleg oedd Dr John Wray, Deon Astudiaethau a Phennaeth Adran Theori. Roedd yn gymeriad o'r hen ysgol, gŵr hynaws ond yn un a oedd yn rhan anhepgor o'r sefydliad ac, ar yr un pryd, roedd yn ennyn parch ac edmygedd y myfyrwyr. Mi fedrwch ddyfalu ei bersonoliaeth a'i athroniaeth drwy ddarllen yr ysgrif brintiedig y byddai'r Coleg yn ei gyhoeddi ynglŷn ag ef. "I've always had a passion for netting fish and butterflies, but these days I find water a little too wet and butterflies rather too fast". Roedd yn ymgorfforiad o'r Deon nodweddiadol, gyda phen moel, sbectol a rhyw arlliw o sŵn 'th' bob tro yr ynganai 's' – ond gwnâi hynny bob amser mewn acen ysgolheigaidd a choeth.

Wrth arwain *The Dream of Gerontius* byddai'n cyfeirio at y cyfansoddwr, Syr Edward Elgar, fel cyfaill personol, gan ddatgan ei fod wedi ei gyfarfod droeon a byddai wrth ei fodd yn rhannu ei atgofion am yr 'hen ddyn' yn arwain ei gyfansoddiadau. Roedd cerddoriaeth Elgar yn amlwg yn agos at galon Dr Wray a'i fwriad gwreiddiol oedd arwain *The Apostles* yn ei gyngerdd ffarwelio. Penderfynodd yn y diwedd droi at yr oratorio *Gerontius* oherwydd bod angen llai o unawdwyr, gan ystyried yn ogystal y byddai *The Apsotles*, a oedd yn waith mwy cymhleth ac addurnol, yn cymryd llawer iawn mwy o amser i'w baratoi a'i ddysgu. Yn ystod ymarfer 'Cytgan y Cythreuliaid' (*Demons' Chorus*), sef adran arbennig o egnïol a chymhleth, pan gyrhaeddwyd yr adran *Dispossesed, Aside thrust, Chuck'd down by the sheer might of a despot's will* (nid un o linellau mwyaf ysbrydoledig Cardinal Newman), yn ei orfrwdfrydedd i ymgolli'n llwyr yn ei gwymp oddi wrth ras a chymryd arno fantell un o ddemoniaid alltud y fall, daeth y baswr, Robert Wyn Roberts, i mewn un bar yn fuan Stopiodd Dr Wray y corws gan lygadrythu ar y troseddwr anffodus ac yna yn ei ffordd ddihafal ei hun, meddai *That wath going tho well until one blathted demon came in too early, and I can altho dithclothe that the demon in quethtion wath Welsh!* Roedd yr ymarferion yn rhai unigryw iawn, gydag un deon yn arwain, tra roedd y deon arall, Terence Greaves, yn cyfeilio wrth y piano.

Roedd y perfformiad yn un bythgofiadwy, a hynny am un digwyddiad hollol anffodus a ddigwyddodd yn ystod y foment dyngedfenol o dawelwch sy'n arwain at y cord byddarol, pan mae Gerontius yn wynebu ei Farnwr. Fe ddewisodd gohebydd y wasg a oedd yn eistedd yn y rhes flaen, dan gredu bod y cyflwyniad ar ben, roi cic i'w fag ddogfennau *(briefcase)*, nes bod hwnnw'n disgyn yn glep ar y llawr a dinistrio'r foment o fyfyrdod dwys. Rydw i'n siŵr na feiddiodd y gohebydd druan gynnwys unrhyw sylwadau negyddol yn ei adroddiad am y perfformiad ar ôl y fath ymyrraeth!

Roedd Dr Wray yn byw yn Swydd Gaer, mewn pentref deniadol a chefnog iawn, sef Prestbury, ac rydw i'n cofio i ddau fyfyriwr ddweud wrthyf eu bod wedi gweld y deon diymhongar yn cerdded yno ar noson braf o haf. Gofynnodd iddyn nhw beth oedden nhw'n ei wneud yno, a phan ddeallodd mai eu bwriad oedd chwilio am bryd o *Steak and Chips,* dywedodd gyda'r "th" unigryw *That'th thomething you thertainly will not find in Prethbury!*

Dim ond dau o'm gweithiau estynedig a berfformiwyd gan y coleg yn ystod fy nghyfnod yno – yr opera *Stars and Shadows*, a'r gwaith i gerddorfa, *Strata*.

Sgwennais gerddoriaeth *incidental* ar gyfer drama gan Yeats gyda Sheila'n cynhyrchu, ac ar sail hwn, a chanmoliaeth afieithus Joe Ward yn ogystal, cefais gomisiwn gan y coleg i gyfansoddi opera, opera ar gyfer cast mawr, wedi ei hysgrifennu â'r myfyrwyr mewn golwg. Yr ysgogiad gwreiddiol oedd ymateb i gwynion y myfyrwyr mai'r un hen grŵp bach dethol, y ffefrynnau etholedig, oedd yn cael eu dewis ar gyfer pob opera. Felly, ymateb Joe oedd comisiynu *Stars* gennyf i a rhoi taw ar y cyhuddiad. Roedd yn waith un act, llai nag awr o hyd, ac yn cynnwys llawer o rannau bach (*cameo roles)* oedd yn rhoi cyfle i nifer fawr o unawdwyr (nad oeddynt ymhlith sêr y coleg) arddangos eu gallu ar lwyfan, efallai am y tro cyntaf. Sgrifennwyd y *libretto* i'r opera gan neb llai nag Ursula Vaughan Williams, sef gweddw'r cyfansoddwr Ralph Vaughan Williams. Roedd hi'n ddynes dal, gref a symudai o fan i fan yn osgeiddig a hyderus fel y *Queen Elizabeth* (y llong nid ei mawrhydi). Yn wahanol i'r frenhines efallai, roedd Ursula'n hoff iawn o fecryll (pysgod butraf y môr medden nhw), a mecryll, yn anad dim, oedd bob amser ar y fwydlen yn nhŷ Ursula, yn Gloucester Place, Llundain.

Gallaf ddwyn i gof un foment fythgofiadwy yng nghwmni Ursula. Rhoddodd flwch bach yn fy nwylo a gofyn i mi ei agor. Yn y blwch hardd hwn roedd y drawfforch (*tuning fork)* arian fwyaf prydferth roeddwn wedi'i gweld erioed ... mor ysgafn ac mor gain. Cyn codi'r teclyn at fy nghlust datgelodd Ursula mai hwn oedd *tuning fork* Beethoven. Deliais ar fy ngwynt a chan swnio fel pe bawn yn arbenigwr yn y maes, gofynnais am dystiolaeth *Have you any provenance?* Adroddodd fod y drawfforch wedi ei throsglwyddo i Vaughan-Williams gan y cyfansoddwr Gustav Holst, a oedd o dras Almaenig, ac yn y blwch roedd cerdyn bach yn nodi'r ffaith a hefyd yn cadarnhau'r cysylltiad â Beethoven. Roedd hyn yn ddigon o dystiolaeth i mi a medrwch ddychmygu'r wefr a'r cyffro a gefais wrth i mi seinio'r teclyn a chlywed yr union nodyn roedd y meistr wedi'i glywed ddau gant o flynyddoedd ynghynt ... am drysor amrhisiadwy!

Perfformiwyd *Stars and Shadows* nifer o weithiau yn y coleg a bu ar daith yn Llundain fel rhan o *double bill* gyda *Riders to the Sea* gan Vaughan Williams. Rhoddwyd perfformiadau o'r gwaith hwn hefyd gan Adran Gerdd Prifysgol Birmingham.

O drawfforch aruchel i drawffyrch llawer mwy distadl. Roedd Stephen Oliver, y cyfansoddwr arbrofol o Loegr, wedi cyfansoddi opera, *The Waiter's Revenge* ar gyfer pum cymeriad yn canu'n ddigyfeiliant mewn tŷ bwyta, ac roedd un o berfformiadau cynnar y gwaith i ddigwydd yn yr RNCM. Fi oedd yr arweinydd ac roeddwn i'n arwain oddi wrth fwrdd cinio ar ganol y llwyfan ond, ar yr un pryd, roedd disgwyl imi ymddwyn fel un o gwsmeriaid y tŷ bwyta. Roedd y plot yn troi o gwmpas y cês roeddwn wedi ei gario i mewn i'r tŷ bwyta. Byddwn yn gosod y cês ar y llawr wrth ochr fy nghadair a phan oeddwn yn codi oddi wrth y bwrdd a gadael ar 'ddiwedd' yr opera (hanner awr yn ddiweddarach ac ar ôl arwain a bwyta pryd sylweddol!) roeddwn yn gadael y cês wrth y bwrdd bwyd. Roedd hyn yn creu llawer o gynnwrf ymhlith y gwesteion eraill a'r wetar am fod pawb yn syllu ar y cês gan dybio fod bom yn tician y tu mewn iddo.

Nid oedd geiriau confensiynol ar gyfer y cantorion; yn hytrach roedden nhw'n defnyddio iaith newydd (Esperanto +) wedi'i seilio ar lafariaid a chytseiniaid (fel pob iaith arall). Roedd dyfeisgarwch, slicrwydd rhythmig, goslef llais ac actio bywiog yn hollbwysig i gyfleu'r ystyr, argyhoeddi, a chyfathrebu â'r gynulleidfa. A beth am y traw, meddech chi, sut oedd sicrhau bod y tiwnio, y traw, yn gywir? Wel, yn syml iawn ... trawffyrch. Roedd gan bob aelod o'r cast drawfforch a bydden nhw, bob hyn a hyn (gyda naturioldeb, *panache* a dogn go dda o hiwmor) yn taro'r bwrdd.bwyd neu waliau'r set cyn gwneud unrhyw gyfraniad lleisol – roedd y weithred o diwnio â thrawfforch yn rhan hwyliog o'r ddrama ac yn ennyn chwilfrydedd yn y gynulleidfa.

Fel y gellwch ddyfalu, cafwyd tipyn o hwyl wrth baratoi a chyflwyno'r cynhyrchiad hwn (y cyfansoddwr ei hun oedd yn cynhyrchu) ac roedd cymaint o ddefnydd theatrig yn cael ei wneud o'r trawffyrch fel nad oedd neb yn sylwi arna i yn fy *dufflecoat* brown yn eistedd wrth y bwrdd bwyta yn arwain. Doeddwn i byth yn siŵr, ar ddiwedd yr opera, a oedd y gynulleidfa'n sylweddoli nad cwsmer distaw oeddwn i yn y tŷ bwyta ond yn hytrach y person oedd yn rheoli'r mosäig seinyddol cymhleth a oedd yn digwydd ar y llwyfan – rhyw *Faulty Towers* gyda cherddoriaeth ac, wrth gwrs, cerddoriaeth gyda ffyrch.

Roedd y gwaith *Strata* ar gyfer cerddorfa enfawr yn cynnwys chwe offerynnwr taro yn ogystal â thimpani. Mae'r gwaith wedi ei seilio ar stori sy'n gysylltiedig â hen abaty Ystrad Fflur *(Strata Florida)* ger Pontrhydfendigaid. Yr hanes yw fod unigolion a oedd wedi pechu yn erbyn brenin Lloegr, sef John, wedi cael lloches o fewn muriau Abaty Strata Florida ar ôl iddyn nhw lwyddo i ddianc o afael marchogion Lloegr a oedd wedi eu herlid bob cam i Gymru. Roedd y marchogion yn amgylchynu'r abaty ond, oherwydd grym y gred gyffredinol mai un o'r troseddau gwaethaf oll oedd lladd rhywun o fewn muriau sanctaidd ar dir cysegredig (chwi gofiwch am y llofruddiaeth yng nghadeirlan Caergaint), nid oedd yr un marchog am fentro drwy'r drysau i ddienyddio'r ffoaduriaid.

Defnyddiais bumawd llinynnol yn chwarae *sempre p* (yn dawel drwy'r amser) i gynrychioli'r grŵp bach o alltudion o lys y brenin. Mae'r gerddorfa, sef mintai mileinig y brenin, yn hyrddio ei chasineb a'i grym yn erbyn muriau'r abaty ond bob tro mae'r llifeiriant ymosodol yn pallu fe glywir sain ddistaw y pumawd llinynnol yn parhau fel rhyw weddi lonydd, lefn, hyderus. Mae'r darn yn gorffen gyda dau nodyn i'r ddwy fiolin sy'n graddol ymdoddi yn un sain sy'n ymestyn yn araf i'r distawrwydd tragwyddol. Roeddwn wedi dangos y sgôr i Syr John, y pennaeth, ac roedd yn hoffi'r syniad oedd yn sail i'r darn yn fawr iawn. Beth bynnag, y gwir yw nad oedd dim un o arweinyddion y coleg yn barod i ymgymryd â'r gwaith o'i berfformio (ofn mentro, mae'n siŵr, ar waith arbrofol newydd) a bu rhaid aros nes y daeth Ole Schmitt i'r coleg i weithio gyda'r gerddorfa cyn y cafwyd perfformiad. Schmitt oedd yr arweinydd a gyflwynodd symffonïau Carl Nielsen, ei gydwladwr o Ddenmarc, i Brydain mewn perfformiadau gyda'r LSO. Roedd yn gerddor penigamp ac mor frwdfrydig â'r pennaeth dros y darn a dan ei arweinyddiaeth ef y cafwyd perfformiadau o'm gwaith yn y coleg ac wedyn ar daith gerddorfaol yn Ardal y Llynnoedd *Lake District*. Y tristwch oedd na fyddai'r gwaith wedi ei berfformio o gwbl onibai am frwdfrydedd a blaengarwch Ole Schmitt a oedd yn gerddor profiadol iawn a chanddo'r gallu i edrych ar sgôr a chlywed y nodau yn ei ben yn hytrach na dod i adnabod gwaith drwy wrando'n ddyfal ar wahanol CDs – y dull sy'n cael ei ddefnyddio gan lawer.

Roedd yn anrhydedd cydweithio ag Ole Schmitt a chael bod yn gôr-feistr yn paratoi côr undebol y pedwar Coleg Brenhinol ar gyfer perfformiad o wythfed symffoni Mahler dan ei arweinyddiaeth yn yr *Albert Hall* yn Llundain. Yn ystod taith ar y trên i'r Alban i gynnal ymarferion gydag adran côr Academi Cerdd a Drama Brenhinol yr Alban (bellach *Censervatoire* Brenhinol yr Alban) roeddwn yn digwydd rhannu compartment â thad Pat Nevin, y pêl-droediwr enwog a chwaraeodd i Everton a'r Alban, ac mi gawson ni sgwrs ddifyr iawn wedi iddo ddatgelu bod gan ei fab ddiddordeb arbennig yn y celfyddydau cain, gan gynnwys bale, ffaith, efallai, sy'n esbonio pam roedd perfformiadau artistig a chreadigol yn nodwedd mor amlwg o'i steil ar y cae pêl-droed.

Mae'r gost o gynnal cyngerdd cerddorfaol heddiw, heb sôn am gostau côr ac unawdwyr unigol, yn aruthrol. Ym Manceinion, ar adegau prin, roeddwn yn cael arwain cerddorfa fawr a chôr sylweddol heb orfod talu dimai goch am y fraint. Bûm yn arwain *C minor Mass* (Mozart) – campwaith sydd ar yr un lefel â gorchestion J.S. Bach yn y maes, *Spring Symphony* (Britten), gwaith nad yw'n cael ei berfformio ryw lawer, ac roeddwn wrth y llyw mewn cyngherddau gala i ddathlu ambell achlysur hanesyddol yn y coleg yn arwain Act allan o *Aida* (Verdi) a'r Prolog mawreddog allan o opera Boito, *Mefistofele.* Mae'r profiad o sefyll o flaen cerddorfa a bod mor agos i sain y llinynnau yn brofiad amheuthun ac yn un y bydda' i bob amser yn ei gysylltu â Neuadd Gyngerdd atseiniol y coleg.

Pennod 8

LLWYFANNU

Y patrwm arferol o baratoi ar gyfer yr opera yn y coleg oedd mis o weithio ar y gerddoriaeth a mis ar y cynhyrchiad cyn cael *sitzprobe* (cerddorfa a chantorion yn cwrdd am y tro cyntaf), yna'r *dress rehearsal* cyn y perfformiadau cyhoeddus cyntaf. Cyfraniad corawl bach sydd mewn rhai operâu fel *Cosi* a *Figaro* (Mozart) ond mewn opera fel *Don Carlos* (Verdi) neu *Gloriana* (Benjamin Britten) mae cyfraniad y corws yn anferth. Yn yr olaf, mae'r opera fel petai yn aros yn ei hunfan tra bydd y côr yn canu pum darn digyfeiliant fel difyrrwch i'r frenhines Elisabeth I.

Peth o'm cyfrifoldeb i oedd sicrhau bod y llwyfannu yn hyrwyddo'r effeithiau cerddorol. Mae'r darlun cyffredinol sy'n ymddangos o flaen y gynulleidfa yn bwysig iawn (dyma gyfrifoldeb y cynhyrchydd) ond beth yw gwerth darlun ardderchog os yw safleoedd y cantorion ar y llwyfan yn ei gwneud yn anodd canu gyda hyder a heb drafferthion ... a ydy'r côr yn medru gweld yr arweinydd a chlywed y gerddorfa? ... a ydy'r côr neu'r unawdwyr, yn y broses o actio, yn cyfeirio'r sain yn ormodol i'r *wings*? Yr oedd Joe Ward yn gwybod fy mod yn benderfynol nad oedd dim yn mynd i darfu ar yr effaith gerddorol a oedd ym mwriad y cyfansoddwr, sef yr hyn roedd wedi'i ragweld neu, os mynnwch, wedi'i rag-glywed. Ar ôl llawer brwydr ffyrnig, gyhoeddus, fe sylweddolodd mai gwell fuasai cydweithio. Cyflwynodd y syniad mai da o beth fyddai llunio map neu lun o'r llwyfan fel y gallen ni bori drosto ymlaenllaw. Ar y map roedd llawer o gylchoedd bach a gwahoddwyd fi gan Joe i nodi o fewn y cylchoedd hyn ble roedd pob aelod o'r côr i fod.

Pan fyddai cynhyrchwyr gwadd yn dod i'r coleg, byddai Joe yn cael sgwrs gyda nhw cyn y sesiwn blocio (y broses yn nyddiau cynnar unrhyw gynhyrchiad pan fydd pawb yn derbyn eu safleoedd ar y llwyfan ar gyfer y gwahanol olygfeydd). Medraf ei ddychmygu yn dweud wrthynt, *He will never give in, he will make your life a nightmare.* Canlyniad hyn oll fyddai fod pob cynhyrchydd gwadd yn dod ataf ar ddechrau pob rihyrsal blocio a gofyn; *Where do you want them?* a byddwn innau felly'n hapus ac aelodau'r côr yn fodlon ar eu hamgylchiadau perfformio.

Maes arall a fyddai'n aml yn creu anawsterau oedd y system sain. Byddai'r côr bob amser yn cwyno nad oeddynt yn medru clywed y gerddorfa a oedd, wrth gwrs, yn y pwll islaw y llwyfan. Roeddwn yn manteisio ar bob cyfle i godi'r lefel sain – os nad oedd neb o gwmpas yn gwylio. Wedyn, ar ôl rhyw dri munud, byddai bloedd yn dod o ganol y theatr:

There's a buzz coming through to the auditorium ... sort it out, please! – ac roedd pawb yn gwybod mai fi a fu'n ffidlan efo'r system sain. Rydw i'n cofio un achlysur yn ystod yr ymarferiadau ar gyfer *Madame Butterfly*. Mae Act 3 yn agor gyda'r morwyr yn canu wrth eu gwaith yn harbwr Nagasaki cryn bellter o dŷ Butterfly. Gan fod y lleisiau yn y coleg mor atseiniol, roedd hi bob amser yn anodd dewis safle *lontano*, hynny ydy, safle a allai greu'r effaith fod y sain yn dod o hirbell. Nid canu tawel sydd eisiau mewn canu cefn llwyfan ond canu gyda lleisiau llawn, sain naturiol y cantorion, ond sain sydd yn rhoi'r argraff ei bod yn dod o bellter. Ar ôl rhyw awr a hanner o arbrofi, dyma ddewis safle yn nenfwd y theatr, ystafell fach tua hanner milltir o bwll y gerddorfa. Gan na fyddai'n bosibl clywed y gerddorfa am ein bod mor bell i ffwrdd, roedd monitor wedi ei osod yn yr oruwchystafell ac, ar ôl tipyn o addasu, roedd pawb yn hyderus y byddai'r dechneg fecanyddol hon yn llwyddiannus ac effeithiol. Ond ... daeth y perfformiad cyntaf a rhyw ddeg eiliad cyn nodau agoriadol y corws diflannodd y llun a'r sain. Roedd y monitor wedi torri ac roedd yn amhosib clywed dim. Bu'n rhaid agor cil y drws i glustfeinio am sain y gerddorfa ond ei gau yn sownd pan fyddai'r côr yn canu er mwyn sicrhau'r effaith o ganu o bellter. Ac felly y bu ... agor a chau'r drws, gwrando a chanu, a phawb ar eu deg ewin. Medrwch ddyfalu nad oedd y cyfarfod gyda'r dyn sain ar ddiwedd yr opera yn un dymunol iawn.

Ar brydiau, wrth gwrs, mae adnoddau technegol yn ddefnyddiol iawn mewn cynhyrchiad theatrig. Yn yr aria 'Placido del mare' allan o'r opera *Idomeneo* gan Mozart mae'r unawdydd soprano yn canu am lonyddwch tonnau'r môr a'r côr yn cyflwyno rhyw glustog o gynghanedd *tranquillo* yn y cefndir. Roedd yn anodd cael y cantorion i ganu'n ddigon tawel i greu'r cydbwysedd perffaith gyda'r unawdydd (mae canu tawel cywir yn anoddach na chanu cryf). Yr ateb syml oedd cael aelodau'r côr (ac am unwaith yn unig yn fy mywyd, cytunais â hyn) i ganu yn wynebu'r unawdydd soprano, gyda'u cefnau at y gynulleidfa. Ond sut, meddwch chwi, oedd modd iddyn nhw weld yr arweinydd i sicrhau'r *ensemble*. Roedd dau fonitor yn hongian yn uchel uwch eu pennau yn rhoi gwell llinell gyswllt na'r un a gaen nhw wrth sbïo dros bwll y gerddorfa.

Roedd potensial, bob amser, fynd i drafferthion gyda'r rheolwr goleuadau *(lighting manager)*. Ar ôl trafodaeth eitha miniog parthed diffyg golau ar y llwyfan, roedd un cynhyrchydd gwadd wedi ei fedyddio *'The Prince of Darkness'*.

Roedd y coleg yn perfformio *Il barbiere di Siviglia* yn ninas Caerfaddon, nid opera enwog Rossini ond yn hytrach opera gan Giovanni Paisiello wedi'i seilio ar yr un stori. Roedd ymweld â lleoliadau y tu hwnt i Fanceinion gyda'r opera hon yn cynnig cyfle arbennig i fyfyrwyr brofi awyrgylch tra gwahanol i naws ddiogel y coleg, ac roedd Caerfaddon, oherwydd ei chefndir hanesyddol a phensaernïaeth Beau Nash, yn ategu naws yr opera *Barbiere* i'r dim.

Roeddwn yn chwarae'r harpsichord yn y cynhyrchiad hwn ac

ar ddechrau adran faith o adroddgan (*recitative*) disgynnodd tywyllwch mawr ar bwll y gerddorfa. Gan fy mod wedi gweithio cymaint gyda'r cantorion yn yr ymarferiadau, roedd y cordiau'n disgyn i'w lle yn eitha rhwydd ond roeddwn yn ymwybodol bod y gerddorfa'n poeni'n fawr fel roedden ni'n tynnu at derfyn *y recit*. A oedd y golau yn mynd i ddychwelyd? Wedi tri munud o dywyllwch dudew daeth y golau'n ôl yn sydyn iawn ar gord olaf yr harpsichord, dim ond eiliad cyn i'r gerddorfa ymuno eto yn y cyflwyniad ... pob aelod o'r gerddorfa'n hapus a diolchgar.a minnau'n gwneud fy ngorau glas i geisio darbwyllo fy natur ddrwgdybus mai cyd-ddigwyddiad llwyr oedd y ffaith fod y golau wedi diffodd ar gord cyntaf y *recit* a dychwelyd ar y nodyn olaf ac nad malais bwriadus dyn y goleuadau.

O sôn am reolwyr goleuadau, rydw i'n cofio un noson ddramatig iawn yn y theatr yn ystod Gŵyl Ryngwladol Buxton tra oeddwn yn gôr-feistr yno. Roedd sibrydion ar led fod y cwmni mewn trafferthion ariannol ac, yn wir, awr cyn y perfformiad y noson honno, gwnaethpwyd datganiad nad oedd digon o arian yn y banc i warantu fod y corws a'r gerddorfa a'r staff llwyfan yn mynd i dderbyn eu cyflogau. Roedd y rheolwr goleuadau yn aelod blaellaw o'r Undeb a galwodd gyfarfod ar lwyfan y theatr y tu ôl i'r llen ddiogelwch. Roedd swyddogion y cwmni yn sefyll yn y doc, fel petai, o flaen y corws a'r gerddorfa, gan gynnwys pawb arall oedd yn mynd i fod ar eu colled, a'r rheolwr goleuadau yn ei gwneud yn ddigon clir na fyddai perfformiad o *Lucia* yn mynd ymlaen y noson honno. Roedd y gynulleidfa yn ei lle ac yn curo dwylo'n araf i fynegi eu hanfodlonrwydd a'u hanesmwythyd. Bu rhaid i Malcolm Fraser, y cynhyrchydd, ymddangos o flaen y llenni ac ymddiheuro fod rhyw anhawster technegol yn golygu bod rhaid gohirio dechrau'r opera. Coeliwch neu beidio, bu'n rhaid i'r gynulleidfa aros am awr arall cyn i'r opera ddechrau. Er nad oedd iaith anweddus yn ddieithr i mi, rhaid dweud na chlywais, na chynt na chwedyn, y fath iaith afledneis yn dod o enau dyn...roedd y rheolwr goleuadau yn gynddeiriog! Dyma'r unig foment yn fy mywyd i mi deimlo tipyn dros y *bosses* wrth iddyn nhw dderbyn ton ar ôl ton o gasineb gorffwyll, ac mi gawson nhw eu gorfodi i arwyddo ffurflen yn ein gŵydd ni oll yn gwarantu y byddai pawb yn derbyn tâl. Gyda bod y ddogfen wedi ei harwyddo, rhoddwyd yr arwydd i'r opera ddechrau. Roedd y cwmni wedi dewis gwneud y datganiad gwreiddiol parthed yr amgylchiadau ariannol mor agos ag oedd yn bosib i amser dechrau'r opera, gan gredu na fuasai neb yn meiddio peryglu'r perfformiad y noson honno. Y camgymeriad wnaethon nhw oedd peidio â sylweddoli bod dyn y goleuadau'n aelod tanbaid o'r Blaid Lafur.

Cyn mynd ymlaen i sôn mwy am fy nghyfnod fel côr-feistr yn y Tŷ Opera yn Buxton, da o beth fyddai inni atgoffa'n gilydd mai'r nod, yn y pen draw, yn syml iawn – boed y perfformiad yn Buxton neu Brixton, yn Manchester neu Maesenion yn Rhos – yw creu celfyddyd er mwyn difyrrwch dyn. A sut mae gwneud hyn? Yn gyntaf oll, trwy ddod i ddeall ystyr a phwrpas y geiriau. Yn ail, dod i werthfawrogi, yn yr ymarferiadau, sut mae sain y cyfansoddwr wedi ychwanegu haen arall o liw sy'n rhedeg yn gyfochrog â gweledigaeth y bardd. Yn olaf, gofalu bod crefft llwyfannu ac adnoddau cefn llwyfan yn uniaethu â'r cerddorion i greu stori fyw o flaen llygaid y gynulleidfa.

Un lleoliad a fu'n ddinas barhaus i Adran Opera Coleg Manceinion oedd y *Princess Building,* yng nghanol ardal Moss Side. Roedd yr adeilad yn ymdebygu i hen ysgol ac roedd iddo dri llawr gwahanol, a'r cyfan, ar yr olwg gyntaf, yn creu argraff braidd yn orthrymus. Roedden ni'r hyfforddwyr ar y llawr uchaf, mewn ystafelloedd diaddurn a oedd, yn rhinwedd eu natur eang atseiniol, yn tueddu i arddangos y lleisiau'n llawer iawn mwy sylweddol nag a geid yn acwstig sych ystafelloedd bychain y coleg.

Ar yr ail lawr byddai cynhyrchwyr megis Malcolm Fraser yn tasgu eu syniadau ynglŷn â llwyfannu. Roedd Malcolm yn egnïol iawn a rhyw fflach direidus bob amser yn ei lygaid wrth iddo gynnal ei sesiynau hyfforddi. Roedd yno, yn ogystal, neuadd wag a oedd yn ddelfrydol ar gyfer ymarfer golygfeydd opera.

Roedd y profiad o weithio yn y coleg ym Manceinion wedi fy nghyflwyno i gymeriadau a phrofiadau unigryw a lliwgar, a bellach roedd gennyf brofiad eang o *repertoire* ac o safon perfformio … profiad yr elwais arno wrth fynd ymlaen i weithio gydag unigolion a chorau yn y byd proffesiynol y tu allan i furiau'r coleg.

Pennod 9

BUXTON A CLONTER FARM

Os ewch am ddiwrnod i Buxton, byddwch yn mwynhau'r tawelwch, yr adeiladau hardd, gerddi *Pavilion Gardens*, ambell lasied o *Buxton Water*, a dychwelyd gyda'r teimlad eich bod, am undydd, wedi camu'n ôl ganrif o leiaf. Pe bai eich enw'n Malclom Fraser, yna mi fyddech yn mynd adref o Buxton â gweledigaeth gelfyddydol a fyddai'n rhoi cyflog i gantorion ac actorion am flynyddoedd a rhoi ufflon o hwb i gyllid y dref fach gysglyd hon yn ardal y *Peaks*, yn Lloegr.

Ar hap, digwyddodd Malcolm ymweld â'r dref a dod wyneb yn wyneb â hen theatr a oedd wedi bod ar gau ers rhai blynyddoedd. Hwn oedd y Tŷ Opera a gynlluniwyd gan y pensaer enwog, Frank Matcham. Agorwyd yr adeilad yn 1903 ac, er ei fawr lwyddiant yn hanner cyntaf y ganrif, bu tro ar fyd ac, wedi cyfnod hir fel sinema, penderfynwyd ei gau yn gynnar yn y saith degau am fod y brics a'r mortar wedi dirywio i'r fath raddau. O dipyn i beth daeth Malcolm i ddallt mai'r maer oedd ceidwad y 'goriadau i'r adeilad a brysiodd i'w dŷ gyda sêl cenhadwr.

Wedi cael mynediad, cafodd ei synnu gan brydferthwch yr hen adeilad, er ei fod mewn cyflwr drwg iawn. Ar ôl dwy flynedd o ymgyrchu, llwyddodd y cyngor i sicrhau digon o arian i atgyweirio'r adeilad a chreu pwll cerddorfaol newydd. Roedd popeth bellach yn barod ar gyfer lansio'r ŵyl newydd yn 1979, sef *The Buxton International Festival of Opera*. Mae'n parhau i ffynnu hyd heddiw ac, yn wir, mae incwm tref Buxton wedi elwa'n fawr yn dilyn ymweliad Malcolm Fraser ar y diwrnod arbennig hwnnw, pan gafodd ganiatâd i agor drysau'r hen dŷ opera unwaith yn rhagor.

Yr opera a ddewiswyd i agor y theatr ar ei newydd wedd oedd *Lucia di Lammermoor* gan Donizetti. yn cael ei harwain gan Anthony Hose ac, ar yr ail ddiwrnod, roeddwn i'n arwain *The Two Fiddlers* gan Peter Maxwell Davies. Trefnwyd hefyd fod digwyddiadau eraill yn ystod yr wythnos yn cyd-fynd â pherfformiad yr opera, gan gynnwys darlithoedd ar nofelau Sir Walter Scott i gydfynd â'r opera *Lucia di Lamermoor*. Roedd yr agweddau llenyddol yn plethu'n hwylus efo'r perfformiadau cerddorol, a oedd hefyd yn cynnwys datganiadau cerddorol amser cinio, a'r cyfan yn llunio rhaglen gynhwysfawr a diddorol.

Bu'n rhaid i Anthony, yr arweinydd, a minnau fel y côr-feistr, ymweld â Llundain a Manceinion i gynnal gwrandawiadau ar gyfer swyddi yn y corws proffesiynol. Mae'n siŵr ein bod wedi gwrando ar chwe deg o gantorion cyn dewis y pymtheg ar hugain ar gyfer yr ŵyl. Beth bynnag, cofiaf un bachgen yn Llundain a oedd yn fariton da iawn ac yn hyblyg o ran ei adnoddau lleisiol, y math o lais y byddwn yn ei gategoreiddio dan yr enw *traveller*, gan ei fod yn gallu ymdopi â llinell yr ail denor neu'r bas uchaf ac yn medru symud o un llais i'r llall, fel bo'r galw. Ar ddiwedd y dydd, wrth gloriannu'r cantorion, roedd Anthony Hose wedi clywed ambell i si negyddol ynglŷn â'r bachgen hwn ac fe'm rhybuddiodd rhag ei gynnwys yn y corws am nad oedd enw da iddo yn y proffesiwn ac y medrai fod yn *disruptive force*. Ond roeddwn wedi ei glywed yn canu ac roedd ei allu lleisiol yn ddiamheuol a minnau wedi ei osod yn uchel ar fy rhestr. Roeddwn yn bur hyderus na fyddwn yn derbyn unrhyw broblem gyda'r bachgen ac felly mynnais ei gael yn aelod o'r corws.

Cyn i'r ymarfer cyntaf ddechrau a phawb ar fin canu, reit ar ciw, fe gododd y bachgen ar ei draed, gan ddatgan *I am not a second tenor, I am a baritone!*

Atebais innau, gan smalio nad oeddwn yn siŵr o'r ffeithiau; *Hang on a minute, let's have a look at the contract together.* Cerddodd y bachgen ymlaen i edrych ar y ddogfen a gofynnais iddo,

What does it say there?

It says that I'm engaged as a second tenor, meddai.

That's right, meddwn innau, *that's your contract, sit down and don't ever give me any more trouble.* Yn wir, ni chefais unrhyw broblem gyda'r bachgen yn dilyn hyn; roedd yn wych, yn hynaws ac yn amryddawn iawn. Rhai blynyddoedd wedyn, yn rhyfeddol, perfformiodd ran yr uwch denor, *Oberon*, yn *Midsummer Night's Dream* (Britten) gyda Chwmni Opera'r Alban.

Pur anaml y byddai digwyddiad lletchwith fel hyn yn tarfu ar y dyfroedd ond rhaid delio ag unrhyw sefyllfa ffrwydrol yn y fan a'r lle gyda hyder a phendantrwydd. Yn Sweden, pan oeddwn yn paratoi corws Tŷ Opera Gothenberg ar gyfer eu tymor opera, yn yr ymarfer cyntaf un, ar ôl rhyw awr o ganu, cododd un o'r baswyr ar ei draed a datgan ei bod yn amser am doriad, gan fod Undeb Cerdddorion Sweden yn mynnu bod rhaid cael toriad ar ôl pob awr o ganu. Hwn oedd y côr mwyaf rhyngwladol y dois i ar ei draws, yn cynnwys cantorion o bob gwlad ac eithrio gwledydd Prydain, ac roedd yn amlwg bod yr unigolyn a oedd ar ei draed yn cynrychioli barn y côr cyfan. Ar ôl datgan na fuasai Rhufain erioed wedi cael ei hadeiladu dan y fath delerau gwaith, es ymlaen i egluro bod gen i gytundeb i gynnal yr ymarferion fel y mynnwn, a 'mod i wedi trefnu fy amserlen i gwblhau yr hyn roedd angen ei wneud ar batrwm a oedd yn cael ei fabwysiadu gan weddill gwledydd y byd, sef un toriad yn ystod ymarfer o dair awr, a phwysleisio na fuasai'r amser y byddwn yn ei golli dan unrhyw system arall yn fy ngalluogi i gwblhau'r gwaith o'n blaenau, ac na fuaswn, felly, yn cwblhau telerau fy nghytundeb. Ar ben hynny, eglurais nad oeddwn yn tybio y byddai unrhyw niwed i'w lleisiau yn debygol o'i amlygu ei hun yn sgil yr amser ychwanegol y byddent yn ei dreulio'n canu oherwydd fy mod, fel côr-feistr cyfrifol, yn effro i bwysigrwydd gofalu am y lleisiau o'r munud cyntaf hyd yr olaf. Eisteddodd y baswr clwyfedig ac ni bu unrhyw anghydfod mwyach ac, yn wir, derbyniais wahoddiad y flwyddyn ddilynol i weithio gyda'r corws unwaith yn rhagor.

Nid oedd sôn yn fy nghytundeb am sut i drefnu'r ymarferion, ond roedd yn bwysig ymateb yn blwmp ac yn blaen – ond heb fod yn rhy gas a llawdrwm – a hefyd fanteisio ar y cyfle i ddangos bod gennyf ofal am eu lleisiau, megis tad am ei blant!

Rydw i'n cofio noson y perfformiad cyntaf yn Buxton. Roedd gwefr a chyffro'n treiddio drwy'r Tŷ Opera. Cyn dechrau'r opera, ar ôl cwblhau'r *warm up* gyda'r corws, roeddwn i arwain ffanffer o offerynnau pres mewn ystafell uchel, yn edrych i lawr ar y dorf a oedd yn casglu o gwmpas y fynedfa i'r tŷ opera. Yn dilyn hynny, roedd yn rhaid i mi redeg nerth fy nhraed i lawr y grisiau er mwyn cyfarfod â'r côr yn esgyll y llwyfan a bod yn bresennol ar gyfer yr olygfa gyntaf, sef golygfa hela, lle y gwelid fflamau'r torchau'n ymddangos o'r tywyllwch dudew, gan greu argraff arbennig wrth i'r llenni agor am y tro cyntaf ers blynyddoedd ar Dŷ Opera Buxton. Roedd yr awyrgylch trydanol yn y theatr yn argoeli'n dda iawn am fenter lwyddiannus.

Yn anffodus, er bod y cantorion yn wych, roedd elfen o anlwc yn perthyn i'r perfformiadau a theimlais fod y thema drasig am ymyrraeth greulon ffawd sydd yn yr opera yn cael ei hadleisio yn y chwe pherfformiad hanesyddol o *Lucia* yn Buxton. Yn wir, mae'r hyn a ddigwyddodd yn berthnasol iawn ynglŷn â beth ddywedais yn gynharach parthed y dechneg o 'farcio', sef hanner canu, dull o ganu y mae'n rhaid i bob canwr ei feistroli er mwyn parhau ar dir y byw drwy'r ymarferion estynedig sy'n sugno egni. Yn gyffredinol, mae'n bwysig cofio ac, yn wir, yn fater o synnwyr cyffredin, na ellir disgwyl i'r unawdwyr ganu â'u llais llawn drwy gydol bob tair awr o rihyrsal. Felly rhaid meistroli'r grefft anodd hon o farcio fel y gellir ei mabwysiadu yn ystod yr ymarferion gyda'r cynhyrchydd pan fo'r pwyslais ar yr actio yn hytrach nag ar y canu Dyna'r unig ffordd i gadw'r llais ar gyfer diwrnod y perfformiad. Ond, fel y cyfeiriais eisoes, mae'r dull hwn o ganu yn medru peri niwed i'r llais os nad yw'r dechneg wedi'i meistroli'n llwyr. Gan fod Gŵyl Buxton yn rhyngwladol ei naws, roedd yn orfodol i rai unawdwyr ddod o wledydd tramor. Roedd cyfraniad soprano o'r Almaen a oedd yn canu rhan Lucia wedi bod yn eithriadol yn ystod yr ymarferion. Roedd ganddi lais mawr cyfoethog ac roedd wedi creu argraff ffafriol iawn ar bawb. Ond, erbyn noson y perfformiad, roedd wedi colli ei llais yn gyfan gwbl. Bu'n rhaid dod o hyd i rywun arall ar fyr rybudd. Anfonwyd am Deborah Cooke a oedd, ar y pryd, yn yr Almaen ac, o fewn pedair awr ar hugain, daeth o Berlin i Buxton. Yn anffodus, mewn rhai perfformiadau o *Lucia*, yr arfer yw hepgor rhai golygfeydd ac ni fyddai'r opera o'r herwydd yn cael ei pherfformio yn ei chyfanrwydd. Dyna oedd yr arferiad yn Berlin ac, oherwydd hynny, bu'n rhaid i ni addasu ein cynhyrchiad ni ar gyfer y soprano newydd ... a hynny heb unrhyw gyfle i ymarfer. O safbwynt y corws, roedd y newidiadau'n peri cryn anhawster gan eu bod wedi paratoi ar gyfer darnau nad oeddynt bellach i fod yn rhan o'n perfformiad a bu'n rhaid i mi geisio egluro iddynt, yn y munudau prin cyn i'r perfformiad ddechrau, lle roedd y toriadau i fod. Doedd neb yn y gynulleidfa, wrth gwrs, yn ymwybodol o'r toriadau hyn ond bu'n benbleth mawr i'r unawdwyr a'r corws geisio gwneud synnwyr o'r newidiadau annisgwyl, ryw gwta hanner awr cyn i'r llen godi.

Yn ychwanegol at y digwyddiadau hyn, gwelwyd bod y tenor, bachgen o'r Swistir, hefyd yn cael trafferthion lleisiol ac er i Anthony Hose awgrymu mai ataf fi yn unig y dylai'r tenor hwn ddod am gyngor lleisiol, gwelais ar unwaith nad oedd dichon adfer y sefyllfa ac y byddai'n rhaid cyflogi unawdydd arall o Seland Newydd i ganu rôl heriol ac anodd iawn y tenor, sef 'Edgar'. Dywedais wrth Anthony, *He's been over-marking and lost the will to sing.*

Yn dilyn dau berfformiad, a'r ail denor bellach hefyd mewn trafferthion lleisiol, bu'n rhaid i ni droi ein golygon at denor o Fwlgaria ar gyfer y perfformiad olaf. Felly roedd tri thenor gwahanol a dwy soprano wedi ymgymryd â'r rhannau yn ystod y chwe pherfformiad!

O'm cartre yn Gresford roedd y siwrnai i Buxton yn droellog a thra thrafferthus ... mynd i gyfeiriad Caer, troi i'r dde ac anelu am Winsford, yna mynd drwy Macclesfield cyn dringo i ben Teg's Nose, mynd heibio'r *Cat and Fiddle* (y dafarn ucha ym Mhrydain) a disgyn wedyn yn raddol i'r dref. Roedd y siwrne adre ar ôl perfformiad yn llawn dirgelwch ... cyrraedd pen y mynydd erbyn hanner nos, gweld y *Cat and Fiddle* o'm blaen ar y dde ond, o sylwi ar y goleuadau prin yn pefrio yn y pellter, cawn fy nenu (os nad fy ngorfodi) am ryw reswm neu'i gilydd (does wybod pam) i droi'r car i'r chwith a chroesi'r mynydd mewn distawrwydd du am ryw ddeg milltir ... mentro drwy hudoliaeth Wildboarclough a chyrraedd yn ôl i wareiddiad (yn anffodus) wrth deithio drwy Congleton ... mynd heibio i Crewe a dilyn y ffordd gefn yn ôl i Gresford.

Bûm yn rhan o'r ŵyl fel côr-feistr am flynyddoedd wedyn mewn perfformiadau o *Il Matrimonio Segreto* (Cimarosa), *Háry János* (Kodaly), *Beatrice et Benedict* (Berlioz) gydag Anne Murray yn canu'r brif ran, a *Medea* gan Cherubini gyda Rosalind Plowright yn canu'r brif rôl, dwy, wrth gwrs, a fu'n flaenllaw yn y perfformiad o *Cosi* yn y coleg, yr opera gynta imi weithio arni yn broffesiynol.

Gallech ddisgwyl yr annisgwyl bob amser gan Malcolm Fraser; roedd wedi dewis dau gi anferth i fod yn rhan o lys Medea, dau gi a oedd bron cymaint â dau ful! Roedd y ddau anifail wedi mynychu'r ymarferiadau dros gyfnod o bythefnos ac roedd eu hymddygiad yn wych, heb gyfarth unwaith. Ni ddaeth smic ohonyn nhw o gwbl. Roedd y perfformiad olaf i'w ddarlledu ar Radio 3 a gyda bod y perfformiad yn dechrau dechreuodd y cŵn gyfarth am y gorau a buont wrthi'n udo a chyfarth yn ysbeidiol drwy gydol y perfformiad!

Mi ddois i adnabod Ronald Ayre yn Buxton, cynhyrchydd profiadol ac ysbrydoledig a oedd wedi actio a chynhyrchu yn Stratford upon Avon. Cefais lyfr yn anrheg ganddo; cyfrol roedd wedi'i sgwennu wrth baratoi rhaglen gynhwysfawr ar grefyddau'r byd ar gyfer y BBC. Ar y clawr roedd wedi sgwennu amdanaf – *He has more energy than all the electricity in the towns of Northern England!*

Soniais yn gynharach am arwain yr opera i blant, sef *Two Fiddlers* gan Peter Maxwell Davies, opera lle mae gofyn i ddau fachgen ganu trebl a hefyd chwarae'r fiolin! Roedd John Daszak yn un o'r ddau fachgen amryddawn, ac mae John bellach yn un o'r tenoriaid disgleiriaf yn y byd, yn enwedig yn *repertoire* dwyrain Ewrop, cerddoriaeth Smetana a Janáček ... roedd ei dad yn hanu o'r Wcráin.

Yr opera plant arall y bûm yn ei harwain yn Buxton oedd *The Little Sweep* gan Benjamin Britten, gwaith llawn direidi ac yn cynnwys nifer o alawon deniadol iawn, ond roedd y stori, serch hynny, wedi'i seilio ar bwnc hanesyddol, difrifol, sef y camddefnydd creulon o blant. Gan fod y teulu ar ochr fy nhad yn dwyn y blasenw 'Sweeps', roeddwn yn teimlo'n gartrefol iawn yn arwain hon. Yn rhan olaf yr opera, mae'r gynulleidfa yn cael ei rhannu i nifer o adrannau sy'n cystadlu yn erbyn ei gilydd ac, wrth gwrs, mae disgwyl i'r arweinydd drefnu'r dosbarthiadau lleisiol yn y gynulleidfa a rhoi beirniadaeth adeiladol, (ond heb fod yn or-ddifrifol) i'r pedwar côr bach sydd efallai wedi canu Benjamin Britten am y tro cyntaf ac yn gobeithio cael canmoliaeth am eu hymdrechion gan y person a oedd wedi bod yn chwifio ei freichiau o'u blaenau am yr ugain munud blaenorol.

Yn ogystal â gweithio gyda'r corws, arwain, a chynnal sesiynau unigol gyda'r unawdwyr, roedd galw arnaf i gyfeilio mewn datganiadau ganol dydd. Ond y peth rhyfedda' ddigwyddodd oedd cael gwahoddiad i sgwennu cerddoriaeth ar gyfer symud cut oddi ar y llwyfan. Yn yr opera, siecbwynt yn rheoli'r mynd a'r dŵad ar y ffin rhwng Awstria a Hwngari oedd y cut sylweddol hwn ac roedd yn hynod o drwm, anhylaw a thrafferthus i'w symud. Pan ddeuai'r angen iddo ddiflannu oddi ar y llwyfan ar gyfer yr olygfa a oedd i ddilyn, penderfynwyd mai gwael o beth fuasai disgwyl i'r gynulleidfa aros nes i holl straffaglio'r symud ddod i ben. I ddatrys y broblem, gofynnwyd imi greu cerddoriaeth offerynnol i dynnu sylw'r gynulleidfa oddi ar y busnes o symud y cut. Digwyddodd hyn yn yr opera gan Kodály, *Háry János* a hyd heddiw rydw i'n cofio'r gerddoriaeth swnllyd a gyfansoddais yn gyfeiliant i symudiadau datgymalu'r cut. Rywsut neu'i gilydd, nid wyf yn ystyried y bydd y term *Hut moving Music* yn cael ei restru fel rhyw gyfraniad pwysig i fyd cerdd nac ychwaith i'r ddynoliaeth ac ni fydd yn hawlio lle anrhydeddus ar restr fy nghyfansoddiadau.

Roedd wythnosau Buxton yn rhai pwysig iawn ar fy nghalendr a hefyd yn bwysig i gantorion ifanc, drwy roi gwaith iddyn nhw yn ystod eu gwyliau haf. Byddai pawb yn edrych ymlaen at yr achlysur a, hyd y gwn i, mae'r ŵyl yn parhau i fynd o nerth i nerth.

Fy nghyfrifoldeb i oedd gofalu bod y corws wedi dysgu'r gwaith erbyn yr ymarferiadau cyntaf gyda Malcolm, y cynhyrchydd, ac wedyn byddai'n rhaid manteisio ar gyfleoedd prin i gywiro ambell gornel oedd wedi mynd yn llac yn ystod y cyfnod pan fyddai'r pwyslais ar lwyfannu yn hytrach nag ar ganu. Roedd y corws proffesiynol hwn, wrth gwrs, wedi ei sefydlu dan fy arweiniad i, ac roedd presenoldeb pob unigolyn ymhob ymarfer yn hanfodol er mwyn dysgu'r gwaith yn drwyadl. Bu'n rhaid i mi, yn rhinwedd fy swydd fel côr-feistr, weithio am naw awr bob dydd er mwyn cwblhau'r gwaith. Oherwydd pwysau'r undebau a oedd yn mynnu mai am chwe awr yn unig roedd y corws i fod i ymarfer, gan fod canu am naw awr, yn eu tyb nhw, yn cael ei ystyried yn afresymol, roeddwn yn ymarfer am dair awr yn y bore gyda'r merched, tair awr yn y prynhawn efo'r dynion, a thair awr fin nos gyda'r côr cyfan. Roedd y patrwm hwn yn rhwydd a hwylus dros ben ac yn caniatáu i ni ddysgu'r darn yn drylwyr ac yn sicrhau y byddai popeth yn barod ar gyfer y perfformiad cyntaf. Mae gweithio am gyfnod hir yn rhan o 'mywyd beunyddiol i hyd heddiw, am fy mod yn dechrau cyfansoddi am naw o'r gloch y bore ac, onibai bod toriad i roi gwers ganu i rywun, rydw i'n dal ati tan naw o'r gloch y nos.

Felly Buxton yn yr Haf ac yn yr Hydref byddai perfformiadau dan nawdd sefydliad arall yn *Clonter Farm* sef lleoliad a adwaenid fel *Glyndebourne of the North.* oherwydd yr arfer o ddilyn patrwm Glyndebourne o ddarparu egwyl am bryd o fwyd ar ôl gwrando ar ddwy act cyn dychwelyd yn hapus-fodlon wedi'r gloddesta ar win a bwyd moethus i edrych ar lwyfan lle y byddai stori drasig ac ingol meidrolion anffodus yn datblygu o flaen eu llygaid.

Roedd ysgubor ar y fferm wedi ei thrawsnewid yn theatr gan Jeffery Lockett a oedd yn Uwch Siryf, Swydd Gaer. Roedd yn fab i Betty Bannerman, darlithydd yn y Coleg ym Manceinion. Roedd hi'n arbenigwraig ar gerddoriaeth Ffrengig ac wedi astudio o dan yr enwog Claire Croiza. Roedd Betty bellach wedi ymddeol ond roedd ei mab Jeffery wedi datblygu'r syniad o greu theatr opera yng nghanol Swydd Gaer, mewn lle anghysbell wrth ymyl Swettenham a oedd, gyda llaw, yn lle anodd iawn i'w gyrraedd, hyd yn oed efo *sat. nav.*

Roedd y fenter yn un llwyddiannus ac yn rhoi cyfle i gantorion ifanc ganu rhannau uchelgeisiol, fel *Carmen*, mewn tŷ opera eithaf bach, lle nad oedd gofyn am or-ganu. Roedd staff eithaf profiadol yno'n gyfrifol am y cyfarwyddo, yn cynnnwys Leonard Hancock, Pennaeth Opera Cenedlaethol yr Alban, yr arweinydd Wyn Davies, a minnau.

Felly roedd gan y staff profiadol hwn y gallu i ofalu am y lleisiau ac roedd digon o dalent ymysg y cantorion ifanc i fedru perfformio'r gweithiau. Datblygodd *Clonter Farm* i fod yn sefydliad dylanwadol ac arwyddocaol a oedd yn gyfrifol am operâu teithiol yn ogystal a'r perfformiadau yn *Clonter* ei hun.

Roedd Jeffery Lockett yn ganwr eithaf da, a'i hoff aria oedd 'O Star of Eve' allan o *Tanhäuser* gan Wagner. Roedd yn ŵr aristocrataidd iawn ond yn berson hawdd iawn cydweithio ag ef. Roedd yn gosod rhai rheolau ac roedd pawb yn ymwybodol fod y rheolau hynny'n bwysig iddo. Er hyn, yn fy mhrofiad prin o gymysgu yng nghwmni'r 'byddigions' rydw i wedi dod i ddeall y pwysigrwydd o fod yn wyliadwrus rhag sathru ar eu teimladau gorsensitif. Mae gan bob un ohonyn nhw ei ffordd unigryw o osod allan y canllawiau. Roedd Jeffery, er enghraifft, yn talu i mi am fy nghyfraniad nid mewn arian, ond mewn petrol. Roeddwn wedi cytuno ar y ffî ac mi fyddwn i'n galw mewn garej arbennig bob hyn a hyn, llenwi'r car â phetrol a dweud mai Jefferey Locket oedd yn talu. Hyd y gwn i, ef oedd biau'r garej ac efallai'r cyflenwad petrol hefyd.

Ar dir y fferm, yn sefyll ar wahân i'r Tŷ Opera, roedd adeilad urddasol ac ynddo roedd gwerth miloedd ar filoedd o ddarluniau gan arlunwyr Argraffyddion Ffrainc *(French Impressionists)*. Yn aml, byddwn yn ymarfer gyda'r myfyrwyr o fewn y muriau ysblennydd hyn.

Yn wir, roedd y fferm hon yn hollbwysig fel man cychwyn i gantorion ieuanc ac yn gyfle iddynt ganu rôl mewn theatr fach gyda staff broffesiynnol yn hyrwyddo'r lleisio a'r llwyfannu. Wedyn, efallai, byddem yn cymryd yr opera ar daith drwy Brydain. O bryd i'w gilydd, byddai cyngerdd operatig yn cael ei gyflwyno, a Wyn a minnau'n mwynhau cwmni'n gilydd wrth rodio drwy feysydd difyr byd yr opera.

Pleser o'r mwyaf oedd cael gweithio yn Buxton a Clonter a chyfarfod â chantorion newydd a chynhyrchwyr newydd a gweld sut oedd gwahanol bobl yn mynd ati i gyflwyno canpweithiau y meistri ger bron cynulleidfa awchus.

Mae gweithio gyda cherddorion eraill yn rhan anhepgor o fywyd unrhyw gerddor ac rwy'n ddiolchgar iawn fod nifer o arweinyddion cenedlaethol a rhyngwladol wedi anadlu bywyd i mewn i'r gweithiau a gyfansoddais. Owain Arwel Hughes (Proms Cymru) a gomisynodd *Tanau* ar gyfer cerddorfa a band pres ac ef oedd wrth y llyw yn arwain *Troeon* a fu ar daith drwy Gymru gyda Cherddorfa Ieuenctid Cymru. Dan ei faton ef hefyd y perfformiodd Côr Eisteddfod Genedlaethol Casnewydd 1988 fy *Salm i'r Creaduriaid*. Mae cysylltiad agos rhwng Owain a'r Rhos, gan mai ei dad oedd Arwel Hughes, y cyfansoddwr, a'i ewythr oedd y cerddor John Hughes. Roedd hi bob amser yn bleser cydweithio gydg ef.

Rydw i'n cofio Gareth Jones yn fyfyriwr yn y coleg ym Manceinion ac mae ei weld yn cael ei gydnabod fel arweinydd rhyngwladol yn rhywbeth i ymfalchïo ynddo. Ef fu'n arwain *Trafod* gyda Sinfonia Cymru ac, wrth gwrs, ef oedd hefyd yn arwain perfformiad cyntaf *Sorrows of the Somme* yn Neuadd Alun Hoddinott, Caerdydd, yn 2018.

Cwta wythnos cyn perfformiad *Sorrows of the Somme*, cyflwynwyd *Marw'r Ehedydd* (gwaith i linynnynau, offerynnau taro a chorn) gan yr arweinydd ifanc cyffrous, Robert Guy, a'i gerddorfa, NEW Sinfonia, yng Ngŵyl Gerdd Ryngwladol Gogledd Cymru yng Nghadeirlan Llanelwy. Bu'n brofiad braf, yn ogystal, groesi'r ffin i wrando ar y *Te Deum* a gyfansoddais yn cael ei berfformio yng Nghadeirlan Ripon gan Gymdeithas Gorawl Harrogate.

Rydw i wedi mwynhau arwain gweithiau estynedig a gyfansoddais – *Pren Planedig* yn Eisteddfod Genedlaethol Meifod, 2003, *Requiem i Sant John Roberts* (Fra Juan de Mervinia) – y perfformiad cyntaf yn Eglwys Sant Madryn, Trawsfynydd (2005), lle, mae'n bur debyg, y cafodd y merthyr Pabyddol ei fedyddio ym 1577 ac yna yr ail berfformiad yng Nghadeirlan Llanelwy yn ystod Gŵyl Gerdd Rhyngwladol Gogledd Cymru.

Cafodd fy nghynnyrch cerddorol ei gydnabod yn 2007 a chefais foddhad mawr o dderbyn Gwobr Goffa John Edwards, yn 2007, am fy nghyfraniad i gerddoriaeth yng Nghymru.

Pennod 10

TROEON TRWSTAN

Beth bynnag fo safon y paratoi, mae'n bosibl i rywbeth annisgwyl ddigwydd ar noson y perfformiad, yn enwedig ar y noson gyntaf. Roedd MU (Mike Underwood, nid y *Musicians Union*) yn faswr da iawn, a chanddo lais soniarus, cyfoethog – bas nid bariton. Yn anffodus roedd yn fyr iawn ei olwg, ac felly roedd rhaid i gynhyrchydd fod yn ddyfeisgar wrth sicrhau safle ffafriol a phwrpasol iddo ar lwyfan operatig. Yn Glyndebourne, y Tŷ Opera yn ne Lloegr, cafwyd y rôl perffaith iddo yn yr opera *Idomeneo* gan Mozart ... **llais** 'Neptune' (nid 'Neptune' mewn cig a gwaed yn ymddangos yn weladwy ar y llwyfan) a oedd i'w glywed yn codi o grombil y theatr. Roedd yn defnyddio meic atseiniol fel bod llais byddarol duw y cefnfor mawr yn diasbedain drwy'r theatr. Arweiniwyd Mike i'w safle gan un o'r staff llwyfan a chanodd gydag awdurdod a grym a oedd yn hollol addas i'w gymeriad morwrol. Yn anffodus, nid oedd neb wedi cofio bod ar gael i arwain Mike yn ôl i ddiogelwch cefn llwyfan; gwaeth na hyn, nid oedd neb wedi gofalu bod y meic wedi ei switsio i ffwrdd ar ddiwedd ei gyfraniad lleisiol. Yn y tywyllwch dudew oedd yn ei amgylchynu, gollyngodd Mike lifeiriant o eiriau lliwgar a thra aflednais wrth iddo frwydro am waredigaeth. Am ddau funud cyfan bu rhegfeydd Mike yn tystio'n llafar i'w rwystredigaeth, gan atseinio a ffrwydro drwy'r theatr mewn cystadleuaeth â cherddoriaeth hudolus Mozart ... nid oedd y gynulleidfa na pherchnogion Tŷ Opera Glyndebourne yn hapus iawn.

Yn ail Act *Billy Budd*, opera fawr Britten am greulondeb a chynllwynio dieflig ar fwrdd llongau'r llynges frenhinol yn y ddeunawfed ganrif, camodd Geraint Dodd (*Capten,Vere*) o'i gaban ar lefel dau a syrthio deg troedfedd drwy wagle du. Roedd ysgol i fod wedi ei gosod i ofalu bod y capten yn dringo i lawr yn saff ... ond nid oedd yr ysgol yno. Yn ffodus, ar yr union eiliad roedd y capten yn disgyn yn fwy cyflym na'r disgwyl, roedd Paul Nilon (a oedd yn canu rhan y *Novice*) yn croesi cefn llwyfan i gyrraedd yr ochr arall er mwyn paratoi ar gyfer ei ymddangosiad. Nid oedd y *Novice* yn cael llawer o fwyniant ar fwrdd *HMS Indomitable*. Roedd bywyd ar y llong yn galed a chreulon am fod bron bob un o'r criw wedi cael ei orfodi i gonscriptio. O gofio bod Geraint Dodd yn glamp o fachgen, medrwch ddychmygu, pan laniodd ar ben y *Novice*, fod y truan yn meddwl bod Ffawd unwaith eto wedi delio cerdyn anlwcus iddo. Y noson ddilynol, oherwydd bod Geraint bellach wedi cael sicrwydd gan Joe Ward, y cynhyrchydd, y byddai'r ysgol holl bwysig yn ei lle ar gyfer y perfformiad nesaf, cerddodd yn hyderus o gaban y capten ... a chamu i mewn i wagle, unwaith eto. Yn ffodus, roedd Paul Nilon, yntau, ar yr union foment honno, yn cerdded i'w safle ... a medrwch ddyfalu'r gweddill. Efallai nad cyd-ddigwyddiad oedd y ffaith fod y *Novice* wedi 'digwydd' bod yn yr union le ddwy noson yn olynol i dyneru rywfaint ar gwymp y capten. Mae pob cam a symudiad wedi'i drefnu a'i amseru mor fanwl yng nghefn llwyfan fel bod disgwyl i'r cantorion gyrraedd eu safleoedd i'r eiliad i gydfynd â'r gerddoriaeth. Oherwydd hyn, byddai'r *Novice* yn rhwym o fod wedi bod yn yr union fan a'r lle i ladd codwm y Capten. Ond diofalwch pwy fu'n gyfrifol am absenoldeb yr ysgol, ysgwn i?

Yn ystod y cyfnod a dreuliodd Geraint Dodd yn fyfyriwr yng Ngholeg Cerdd Brenhinol Manceinion byddai'r ddau ohonom yn cyd-deithio i'r coleg. Un bore, wedi iddo gael ei ddewis gan y coleg i ganu rôl Capten Vere yn opera Benjamin Britten, *Billy Budd* roedd wedi galw amdanaf yn Gresford a minnau wedi neidio i mewn i'w gar ar ras gwyllt ... ac i ffwrdd â ni. Gan mai Geraint oedd yn gyrru, doedd dim i'm rhwystro rhag cynnig awgrymiadau cerddorol ynglŷn â rôl Capten Vere *Cana hwn fel a'r fel ... Rho gynnig arni fel hyn y tro 'ma ... Gad imi dy glywed ti'n canu'r rhan ene unwaith eto ...* Gwers ganu symudol a fu, yn ôl Geraint, o fewn trwch blewyn i roi'r farwol iddo, gan ei fod yn ceisio canolbwyntio ar y gyrru yn ogystal ag ymgodymu ag anawsterau seicolegol y capten anffodus hwnnw yn stori E.M. Forster. Pan gyrhaeddon ni faes parcio'r coleg ym Manceinion mi glywodd Geraint y fath floedd yn cael ei dilyn gan lif o ebychiadau anweddus fel ei fod yn ofni fy mod wedi cau drws y car ar fy mysedd. Y rheswm dros fy ymateb ffrwydrol oedd 'mod i newydd sylweddoli i mi deithio o Gresford i Fanceinion yn fy slipars ac, yn waeth fyth, y byddwn yn gorfod cerdded coridorau'r coleg brenhinol am weddill y dydd ynddyn nhw. Ac felly y bu, a minnau'n ceisio cerdded mor urddasol a didaro ag y gall dyn ei wneud pan fydd yn ymwybodol o sibrydion a phwffian chwerthin gan gantorion ac offerynwyr y tu cefn iddo!

PERYGLON PERFFORMIO EFO ANIFEILIAID

Yn y coleg, cynhyrchydd *L'elisir D'amore* gan Donizetti oedd y tenor o Gymru, Ryland Davies. Chwi gofiwch fod y gwaith yn cynnwys yr aria hudolus, 'Una furtiva' ar gyfer y tenor, *Nemorino*. Roedd Ryland wedi canu'r rôl droeon mewn mannau fel Glyndebourne ac felly roedd ei brofiad yn werthfawr y tu hwnt i'r myfyrwyr. Penderfynodd ddefnyddio mul go iawn i dynnu'r drol sy'n cludo Dr. Dulcamara o bentre i bentre i werthu ei swynion a'i ddiodydd serch i bobl ofergoelus. Rywsut, nid oedd y mul cyntaf hwn yn gwerthfawrogi ei gyfle i serennu ar lwyfan ac, ar ôl iddo frathu a chicio'r rheolwr llwyfan, cafodd ei ddiswyddo a daeth mul arall i mewn i'r cynhyrchiad, yn ei le. Roedd yr ail anifail hwn yn boblogaidd iawn gyda'r corws a'r tîm rheoli a bu'n ymddwyn yn foneddigaidd a di-fai yn yr ymarferion. Ar noson gyntaf y gyfres o bum perfformiad (mae'n siŵr oherwydd nerfau noson gyntaf) rhyw dri chwarter awr i mewn i'r perfformiad, yn sydyn a disymwth cafodd y mul bâs i'w gorff (fel y dywedwn ni yn y Poncie pan fydd rhaid ymateb i alwad Natur). Neidiodd Jeffrey Lloyd Roberts (a oedd i serennu yn y dyfodol fel *Peter Grimes* gydag *Opera North*) o rengoedd y tenoriaid a gweiddi *A, si,* wrth syllu ar gyfraniad y mul, a symudodd yn bwrpasol o'r llwyfan ac yna ailymddangos yn cario bwced, rhaw a brwsh llawr ... aeth y perfformiad yn ei flaen yn hwyliog tra oedd Jeff wrthi'n glanhau'r llwyfan i gymeradwyaeth y gynulleidfa. Mae'n siŵr fod y gynulleidfa hon yn credu bod Jeff a'r mul yn cwblhau'r weithred drawiadol hon bob noson fel rhan o'r cyflwyniad.

Wedyn, ar yr un thema o beryglon cydweithio gydag anifeiliaid mewn theatr, rhaid sôn am y ddafad yn yr opera *Medea* gan Cherubini a gyflwynwyd yn y Tŷ Opera yn Buxton. Mi gyfeiriais yn gynharach at benderfyniad Malcolm Fraser i gael dau gi anferth ar gyfer y perfformiad hwn, y ddau yn symbolau o foethusrwydd a grym llys Medea. Fel y buasech yn ei ddisgwyl gan unrhyw ddewines gwerth ei halen, roedd Medea yn aberthu anifeiliaid yn ddyddiol i gymodi â'r duwiau. Ond na, nid y ddau gi oedd mewn perygl, ond yn hytrach, dafad ... dafad a ddewiswyd gan Malcolm ar gyfer y ddefod aberthu yn ail Act yr opera. Roedd Frank Matcham, y pensaer athrylithgar, wedi cynllunio'r llwyfan i wyro ar i lawr a disgyn yn raddol i gyfeiriad yr awditoriwm er mwyn hyrwyddo tafliad y llais. Mae tri llawr o seddi yn y theatr yn ymestyn i fyny hyd at y to. Rydw i'n siŵr na feddyliodd y pensaer y byddai cynllunio llwyfan yn rhedeg ar i lawr yn gymorth ymarferol ac yn fendith mewn defod aberthu. Roedd tri deg a phump o gantorion y corws yn sefyll yn y tywyllwch, allan o olwg y gynulleidfa, yn aros mewn un llinell, y naill y tu ôl i'r llall, yn wynebu cefn y llwyfan. Ar ben y llinell, dan ofal dau o'r cantorion, roedd y ddafad yn aros yn wylaidd-dawel am yr arwydd i arwain yr orymdaith ar y llwyfan. Yn anffodus, pan ddaeth yr alwad i symud, bu rhaid i'r ddafad hefyd ufuddhau i alwad Natur, a'r hyn welwn i, yn sefyll yn yr asgell chwith, oedd coreograffi'r cantorion yn lledu eu coesau bob yn un ac un i bontio rhediad cyflym yr afon annisgwyl oedd yn llifo'n agerog i lawr i gyfeiriad safle'r rheolwr llwyfan. Nid oedd yn bosibl i'r gynulleidfa weld y digwyddiad dirybudd ac annymunol hwn ac, yn ddistaw bach, offrymais weddi o ddiolchgarwch i dduwiau Medea mai dim ond un ddafad yr oedd Malcolm wedi dewis ei haberthu.

Ar ôl cyfnod o ryw ddeng mlynedd wedi i mi ymddeol, cefais wahoddiad i fynd yn ôl i'r coleg i weithio gyda chorws newydd a oedd i'w ffurfio, sef *Symphony Chorus,* ac am dair blynedd roeddwn yn gyfrifol am y côr hwn. Rhoddwyd perfformiadau o weithiau gan Schubert, Mendelssohn, Dvořák, Liszt, Holst, Britten, a Copland. Roeddwn yn arbennig o falch o gael arwain gwaith roeddwn wedi edmygu dros y blynyddoedd, sef *Rejoice in the lamb* gan Britten ar eiriau rhyfedd ac ingol John Clare, gŵr a oedd yn dioddef o ddryswch meddwl dwys ond bardd a chanddo weledigaeth a neges glir am waredigaeth i ddynolryw drwy arfer goddefgarwch a chymod:

For the trumpet of God is a blessed intelligence
And so are all the instruments in Heav'n.
For God the Father Almighty plays upon the harp
Of stupendous magnitude and melody.
For at that time malignity ceases
And the devils themselves are at peace.
For this time is perceptible to man
By a remarkable stillness and serenity of soul.

Roeddwn ar ddeall fod cryn dipyn o bryder yn y colegau cerdd drwy'r wlad parthed safonau darllen cerddoriaeth y myfyrwyr offerynnol (sioc i mi) yn ogystal â'r myfyrwyr lleisiol ac roedd teimlad cyffredinol y byddai canu mewn côr yn fodd o ddatrys y gwendid. Mae'n siŵr fod canu corawl yn medru magu tipyn o hyder mewn darllen cerddoriaeth ond, yn fy marn i, ar sail fy mhrofiad o weithio yn gyson gydag unigolion a chorau, mae'r sefyllfa mor wael fel bod angen llawer mwy o ganolbwyntio addysgiadol cyn bydd y diffyg hwn yn cael ei oresgyn. Pan gysidrwn fod safonau darllen heddiw yn waeth na safonau darllen can mlynedd yn ôl, mae lle i gwestiynu a yw'r addysg gyffredinol (nid yr addysg arbenigol i blant sydd yn disgleirio mewn cerddoriaeth) sy'n cael ei chyflwyno i blant i'w paratoi am fywyd yn addas a chyfrifol.

Clywais am gyfarfod yn ddiweddar lle roedd Cyfarwyddwr Addysg yn ceisio cyfiawnhau toriadau yn y gwasanaeth peripatetig cerddorol ar y sail fod cerddoriaeth yn bwnc *peripheral* a bod athrawon pynciau mwy pwysig yn cwyno bod eu disgyblion yn gadael eu dosbarthiadau am wersi cerddorol ac felly'n colli allan ar berlau o wybodaeth sylfaenol a fyddai wedi llifo o'u gwefusau yn ystod absenoldeb y plant. Cefais innau brofiad tebyg yn Ysgol Alun, Yr Wyddgrug. Pe bai aelodau'r côr wedi bod yn absennol o'u gwersi yn achlysurol am eu bod ar un o'u teithiau prin i Gaerdydd neu Lundain i ddarlledu ar y teledu neu'r radio, byddai ambell athro yn ymddwyn yn oeraidd tuag atynt ac yn dal dig yn eu herbyn. Duw a'n gwaredo rhag y fath gyfarwyddwyr addysg a hefyd rhag y math o athro sy'n credu nad oes le i gydweithredu ac ymestyn gorwelion addysg pob plentyn.

Rydw i o'r farn fod angen llawer mwy na chanu mewn côr os ydym am wella safonau darllen cerddoriaeth. Mae dylanwad addysgiadol y capeli a'r sol-ffa wedi diflannu o'r tir ac mae angen creu system newydd o ddysgu darllen; system debyg i fethod Kodály sydd wedi bod mor llwyddianus yn Hwngari. Dylai'r system newydd hon gael ei ffurfio gyda chyfraniadau gan athrawon cerdd, pobl sy'n brwydro yn y maes, ac wedyn ei chyflwyno fel cyfanwaith i ysgolion Cymru. Meddyliwch am y boddhad a fyddai'n deillio o fod y wlad gyntaf yn Mhrydain i gyflwyno cwrs adeiladol a gorffenedig mewn dysgu darllen cerddoriaeth i bob plentyn ymhob ysgol. Maddeuwch i mi am y bregeth ac mi ddisgynnaf oddi ar fy mocs sebon a symud yn ôl yn gyflym i rodfeydd hir a thwyllodrus y coleg yn Manceinion.

HELBUL BOTYMAU

Gan nad oeddwn erbyn hyn yn aelod staff sefydlog y coleg, a'r adeiladau bellach wedi ymestyn i fyny tua'r nefoedd (efallai nad mewn ystyr ysbrydol, ychwaith) roedd daearyddiaeth y lle yn estron i mi. Roedd rheolau diogelwch ar raddfa ryngwladol mewn grym ac nid oedd yn bosib symud i unrhyw gyfeiriad i mewn nac allan o fynedfeydd heb gael tocyn mynediad. Yr unig docyn oedd gen i oedd tocyn y llyfrgell a oedd, dros y blynyddoedd, diolch i'r gwaredwr, wedi rhoi trwydded i mi bwyso bwtwm a chael mynediad i'r adeilad holl bwysig hwnnw.

Doeth fyddai egluro yn y fan hon na chefais fy mendithio â synnwyr cyffredin ac, o'r herwydd, achosodd pethau diniwed fel drysau trên a chloi drws anawsterau i mi gydol fy mywyd. Beth bynnag, gyda chynorthwy nifer o fyfyrwyr a'u tocynnau diogelwch, roeddwn wedi llwyddo i gyrraedd llawr ucha'r coleg a chynnal ymarfer corawl mewn ystafell eang a oedd yn hollol anghyfarwydd i mi. Ar ddiwedd yr ymarfer a phawb wedi gadael, cesglais fy llyfrau at ei gilydd gan fwriadu mynd lawr y grisiau a galw heibio i'r llyfrgell cyn troi am adre yn y car. Cerddais allan o'r ystafell i mewn i goridor gwag, dan obeithio y byddwn yn taro ar fyfyriwr oedd ar ei ffordd i lefel y llawr isaf gan nad oedd modd i mi ddisgyn i unman heb rym hollalluog y tocyn diogelwch i agor tri drws cyn cyrraedd lefel y llawr hwnnw. Er bod cannoedd o fyfyrwyr yn y coleg, nid oedd creadur i'w weld yn unman. Yn sydyn agorodd drws y lifft a dyma frasgamu'n ddiolchgar i mewn iddo. Disgyn, disgyn, heb neb yn galw am wasanaeth ar y ffordd i lawr a minnau'n berffaith fodlon aros yn amyneddgar nes cyrraedd y gwaelod. Gwnaeth y lifft ei waith – a mwy – a'm gollwng allan i ryw gell wydr danddaearol nas poblogwyd, hyd y gwelwn i, gan ddyn erioed. Doedd neb i'w weld, a dim i'w glywed. Roedd botwm bach coch yn denu fy sylw ac uwch ei ben y geiriau ***PRESS HERE IN EXTREME EMERGENCY***. 'Doeddwn i ddim wedi cael fy llethu gan banig ... hyd eto. Felly es ati fel Inspector Clouseau i ymbalfalu ar hyd y gwahanol baneli am ddihangfa, gan ddisgwyl gweld rhywun yn ymddangos unrhyw funud. Ond na, doedd neb o gwmpas a'r distawrwydd yn llethol. Sbïais i'r dde a gweld drws y tu draw i'r gwydr a sylweddoli bod y drws hwn yn arwain i ystafell y band a oedd, fe gofiais, yn arwain i'r ystafelloedd gwisgo ar lefel is na'r llawr gwaelod ac wedyn yn mynd ymlaen i'r theatr. Ond roedd rhaid dod o hyd i ffordd drwy'r pared gwydr cyn medru cyrraedd y drws bach a'r llwybr allan i gefn llwyfan. Y tu cefn i mi roedd gwydr barugog yn arwain at Oxford Road a oedd wedi ei leoli ar ongl o naw deg gradd i Lloyd St. a phrif fynedfa'r coleg. Yn sydyn, i'r chwith, gwelais ddyn yn dod tuag ataf. Gwaredigaeth! Cerddais tuag ato i erfyn am gymorth. Am siom! Sylweddolais mai fi oedd y dyn achubol, a 'mod i'n cerdded tuag at adlewyrchiad fy llun fy hun mewn drych anferth. Erbyn hyn roedd yn amlwg nad oedd dihangfa i fod ac es i syllu eto ar y bwtwm coch a'r geiriau braidd yn fygythiol uwch ei ben. Onid oeddwn i mewn sefyllfa o ***EXTREME EMERGENCY***? Ac felly, gyda symudiad *staccato* pwrpasol dyma bwyso'r bwtwm tyngedfennol a oedd i'm rhyddhau o'm clawstroffobia a'm hanobaith. Gollyngwyd sgrech annaearol di-daw i'r gwagle ... sgrech a oedd yn ddigon i greithio fy ymennydd a gwneud niwed parhaol i'm synnwyr clyw. Ar yr union eiliad yr esgorwyd ar y sgrech, clywais sŵn gwichlyd cras y tu cefn imi ac agorodd y panel gwydr barugog oedd yn arwain i'r ffordd ... a gwaredigaeth! Cerddais allan yn hamddenol, dan wenu, a mynd heibio i'r bobl a oedd yn sefyll yn stond yn y stryd yn gwrando ar y larwm ac yn syllu ar wal wydr na welsant ar agor erioed o'r blaen yn ymagor fel ceg ogof o flaen eu llygaid. Roedd fel petai pawb ond fi yn aros yn eu hunfan wedi'u parlysu gan y sgrech annisgwyl a thaer ac yn rhythu ar y fynedfa newydd i'r coleg a oedd wedi agor yn wal dde'r coleg yn wynebu Oxford Road. Cerddais ymlaen yn dalog am ryw ugain llath cyn troi i'r dde ar y cornel, camu i lawr Lloyd St, ac anelu am brif fynedfa'r coleg. O'm blaen, yn tagu'r dderbynfa, gwelwn dorf o gyrff go bryderus yr olwg, yn llifo i lawr y grisiau ac yn cael eu gyrru i gyfeiriad y maes parcio yn union fel diadell o ddefaid colledig, Penderfynais mai'r peth callaf i'w wneud oedd chwilio am noddfa yn y llyfrgell ond cyn cyrraedd y drws – a bwtwm arall, eto fyth – gwelais y prif lyfrgellydd a'i staff yn dianc am eu bywydau ac yn ymuno â'r fintai o ffoaduriaid oedd bellach wedi eu corlannu yn niogelwch y maes parcio.

Roedd sgrech y larwn yn parhau ac roedd yn amlwg fod holl lifeiriant cerddorol y coleg wedi tewi a mynd yn fud, a chan fod y sgrech hwteraidd mor gryf ac mor gras, roedd pawb yn siarad ar draws ei gilydd a'u lleisiau aflafar yn esgyn tuag at draw peryglus o uchel. Cerddais drwy'r dorf yn ddihitio ac eistedd yn y car nes bod taw ar sgrech y larwm a'r cyffro. Yn sydyn dyma donfedd y seiren yn disgyn yn araf ac yn wylofus nes marw'n gyfan gwbl ac, wele, dyma'r dorf o fyfyrwyr a darlithwyr yn symud yn araf a phetrusgar o'r maes parcio a mentro'n ôl i mewn i'r adeilad er mwyn ailgydio yn eu gwahanol weithgareddau. Arhosais yn y car nes bod y maes parcio wedi gwagio ac yna cerddais yn hamddenol i mewn i'r coleg ac anelu am y llyfrgell.

Roedd nifer fawr o fyfyrwyr wedi ymgasglu mewn grwpiau parablus – roedd hi'n amlwg nad oedd ganddyn nhw lawer o archwaeth i ailafael yn eu hastudiaethau. Wrth fynd heibio, gofynnais yn ddiniwed ddigon beth oedd wedi digwydd ac atebodd un ohonynt, *Some idiot set off the college security alarm and caused utter havoc*. Ysgydwais fy mhen yn angrhediniol a cherdded i mewn i'r llyfrgell ac yn ôl i ddistawrwydd iachusol a chysurlon byd llyfrau, gan ddiolch am y waredigaeth.

HELBUL COTIAU

Os cafodd Dafydd ap Gwilym Drafferth mewn Tafarn, 'Trafferth â Chotiau' fu fy hanes i. Mi es i sawl gwaith gyda chôr Ysgol Alun, Cantorion Cynwrig, a chôr y coleg i berfformio yn Neuadd Albert, Llundain, neuadd hardd, llawn traddodiad ond mae'n hawdd iawn i chi golli eich ffordd yn yr adeilad. Mae'n bosib' cerdded mewn cylch cyflawn cyn sylweddoli ei bod hi bron yn amhosib' dod yn ôl i'r union fan lle cychwynnwyd y gylchdaith. Mae pob cornel a phob drws yn edrych yn union 'run fath. Rydw i'n cofio i Miriam Bowen, y soprano, golli ei ffordd rhwng yr ystafell wisgo a'r llwyfan; yn ffodus roedd rhagymadrodd hir gan y gerddorfa cyn yr aria allan o *The Rake's Progress* gan Stravinsky a llwyddodd i ymddangos ar y llwyfan ryw ddau guriad cyn i'r rhan lleisiol ddechrau.

Roedd pob stafell wisgo hefyd yn ymddangos union 'run fath ac, ar un achlysur, ar ôl ymarfer ar y llwyfan canolog, cerddais yn ôl i fy stafell wisgo a chwilio am drawfforch ym mhocedi fy nghôt ucha Yn sydyn dyma lais cas, llais arweinydd rhyngwladol, yn gofyn yn gyhuddgar *What are you looking for in my overcoat?* Gyda chryn dipyn o embaras ceisiais egluro bod gen innau union yr un math o gôt yn hongian i fyny yn fy stafell wisgo, a bod y stafell honno, mae'n siŵr, am y pared â'r un oedden ni ynddi ... ond nid oedd perchennog y gôt yn or-hapus â'r eglurhad.

Ac mae mwy am gotiau! Roedd hi bob amser yn braf beirniadu yng Ngŵyl Mrs. Sunderland yn Huddersfield, nid am fod Huddersfield yn ddeniadol iawn fel tref – er bod cerflun o Harold Wilson yno – ac, yn y gwesty lle roeddwn yn aros, roedd tipyn o greirfa i goffáu'r ffaith mai yno y sefydlwyd gêm rygbi'r gynghrair ym 1895. Roedd Mrs. Sunderland yn gantores o fri tua chanol y bedwaredd ganrif ar bymtheg ac yn amlwg roedd wedi rhoi sêl ei bendith (ac mae'n siŵr gen i rhyw gyfraniad bach ariannol, yn ogystal) er mwyn anfarwoli ei statws fel unawdydd. Mae'n gysur sylweddoli bod anfarwoldeb o fewn cyrraedd pob un ohonom heddiw os byddwn â'r cysylltiadau angenrheidiol ac, wrth gwrs, â'r arian i dalu am ffafr. Ond nid y gantores na'r cyn prif weinidog na rhamant y *rugby league* proffesiynol oedd yn peri bod Huddersfield yn ddeniadol ond yn hytrach neuadd y dref odidog, adeilad llawn cymeriad a thraddodiad. Nid oes llawer i'w ganmol yn hanes y Saeson fel cenedl ond rhaid cydnabod bod dychymyg ei phenseiri wrth adeiladu neuaddau trefol yn ddigon o ryfeddod ac yn dangos parch mawr tuag at gelfyddyd ... a hyn gan wlad a enwid un tro fel *Das Land ohne Musik* ('y wlad nad oes ynddi gerddoriaeth'). Mae cannoedd o drefi yn Lloegr yn ymfalchïo yn eu neuaddau cyngerdd (yn aml maent yn rhan o neuadd gyffredinol y dref) a rhaid canmol penderfyniadau arweinwyr trefol a dinesig y mannau hyn am ofalu bod digon o le ar gael fel y gall côr a cherddorfa gynnig adloniant urddasol i'r gweithiwr blin yn ei oriau hamdden prin. Yn Huddersfield, mae cysylltiad arbennig rhwng y neuadd â pherfformiadau chwedlonol o'r *Messiah* gyda Sir Malcolm Sargent a Chymdeithas Gorawl enwog Huddersfield. Mae'n siŵr, erbyn heddiw, mai'r *Community Centre*, neu'r *Arts Centre* sy'n ceisio diwallu syched dyn am adloniant ond rhowch imi Neuadd y Dref yn Huddersfield, bob tro. Roedd yn fraint bod ar lwyfan y neuadd yn beirniadu a braf yw medru tystio bod niferoedd yr unawdwyr a'r corau yng Ngŵyl Gerdd Huddersfield yn fawr a bod y safon yno'n uchel dros ben.

Ond beth am y gôt? Wel, un flwyddyn, ar ddiwedd yr ŵyl a oedd yn para pedwar diwrnod, cefais wahoddiad i ddathliad yn un o stafelloedd moethus y Neuadd ac, er bod siwrne faith o'm blaen, mi es i gymdeithasu am chwarter awr cyn mynd am y car. Cyrhaeddais adre o gwmpas hanner awr wedi un, a dyna fu. Yn fuan trannoeth, cefais alwad ffôn oddi wrth gadeirydd yr ŵyl ... roedd fy nghôt fawr i yn Huddersfield ac roedd y gôt roeddwn innau wedi teithio adre ynddi yn perthyn i brif noddwr yr ŵyl. Gallwn dybio bod y noddwr hwnnw reit filain oherwydd ei fod, mae'n siŵr, wedi rhoi cyfraniad ariannol sylweddol tuag at gostau rhedeg yr ŵyl ac, yn y fargen, roedd rhywun wedi dwyn ei gôt fawr. Beth bynnag am hyn, gwnaethpwyd trefniadau i'r ddwy gôt gael eu cyfnewid yn y coleg ... golygfa debyg i'r hyn a welir yn y ffilm *The Spy Who Came in from the Cold* pan fydd dogfennau tyngedfennol pwysig yn cael eu cyfnewid rhwng dwy wlad ar safle niwtral.

Ar achlysur arall, roeddwn wedi bod yn Llundain ac yn cyrraedd yn ôl yng ngorsaf Wrecsam am hanner nos. Roedd fy ngwraig, Cerys, yno i'm cyfarfod a'm cludo adref yn y car. Roedd y trên ar amser a cherddais dros y bont ac i lawr i'r platfform lle roedd Cerys yn aros. Sylwais fod ei hwyneb yn newid a gwelwi wrth iddi fy ngweld. Mae'n debyg 'mod i'n ymddangos fel petawn i wedi colli pwysau, gan fod breichiau fy nghôt yn ymestyn hyd at fy nhraed a'm dwylo ar goll rhywle ym mherfeddion y llewys. Daeth yn amlwg i Cerys mai côt merch (18+) roeddwn yn ei gwisgo.

Rhoddais fy llaw dde ym mhoced y gôt a thynnu allan llond dwrn o oriadau arian ac aur eu lliw; cymaint o oriadau nes peri imi ystyried mai pennaeth carchar oedd perchennog y gôt. Roedd fy nghôt i wedi mynd am byth ac ni fyddai'r gôt hon o ddefnydd i mi o gwbl. Meddyliais y byddai ei pherchennog yn gofidio mwy am golli ei 'goriadau nag am y gôt ac felly mi es i chwilio am y gorsaf feistr ond, wrth gwrs, gan ei bod mor hwyr y nos, doedd neb o gwmpas. Er i mi alw yn yr orsaf drannoeth, ni roddwyd unrhyw anogaeth i mi holi mwyach am hynt fy nghôt nac i ddychwelyd y clwstwr goriadau i'w perchenog a oedd, mae'n siŵr, yn fy rhegi'n llwch. Gyda chryn dipyn o euogrwydd meddwl a dyhead am edifeirwch, rhoddais y gôt i Oxfam ac, yng nghysgod nos, rhoddwyd y goriadau yn barchus mewn bin; *Madam, do forgive me.*

A dyma stori arall yn ymwneud â 'goriade. Bydd y rhai sy'n derbyn gwersi canu gen i'n gwybod na fydda i byth yn trefnu gwersi rhwng hanner dydd a hanner awr wedi tri ar ddydd Mawrth. Yn ystod yr oriau hynny, bydd tri neu bedwar ohonon ni'n dod at ein gilydd i hel atgofion, codi ambell ddadl i'r gwynt a rhoi'r byd yn ei le uwchben pryd o fwyd mewn gwahanol westai a thafarnau ar hyd a lled yr ardal. Yn angharedig braidd, mae ein plant a'n hwryion yn cyfeirio at y cyfarfodydd hyn fel *Last of the Summer Wine.*

Un bore braf, fis Hydref, mi benderfynon ni gyfuno'r bwyta â thaith gerdded, a dilyn y llwybr diwydiannol ar hyd lannau afon Clywedog o'r Mwynglawdd *(Minera)* i Felin Puleston – taith o ryw bedair milltir. Mae'r llwybr diwydiannol cyfan o bum milltir a hanner yn gorffen y tu draw i Barc Erddig yn Melin y Brenin, ond oherwydd ei bod yn haws parcio ceir ger Melin Puleston mi gytunon ni mai dyna fyddai diwedd ein pererindod y diwrnod hwnnw. Roedd tri ohonom – Berwyn Dodd, Gareth Pritchard Hughes a minnau. Mi barciais fy nghar ym Melin Puleston ac aeth y tri ohonon ni yng nghar Gareth i fyny i'r Mwynglawdd. Fel roedden ni'n parcio ger hen byllau plwm Mwynglawdd, mi welais arwydd yn ein rhybuddio i gadw ein heiddo mewn lle diogel gan fod lladron, o bryd i'w gilydd, yn crwydro'r maes parcio. Mi ofalodd y tri ohonon ni roi ein heiddo mwyaf gwerthfawr mewn lle saff ... ac i ffwrdd â ni.

Bu tua deunaw o felinau – melinau papur a melinau blawd a sawl pandy – ar waith ar hyd glannau Clywedog ers talwm a lluniwyd sawl cored i gronni dŵr yr afon ar gyfer ei gyfeirio i waith haearn enwog John Wilkinson yn y Bers (Bersham), lle pwysig ar ddechrau'r Chwyldro Diwydiannol yng Nghymru. Roedd olion llawer o'r rhain i'w gweld a chawsom amser difyr yn dod o hyd iddyn nhw a buon ni hefyd yn cynaeafu'r cloddiau gan fwyta eirin a mwyar duon blasus fel y cerdden ni drwy Goed Plas Power, heibio Melin y Nant nes cyrraedd y *Black Lion* ('Y Twll' ar lafar gwlad, yn llawn – *Twll yn y wal* neu *Hole in the Wall*) lle cawsom damaid o fwyd a diod. Yna ymlaen i gwblhau'r filltir a hanner olaf i Felin Puleston – a'r car.

Pan gyrhaeddon ni'r maes parcio mi ddechreuais i anesmwytho. Fel roedden ni'n tri yn sefyll wrth fy nghar mi drois i'n bryderus at Gareth a gofyn iddo, *Lle ma' dy gar di? Mae 'ne rywun 'di'i gymryd o!'* Mi edrychodd y ddau arall arna i mewn penbleth. Roedd yn amlwg eu bod yn ofni'r gwaethaf ac yn meddwl 'mod i wedi dechrau drysu. Pan awgrymon nhw'n ofalus, araf a thyner (gan feddwl, dicin i, mai dyna'r dull gorau i siarad â dyn a oedd wedi ffwndro'n lân) fod y car yn aros amdanon ni ym maes parcio'r Mwynglawdd, bu'n rhaid imi gyfaddef fod 'goriadau fy nghar i yno hefyd!

Roeddwn wedi ufuddhau i rybudd yr arwydd am y lladron ac wedi diogelu fy eiddo, sef y 'goriadau, a'u gosod mewn lle saff ... ar sêt ôl car Gareth!

Roedd rhaid cael 'morun' (gair y Rhos am gymryd hoe i drafod materion o bwys). Naill ai bydden ni'n gorfod cerdded, neu ddringo yn hytrach, yr holl ffordd yn ôl i'r Mwynglawdd neu gerdded y ddwy filltir a hanner i dŷ Berwyn fel y gallai ef ein cymryd i fyny i'r Mwynglawdd yn ei gar. Dilyn trydydd opsiwn wnaed; talodd Berwyn trwy ei drwyn i ddal bws o Wrecsam i Johnstown er mwyn nôl ei gar (taith go ddrud gan nad oedd ganddo ei 'drwydded teithio am ddim' ar y bysus – un o fanteision prin bod yn hen). Ymhen hir a hwyr mi ddychwelodd, a phan gyrhaeddon ni faes parcio Mwynglawdd dyna lle roedd fy ngoriade yn disgleirio'n loyw ddengar ar sêt ôl y car ... yng ngolwg y byd a'r betws; nid, fel roeddwn i'n tybio, mewn lle saff ac allan o olwg unrhyw leidr crwydrol.

Mi ges faddeuant ond mae'r ddau gydymaith yn mynnu cadw'r anffawd yn fyw yn y co' fel testun i'w drafod, o bryd i'w gilydd, yn ystod ciniawau dydd Mawrth.

TROEON HEB FOD YN DRWSGL OND, YN SICR, YN RHAI YSGYTWOL AC ANNISGWYL

Mae rhai digwyddiadau mewn bywyd yn gadael argraff ar y cof ac yn aros wedi eu sodro yn yr isymwybod. Roeddwn i'n beirniadu yn Eisteddfod Llanbrynmair ac, fel bob amser cyn y daith, astudiais fap i gynllunio'r ffordd hawsa i gyrraedd y lle. Mae'n well gen i ddibynnu ar fap rhagor *sat nav* ar ôl imi fenthyg peiriant fy merch, Miriam, i'm tywys ar fy hynt i lawr i Gaerfyrddin a chlywed llais yn dweud *You have arrived at your destination* a minnau ond wedi cyrraedd Rhiwabon, rhyw gwta chwe milltir o 'nghartre! Prun bynnag, mae'n siŵr gen i fod Llanbrynmair, ynghyd â Biddulph yn Lloegr, yn un o'r mannau hynny sy'n ymddangos ar fap yn llefydd hawdd a rhwydd dod o hyd iddyn nhw ond sy'n profi'n lleoedd anodd dros ben i'w cyrraedd. Penderfynais, ar ôl tipyn o waith ymchwil, fynd dros ryw fynydd a disgyn i lawr i'r dre. Gwae fi, treuliais oriau yn mynd mewn cylchoedd yng nghwmni defaid ac adar y mynydd cyn croesi'r grid defaid olaf un ac anelu am y dre a chyrraedd yn hwyr i'r Eisteddfod. Roedd yr eisteddfod yn cael ei chynnal yng Nghapel Bethel, Bontdolgadfan, ryw filltir i'r de o Lanbrynmair. Cymerwyd fi i ystafell fawr yn y cefn i roi cyfle imi ddod ataf fy hun ar ôl siwrne mor drafferthus. Doedd neb o gwmpas gan fod y steddfod wedi hen ddechrau ac yno roeddwn yn ymlacio pan synhwyrais fod rhywun neu rywbeth yn syllu arnai. Trois fy mhen yn sydyn a dod wyneb yn wyneb â llun merch, merch hardd, gwallt du, a'i llygaid duon treiddgar yn syllu arna i. Cerddais yn agosach at y wal a darllen mai Morfydd Llwyn Owen oedd hi, un o'r talentau cerddorol mwyaf gwreiddiol a fu yng Nghymru, a bywyd a gollwyd mewn amgylchiadau trist iawn a hithau ond yn chwech ar hugain oed. Efallai mai dweud wrthyf oedd Morfydd Owen fod gwell ffordd i gyrraedd Llanbrynmair na'r llwybr cul mynyddig a ddewisais i. Mi allech ddweud nad oedd dim byd annisgwyl yn y ffaith fod llun o'r gyfansoddwraig enwog ar wal mewn ardal lle roedd gwreiddiau teulu ei thad ond, er i mi fod yn edmygydd mawr o'i chaneuon ac yn ystyried ei hemyn-dôn *William* yn un o donau mawr y byd (tôn, gyda llaw, nad yw'n cael unrhyw sylw gan gynulleidfaoedd ein cymanfaoedd canu), ar y pryd, nid oeddwn yn ymwybodol fod gwreiddiau'r athrylith hon yn Lanbrynmair. Erbyn deall, roedd cartref ei thad ym Montdolgadfan (cafodd tŷ'r teulu ei ddymchwel pan adeiladwyd stablau Plas Llwyn Owen) a byddai Morfydd yn mynychu'r capel hwn yn gyson pan ddeuai'r teulu i dreulio ychydig ddyddiau yn Lanbrynmair, bob gwyliau haf. Ychwanegwyd yr enw 'Llwyn', cartref teulu ei thad, at yr enw Morfydd Owen, pan gafodd ei hurddo i'r Orsedd yn Eisteddfod Genedlaethol Wrecsam 1912. Ei thad oedd wedi cyflwyno'r darlun i'r capel ar ôl ei marwolaeth annhymig. Syllais yn hir ar y ddelw unigryw a magnetig ar wal festri'r capel a theimlo'n falch o fod wedi cael y profiad annisgwyl hwn. Mae'r llun o Forfydd yn drawiadol iawn ac mae'r llygaid llawn cwestiynau'n aros yn y cof – bywyd mor fyr a thalent mor fawr.

Cefais brofiad tebyg ym Mryste pan oeddwn yn fyfyriwr yng Nghaerdydd. Roeddwn yn y ddinas am ddiwrnod ac yn mwynhau'r tywydd braf wrth gerdded drwy barc cyhoeddus.Yn sydyn, teimlais iasau bod rhywbeth o'm gorffennol yn ceisio cyffwrdd â mi. Fel y cerddwn ymlaen, cynyddodd yr ymdeimlad hwn i'r fath raddau nes 'mod i'n teimlo fod pâr o lygaid yn syllu'n ddidrugaredd ar fy ngwar. Trois i wynebu beth bynnag oedd yno ac, o'm blaen, roedd penddelw o anifail sylweddol ei faint. Nid oedd angen i mi ddarllen y wybodaeth ar waelod y cerflun ... roeddwn yn gwybod o'r gorau mai hwn oedd *Alfred, the legendary gorilla from Bristol Zoo,* anifail a wnaeth dipyn o argraff arnaf pan oeddwn yn chwe blwydd oed. Roedd fy nhad yn yr R.A.F., i lawr ym Mryste, a chan ei fod ar fin gadael i ennill y frwydr yn erbyn yr Almaenwyr a oedd yn brasgamu drwy Ffrainc, cafodd fy mam a minnau fynd i aros am ychydig o ddyddiau efo fo cyn iddo groesi'r sianel.

Nid y dewis gorau i blentyn chwe blwydd oed efallai, ond dyna lle roeddem fel teulu yn un o sinemâu Bryste yn gwylio *Phantom of the Opera* (y stori a anfarwolwyd flynyddoedd yn ddiweddarach gan y cyfansoddwr Lloyd Webber). Yn fuan yn y ffilm, roedd fy mhryderon a pheth gofid yn dechrau dod i'r amlwg a phan ymddangosodd y prif gymeriad yn gwisgo masg glas arbennig o ddychrynllyd bu hyn yn ormod i mi. Mi rois sgrech a llifodd y dagrau. Dihangfa! Ond roedd hyn yn dipyn o dasg gan fod fy nhad yn gyndyn iawn i symud am ei fod yn awyddus iawn i aros a gweld sut y byddai'r ffilm yn datblygu. Fodd bynnag, llwyddodd mam i oresgyn protestiadau 'nhad a'm harwain allan o'r tywyllwch i olau dydd ac awel iach. Roedd fy nhad yn graddol sylweddoli mai camgymeriad oedd dewis mynd i weld *Phantom* ac i wneud iawn am y trosedd hwn yn erbyn ei fab penderfynwyd ein bod yn ymweld â Sŵ Bryste a oedd yn enwog drwy Brydain. Yr unig beth rydw i'n ei gofio am y Sŵ yw dod wyneb yn wyneb ag Alfred, *the first gorilla in captivity in Britain*. Er bod nifer o bobl o gwmpas yn syllu ac yn rhyfeddu at y creadur anffodus yn ei gaets, roeddwn yn edrych ym myw llygaid melyn-drist Alfred ac yn teimlo ei fod yntau'n syllu'n ôl arna i ac am anfon rhyw fath o neges i mi. Efallai nad oedd y llygaid yn targedu'r bachgen chwech oed o'r Poncie ond pan oeddwn ym Mryste, bron ugain mlynedd yn ddiweddarach, cefais yr union deimlad unwaith eto ... roedd ysbryd anniddig Alfred yn siarad â mi drachefn wrth i mi syllu ar y llygaid o garreg a chofio'r tro cyntaf y cyfarfuon ni â'n gilydd. A oedd ysbryd Alfred yn preswylio yn y benddelw ac a oedd yr ysbryd hwnnw'n cofio ein cyfarfod cyntaf? Ychydig flynyddoedd wedyn, pan oeddwn ar brosiect personol i ddarllen dramâu Eugene O'Neill, daeth Alfred yn ôl i'm bywyd. Roeddwn wedi gweld y ffilm *Desire under the elms*, (Burl Ives a Sofia Loren a'r gerddoriaeth gan Elmer Bernstein) ac wedi cael fy ysgogi i ddod i wybod mwy am y dramodydd o America. Darllenais *Mourning becomes Electra, Long Day's Journey into Night, All God's chillun got wings, The Emperor Jones,* a wedyn mi ddes ar draws *The Hairy Ape,* sy'n adrodd hanes llanc ifanc yn syllu ar yr epa yn ei garchar ac yn teimlo bod rhyw gyfathrach yn tyfu rhyngddynt. Mae'r llanc yn synhwyro bod yr anifail yn hiraethu am ryddid ac mai ef yn unig sy'n medru ei achub o'i boen a'i anobaith. Un noson, mae'n llwyddo i ddringo drwy fariau caets yr epa anferth ac, yn wir, mae'r anifail yn ymddangos yn groesawgar, fel petai'n falch o'i weld ac am fynegi ei ddiolch iddo am ei ymdrechion drosto. Mae'n cofleidio'r llanc ac, wrth gwrs, cymaint yw nerth cynhenid yr anifail fel ei fod yn gwasgu'r anadl allan o gorff y bachgen ac mae hwnnw'n syrthio'n gelain ar lawr y gawell.

Mae'n siŵr fod cofio munudau trawiadol o'r gorffennol yn rhan o brofiad pob un ohonom ac mae storio'r fath brofiadau yn ein hisymwybod yn broses otomatig, y tu hwnt i'n rheolaeth arferol dros ein dewisiadau beunyddiol.

Pennod 11

'NODDFA' YN GRESFORD

Mae'n hwyr glas i mi sôn am y plant, Daniel a Miriam. Er nad oedd pwysau arnyn nhw yn dod gennyf fi, mae'r ddau wedi dewis cerddoriaeth fel gyrfa. Roedd Cerys, eu mam, yn soprano dda iawn (mae'n taeru ei bod yn bresennol yn rihyrsal cyntaf Côr Genethod y Rhos a ffurfiais ym 1961) ac efallai mai hi, nid fi, sy'n gyfrifol am eu gosod ar ben eu llwybrau cerddorol.

Ffactor bwysig iawn yn fy mywyd wrth gwrs yw Cerys. Fel fy mam yn Aberderfyn, mae Cerys yn rhedeg 'Noddfa' yn Gresford, yn newid bylbiau letric, bwydo'r ddau gi, gofalu am y biniau, troi'r clociau, lladd y chwyn sy'n mynnu tyfu rhwng y creciau yn y teils ar y iard, trin y damp ar ambell wal a chyflawni unrhyw waith sy'n angenrheidiol i gadw'r tŷ yn ddiddos a saff.

Hi sydd yn gofalu fy mod yn gwybod pa ddiwrnod ydi heddiw, pa fis yw hi rŵan...mae fy niffyg ymwybyddiaeth o'r ffeithiau hyn yn deillio nid am fy mod yn hen a musgrell, ond am nad oes gen i'r diddordeb lleiaf yn y math yma o wybodaeth.

Mae gen i dipyn o enw o fod yn hoff o fwyd, felly braf yw cyhoeddi fod Cerys yn goginwraig benigamp a hefyd, mae bwyta allan gyda Cerys yn brofiad dymunol dros ben; ond gwae'r sawl neu'r lle sydd yn ddiffygiol yn ei golwg.

Ganwyd Daniel ym 1978 a Miriam yn 1981. Yn blant ac yn ystod eu harddegau, bu'r ddau ohonyn nhw'n llwyddiannus iawn mewn cystadlaethau canu ac offerynnol. Mae'r Eisteddfod yn ogystal â gwyliau cerdd yn Lloegr, wedi bod yn bwysig mewn mwy nag un ffordd iddyn nhw.

Ym 1993, enillodd Daniel y brif wobr yng Nghystadleuaeth Texaco *Young Musician of Wales* yn 14 mlwydd oed, yr ieuengaf erioed i gipio'r wobr. Cynhaliwyd y rownd derfynol yn Theatr Shermann, Caerdydd. Dyma ddywedodd y beirniaid David Harries, Roy Bohana, Alun Hoddinott a Gregory Rose:

> *There is little that needs to be said about this performance, since it has more than set the standards we were looking for from the points of view of technique, musicality and presentation ... a well-planned programme which was virtually flawless throughout.*
> *We enjoyed the musical approach to the Weber, the warmth and humour of the Hurlstone, the bite and wit of the Stravinsky, the beautiful sensitivity of the Berg and the confident energy in the 'spiky' Poulenc. It would be invidious in this case to offer advice to a young performer, already mature beyond his years.*

Ddwy flynedd yn ddiweddarach, ym 1995, cafodd Miriam yr ail wobr yng nghystadleuaeth Texaco.

Dros y blynyddoedd, bu Daniel yn fuddugol yn yr Eisteddfod Genedlaethol yng nghystadlaethau unawd i fechgyn, unawd cerdd dant, unawd piano a'r unawd offerynnol. Enillodd yr unawd chwythbrennau yn Eisteddfod Genedlaethol Môn 1999 a chyflawnodd yr un gamp yn Eisteddfod Genedlaethol Llanelli 2000, gan dderbyn 98 o farciau am ei berfformiad, ond y tro hwn, aeth un cam yn well. Ar gorn ei berfformiad yng nghystadleuaeth chwythbrennau (19-25 oed) fe'i dewiswyd i fynd ar y llwyfan ar gyfer cystadleuaeth y Rhuban Glas. Enillodd y wobr honno yn ogystal ag Ysgoloriaeth Peggy a Maldwyn Davies a oedd yn werth £3,000. Roedd tri'n beirniadu'r Rhuban Glas – y delynores, Caryl Thomas, Jim Davies (offerynnau pres) a Jeffrey Thomas (piano ac organ). A dyma eu sylwadau ar ei berfformiad:

Concerto **(Weber)**
Dehongliad arbennig gyda phob nodyn yn ei le. Mae'n amlwg dy fod yn feistr ar dy dechneg. Hefyd yr wyt yn berfformiwr bendigedig.

Trydydd Symudiad Sonata i Glarinét (Poulenc)
Eto dehongliad gwych a thechneg sicr. 'Wnest ti gyfrannu'n hwylus i'r darn a chydweithio'n dda gyda'th gyfeilydd. Pob lwc i'r dyfodol".

Nid oedd ennill Rhuban Glas yn brofiad newydd i Daniel. Yn Eisteddfod Genedlaethol Bro Delyn, Yr Wyddgrug 1991, enillodd y Rhuban Glas i offerynwyr dan 15 oed.

Bu 2000 yn flwyddyn brysur a llwyddiannus iddo; derbyniodd, yn ogystal, Wobr Ryan Davies, sef gwobr arbennig i rai sy'n astudio Cerdd a Drama. Roedd yn rhaid iddo berfformio o flaen Panel Ymddiriedolaeth Cronfa Ryan Davies, a oedd yn cynnwys ei briod, Irene Ryan Davies, ei fab Arwyn Ryan Davies (*Pobol y Cwm*), Stuart Burrows, Alun John, Beverley Humphreys a Geraint Stanley Jones (cyn Bennaeth BBC Cymru ac S4C) yn ogystal â chymryd rhan newn cyfweliad er mwyn sôn am ei yrfa a'i fwriadau ar gyfer y dyfodol.

Bu hefyd yn unawdydd gyda Cherddorfa'r Pedair Sir yn perfformio *Concerto 1* (Weber) dan arweiniad Gareth Jones (Arweinydd Cerddorfa Cwmni Opera Cenedlaethol Cymru). Cyflwynodd *Contrasts*, gwaith i glarinét, ffidil a phiano gan Bartók, sy'n gofyn am gryn fedr a thechneg ac sy'n cynnig her i unrhyw glarinetydd. Bu Daniel yn perfformio'r gwaith hwn fel rhan o gyfres cyngherddau awr ginio a drefnwyd gan yr Academi Frenhinol yn Llundain. Pur anaml y bydd unigolyn o'r gerddorfa'n cael ei enwi mewn adolygiad proffesiynol ond rwy'n cofio'r geiriau hyn o'r *Independent* yn cyfeirio at ei berfformiad yn *The Turn of the Screw* yn y Coleg Cerdd Brenhinol yn Llundain, '*... superb playing from the orchestra and Daniel Brian Hughes in particular'*.

Bu Eisteddfod Llanelli yn un llwyddiannus iawn i ni fel teulu.

Ar nos Sul cyntaf yr Eisteddfod, clywyd Bryn Terfel, yn canu trefniant o 'Myfanwy' i lais a cherddorfa yr oedd wedi ei gomisiynu gennyf. Roedd nifer o'm darnau wedi eu perfformio gan wahanol gorau yn ystod yr wythnos honno. Daeth Côr Rhuthun i'r brig yn canu 'Ffair Abergele', gwaith comisiwn a seiliwyd ar eiriau cerdd Talhaiarn 'Fe dyrr rhywun arall gynffon y ci'. Yn yr un gystadleuaeth, canodd y côr a ddaeth yn ail, Côr Godre'r Garth, *Noa,* un arall o'm darnau a seiliwyd ar gerdd gan Gwilym R. Jones. Yn y gystadleuaeth i Gorau Ieuenctid, canodd y côr buddugol, sef Ysgol Gerdd Ceredigion, fy ngosodiad o *Galarnad i Bosnia* a chanodd Côr Vivace, a ddaeth yn drydydd, 'Y Gylfinir' a osodais ar eiriau R. Williams Parry.

Yn Llanelli hefyd, enillodd Miriam yr unawd chwythbrenanu o 15 i 19 oed. Roedd hi eisoes wedi ennill llawer o wobrau mewn eisteddfodau cenedlaethol a gwyliau cerdd dros y blynyddoedd. Yn Llanelli derbyniodd 95 o farciau am ei pherfformiad buddugol yn yr adran chwythbrenanu. Roedd ei rhaglen yn cynnwys dau symudiad o 'Sonata i ffliwt' (Telemann) 'Syrinx' (Debussy) a 'Lilliburlero', darn a gyfansoddais i ar ei chyfer.

Blwyddyn yn ddiweddarach, â'i ffliwt *Louis Lot,* (Stradivarius y chwythbrennau, yn ôl y gwybodusion) enillodd Miriam yr un wobr yn Eisteddfod Genedlaethol Dinbych 2001, Ar ôl bod yn fuddugol yng nghystadleuaeth y chwythbrennau (dros 19 oed), roedd yn un o'r pedwar offerynnwr a ddewiswyd i ddod i'r llwyfan ar gyfer cystadleuaeth y Rhuban Glas. Roedd yn ofynnol iddi gyflwyno'r un rhaglen, ac, fel ei brawd y flwyddyn flaenorol yn Llanelli, tro Miriam oedd cipio gwobr y Rhuban Glas (19-25 oed).

Dyma sylwadau'r tri beirniad, Huw Tregelles Williams, Ilid Ann Jones ac Edmund Fivet:

Nocturne a Scherzo (Gaubert)
Rydych wedi dal naws gerddorol y darn yn hynod effeithiol a chwareus. Roedd llif y gerddoriaeth yn naturiol a rhwydd yn yr *Andante* ac roedd ysgafnder yn y chwarae rhythmig yn yr adran gyflym Yn amlwg yn berfformiwr i'r carn.

Fantasia (Telemann) (Digyfeiliant)
Gwrthgyferbyniad perffaith ynghanol y rhaglen wedi'i dewis yn chwaethus. Techneg sicr a'r tempo'n hyfryd – ddim yn rhy gyflym – a'r defnydd o *rubato* yn gelfydd iawn heb ei orwneud.

Finale Sonata i Ffliwt (Poulenc)
Chwarae disglair, pwrpasol a phob ystum gerddorol yn llygad ei lle; manylder eithriadol oedd yn cyfleu gwir wefr. Ardderchog.

Roedd hyn yn fuan wedi iddi gwblhau ei arholiadau lefel-A ac, yn dilyn ei pherfformiadau llachar mewn cyfweliadau yn y colegau cerdd, cynigwyd iddi ysgoloriaethau yr Academi Frenhinol, y Coleg Cerdd Brenhinol yn Llundain, a hefyd Goleg Brenhinol y Gogledd, Manceinion. Ei phenderfyniad oedd Manceinion.

Aeth Daniel i'r Academi Frenhinol yn Llundain ac wedyn i'r Coleg Brenhinol. Mae'r ddau wedi cael profiad proffesiynol gyda nifer o gerddorfeydd, Daniel gyda'r Southbank Sinfonia, yr Hallé, a Cherddorfa Siambr Cymru, a Miriam gyda'r Royal Liverpool Philharmonic, Royal Ballet Sinfonia, English Symphony Orchestra, Welsh Pops Orchestra, a Cherddorfa Siambr Cymru. Maen nhw wedi ymddangos fel unawdwyr neu fel rhan o gerddorfa mewn canolfannau cerddorol pwysig fel eglwysi cadeiriol Henffordd, Coventry, York Minster, Gloucester, Tyddewi a hefyd yn Neuadd Dewi Sant, Caerdydd.

Os ydw i am glywed barn onest am gyfansoddiad newydd a luniais, y cwbl sydd angen i mi ei wneud yw cyflwyno'r gwaith i sylw Daniel neu Miriam a bydd y gwirionedd yn cael ei ddatgan yn blwmp ac yn blaen ... 'grêt' neu 'gwael'. Mae'n amhosib iddyn nhw guddio eu teimladau ac rydw i'n falch i dderbyn *crit* gan gerddorion rydw i'n eu parchu.

Mae Miriam hefyd wedi arbrofi gyda nifer o recordiau pop a derbyniodd gynulleidfa fyd-eang ar gyfrwng sianeli cymdeithasol gydag un gân yn cyrraedd 17.6 mil dros nos ar *Facebook*. Mae'r pedwar trac olaf wedi denu 40 mil o *likes* dros gyfnod o ychydig o ddyddiau.

Ffurfiwyd *Quattro* yn 2002, sef Miriam, Daniel a minnu a'r soprano ddawnus o Ganada, Edith Pritchard. Roedd Edith yn fyfyriwr yng Ngholeg Cerdd Manceinion a chynrychiolodd Ganada yng nghystadleuaeth Canwr y Byd Caerdydd. Dros gyfnod o bum mlynedd rhoddodd pedwarawd *Quattro* lawer o gyngherddau mewn clybiau cerdd a safleodd delfrydol, fel Eglwys Gadeiriol Llanelwy, yn rhan o'r ŵyl flynyddol yno. Bu hyn yn gyfle i Miriam a Daniel gyflwyno darnau a oedd efallai yn ddieithr i gynulleidfaoedd Cymru – fel gwaith Denisov, y cyfansoddwr o Rwsia, a chyfansoddiadau Takemitsu ac, wrth gwrs, ddarnau gwreiddiol a threfniannau gan eu tad.

Cofiaf un achlysur pan roedd hi'n perfformio yn Theatr y Rhyl ac yn barod i gyflwyno trefniant o'r darn enwog gan Debussy 'Golliwog's Cakewalk'. Gwrthododd y cyflwynydd gyhoeddi enw'r darn, oherwydd oblygiadau hiliol yr enw. Er i Miriam gynnig cyflwyno teitl y darn, roedd y cyflwynydd yn daer nad oedd y gair 'goliwog' i'w ynganu oddi ar lwyfan y Rhyl, y noson arbennig honno. Ychydig a feddyliai Debussy ym 1911, pan gyflwynodd y darn diniwed hwn i'w ferch Chou Chou, y byddai'n peri'r fath gyfyng gyngor, lai na chanrif yn ddiweddarach!

Fel eu tad, mae dysgu hefyd wedi bod yn rhan o brofiad cerddorol y plant ac er iddyn nhw fwynhau'r profiad sy'n bodoli rhwng athro a disgybl, ar lefel un ac un, mae'r ddau wedi eu siomi gan y profiad o ddysgu mewn ysgolion dan arweiniad di-fflach a di-ddychymyg penaethiaid cerdd peripatetig yr awdurdodau lleol. Felly, chwi welwch fod 'Awdurdod', yn fy mhrofiad i ac ym mhrofiad fy mhlant, wedi bod yn fwrn ac yn fodd i dagu gwreiddioldeb ac ysbrydoliaeth.

Ond ni all holl wendidau'r gyfundrefn addysg, y cwricwlwm, y glastwreiddio a'r cyffredinoli ddiffodd eu brwdfydedd dros gerddoriaeth. Iddyn nhw, mae bod yn rhan o gerddorfa yn perfformio symffonïau Beethoven neu Tchaikovsky, profi'r wefr o fod yn aelod o *ensemble* yn perfformio cerddoriaeth o gyfnod Bach hyd Bernstein a Britten yn brofiad amhrisiadwy.

Mae'n drist fod y colegau cerdd yn canolbwyntio ar ddatblygu cerddorion offerynnol ar gyfer dyfodol mewn cerddorfeydd heb roi llawer o gyfle i'r myfyrwyr arbrofi ym maes cerddoriaeth siambr ond, dyna ni, fel mae pethau y dyddiau hyn, diwedd y gân yw'r geiniog.

Wrth gwrs, daw cyfle, o dro i dro, i ddianc oddi wrth holl fwrlwm y cyfansoddi a'r perfformio. Roedd Cerys a minnau wedi penderfynu mynd i Grange over Sands, rhan o Fae Morecambe. Roedd ehangder o draeth yno a buasai Llew, y ci, wrth ei fodd yn chwarae a chrwydro ar lan y môr. Yr anhawster gyda phob traeth ydy fod pobl eraill yno. *Hell is other people* meddai Sartre ac, yn aml, mae eu cŵn yno hefyd. Rydw i'n cofio digwyddiad reit ddiflas ar draeth Nefyn pan gymerodd dau gi St Bernard anferth fwy o ddiddordeb yn Llew a minnau nag roeddwn yn ei ddymuno. Sgrechiodd eu perchennog *Stand still and you will be alright* ... medrwch ddyfalu fy ymateb llai na chwrtais i'r geiriau hynny.

Ond symudwn yn ôl i Grange over Sands, lle roedd bywyd yn braf a hamddenol. Roeddwn wedi bod wrthi'n astudio'r map, unwaith eto, ac wedi gweld bod mynachlog yn ymyl lle roedden ni'n aros. Mae'n siŵr fod rhyw reddf gudd ynof yn hiraethu am fywyd mynachaidd ac felly i ffwrdd â ni yn y car. Ond pan gyrhaeddon ni'r man cysegredig roedd popeth dan glo. Roedd y mynachod wedi mynd am wyliau ac yn sydyn mi wawriodd ar fy ymwybyddiaeth fod mynach efallai, ar brydiau, yn teimlo y byddai'n elwa ar ambell benwythnos ddilyffethair yn Blackpool. Ar ôl y siom ysbrydol hon mi aethon ni am bryd o fwyd mewn tafarn eitha ddi-nod a chlywed yno am Peel Island, yr ynys leiaf ar arfordir Prydain. Rhyw ganllath o'r dafarn roedd harbwr bach ac roedd modd croesi'r môr oddi yno mewn cwch bach a chyrraedd yr ynys mewn deg munud. Nid oedd hyn oll yn apelio ataf fi ond roedd Cerys ar dân o blaid yr antur ac, am nad oedd Llew yn rhan o'r drafodaeth, roeddwn yn y cwch mewn chwincied gyda rhyw chwech o bererinion eraill. Os ydw i'n cofio'n iawn, bu eiliad o ddrama sydyn pan lansiwyd bad achub o'i safle gerllaw ac rydw i'n sylweddoli rŵan y dylai hynny fod wedi bod yn arwydd rhybuddiol i mi o'r hyn oedd i ddyfod. Cyraeddasom yr ynys ac, yn wir, roedd yn fach iawn – dim ond un adeilad, sef tafarn oedd wedi gweld gwell dyddiau a nifer fach o bobl yn cerdded o amgylch tua tair milltir gron ei therfynau. Anelodd Cerys a'r ci at y môr a oedd lai na chanllath i ffwrdd a chan nad ydw i'n hoff o'r môr mi gerddais innau ymlaen ar hyd y llwybr glan môr, gan droi bob hyn a hyn i weld sut oedd pethau gyda Cerys a'r ci. Ymhen ryw bum munud, roeddwn yn ymwybodol fod Cerys yn chwifio'i breichiau dipyn yn fwy egnïol nag y disgwyliwn a brysiais i'w chyfeiriad a chlywed rhes o bobl a oedd wedi casglu ar wal y traeth ac yn syllu ar yr olygfa yn gweiddi, *We've sent for the coastguard!* Erbyn hyn roedd panig yn dod i'r amlwg a rhedais nerth fy nhraed tuag at Cerys a Llew, y ci, a sylweddoli yn sydyn 'mod i'n suddo yn y tywod. Gan fod Llew yn ffit ac yn ysgafn roedd yn dawnsio'n drwsgl ar wyneb y tywod ond roedd ei goesau wedi eu gorchuddio gan lysnafedd tew, du. Wrth frwydro i ddianc o afael y tywod twyllodrus roedd Cerys yn suddo fwyfwy mewn trobwll o fwd gwlyb. Er nad oeddwn wedi dangos unrhyw reddf at ddewrder gydol fy mywyd hyd yn hyn, sylweddolais mai dyma oedd fy nghyfle i ddangos i'r byd nad Eroll Flynn, seren y byd ffilmiau, oedd yr unig un a fedrai achub merch mewn trybini. Er hyn, po fwyaf fy ymdrechion i geisio cyflymu i gyrraedd Cerys, y dyfnaf roeddwn innau'n suddo. Yn y diwedd, mewn un ymdrech dyngedfennol, llwyddais i gydio ym mreichiau Cerys a'i thynnu tuag ataf â'm holl nerth. Yn sydyn, daeth rhyddhad i gyfeiliant sŵn slobran sugnol y mwd ac roedd Cerys yn rhydd ac yn rhedeg dan lefain tuag at waredigaeth y tir sych. Y foment y gollyngais freichiau Cerys fe'm llusgwyd innau gan rym disgyrchiant ar wastad fy nghefn i mewn i'r llysnafedd drewllyd ac yno roeddwn ar fy eistedd a'r llanw'n dechrau bygwth. Wrth i mi roi pwysau ar fy nwylo i geisio codi aeth popeth o ddrwg i waeth ond, drwy garedigrwydd y duwiau ac ymdrech aruthrol o'm rhan i, llwyddais i godi fy mhen ôl yn uwch na lefel y tywod ac yna, drwy ganolbwyntio fy holl nerth ar ryddhau fy nhraed, llwyddais i godi a chamu'n betrusgar tua'r lan. Er bod y digwyddiad wedi bod yn gryn sioc a 'mod i braidd yn siomedig na chefais gymeradwyaeth gan y gynulleidfa fach oedd yn gwylio, unwaith roedd y tywod yn gadarn dan fy nhraed cerddais yn bwrpasol tuag atynt gyda gwên ar fy ngwyneb i gyfleu nad oedd ddim byd anghyffredin yn y ddrama roedden nhw newydd ei gweld a bod y sefyllfa yn un roeddwn wedi hen arfer delio â hi.

Roedd Cerys wedi dianc i mewn i'r dafarn ac, ar ôl iddi erfyn yn daer am gymorth, rhoddodd y tafarnwr oriadau stafell ymolchi reit gyntefig iddi ac yn fuan wedyn dilynais hi i mewn gyda Llew yn gwmni. Yno y buon ni am hanner awr yn ceisio rhyddhau ein dillad a'n cyrff oddi wrth y mwd du oedd wedi peri cymaint o boendod. Wrth aros am y cwch i'n cludo o grafangau Ynys Peel, dyna pryd y tynnodd Cerys fy sylw at arwydd rhybuddiol *skull and crossbones* yn hongian ar bolyn ar y llwybr oedd yn arwain i lawr at draeth y ddrama. Ar y siwrne yn ôl i'r tir mawr ymholais yn dalog a oedd llawer o ddamweiniau yn digwydd yn yr ardal. Yr ateb ges oedd, *No, we've only had three fatalities in the last five years,* a chan roi nòd o ddiolch gwerthfawrogol am y tamaid hwnnw o wybodaeth, edrychais ar Cerys ac offrymodd y ddau ohonom weddi o ddiolchgarwch fod y triawd hwn o Gymru wedi dod o beryglon y 'snafedd du yn iach i'r lan ar Ynys Peel. Roedd gan y ddau ohonom lai o ddillad ac esgidiau yn mynd yn ôl i'r gwesty na phan gychwynasom oddi yno y bore hwnnw ... roedd yr ymweliad ag Ynys Peel wedi bod yn gostus (sgidie, trowsus, ffrog a sgert yn y bin) ac yn ysgytwol, ac roedd hyn oll wedi digwydd, wrth gwrs, am fod y mynachod wedi mynd am wyliau.

Er ein bod yn medru chwerthin am y digwyddiad, rŵan, cawsom ein dau dipyn o ysgytwad pan glywson ar y newyddion, ryw dair blynedd wedyn, am drasiedi'r bechgyn ifainc o Tseina a oedd wedi colli eu bywydau yn hel cocos ym Mae Morecambe.

Ond daeth yn amlwg nad oedd y profiad o wynebu bygythiad y 'dyfroedd mawr a'r tonnau' wedi bod yn rhy ysgytwol na llethol i Cerys, oherwydd roedd hi wedi trefnu bod awelon y môr unwaith yn rhagor yn gefndir i achlysur sbesial iawn ac roedd hi wedi cynllunio'r cyfan yn gwbl ddiarwybod i mi.

Roedd hi wedi bod yn brysur iawn yn trefnu syrpreis ar gyfer fy mhen-blwydd yn bedwar ugain oed ac, er 'mod i'n ymwybodol ein bod am dreulio penwythnos yn rhywle ar ddechrau mis Mehefin, 2018, ychydig feddyliais mai moethusrwydd Château Plas Rhianfa ar lannau'r Fenai oedd yn fy aros, ac fel y dywedais, 'wyddwn i ddim oll am yr hyn oedd wedi'i drefnu. Roedd y penwythnos i fod yn un arbennig wrth gwrs, gan fod Daniel yntau ar fin dathlu ei benblwydd yn ddeugain a minnau'n bedwar ugain. Ni allem feddwl am le gwell i dreulio amser o fyfyrdod nag ar lannau'r Fenai a mwynhau ysbaid haeddiannol, cyn parhau â'r cyfansoddi, sef cwblhau oratorio a chyflwyno darn offerynnol ar gyfer Gŵyl Ryngwladol Gogledd Cymru yn Llanelwy. Fe fyddai galwadau beirniadu yn ogystal, maes o law, gydag Eisteddfod Rhyngwladol Llangollen ar y gorwel ac yna byddai Daniel a minnau'n beirniadu yn Eisteddfod Genedlaethol Caerdydd, 2018 (efallai, y tro cyntaf i dad a mab feirniadau yn y Steddfod Genedlaethol). Amser prysur yn wir, heb sôn am alwadau darlledu ar y radio a theledu, cael fy holi ar gyfer adroddiadau amdanaf a oedd i'w cyhoeddi mewn papurau newydd a chylchgronau a pharatoi ar gyfer y noson ddathlu arbennig yn y Stiwt, Rhos.

Roedd y tywydd yn ffafriol dros ben, ac yn rhoi cyfle i ni fel teulu ymlacio a mwynhau ychydig o awel y môr. Dyna'n wir roedd Cerys wedi ei fwriadu, gan gynnwys mordaith ar hyd culfor y Fenai hyd at Ynys Seiriol – *Rib Ride* go ffrwydrol!

Fel y gwyddoch bellach, cawsom antur arbennig, rai blynyddoedd yn ôl, ar draeth Morecambe, a theimlais ein bod unwaith yn rhagor yn barod i herio ffawd, gan fentro y tro hwn ar hyd y culfor twyllodrus a fu'n fynwent i lawer o longau ar hyd y blynyddoedd. Serch hynny, mordaith hapus iawn fu hon i ni, ac roedd fy wyrion, Elijah a Jonah, wrth eu boddau'n sbïo ar ewyn y tonnau. Yn wir, roeddent yn eiddgar i gyrraedd tref Biwmares er mwyn cwblhau prosiect ysgol a fyddai'n golygu cofnodi'r achlysur a thynnu lluniau. Daeth Miriam o hyd i ddau swyddog, Gwyn a Wyn, a oedd wrth eu boddau'n cynorthwyo'r plantos gyda'u prosiect.

Wrth ddychwelyd i'r Château erbyn amser te, meddyliais i mi

P'nawn Sul yn nhŷ Anti Mabel.

Daniel a Miriam ar feic yn ystod y dyddiau cynnar.

Miriam a Daniel yn Eisteddfod Genedlaethol yr Urdd, Dyffryn Nantlle.

Wrth ymyl Llyn Como yn yr Eidal.

Cerys ar Ynys Skye.

Dyddiau cynnar iawn.

Creigiau yn
Swydd Efrog.

Cerys a Daniel yn
ddwyflwydd.

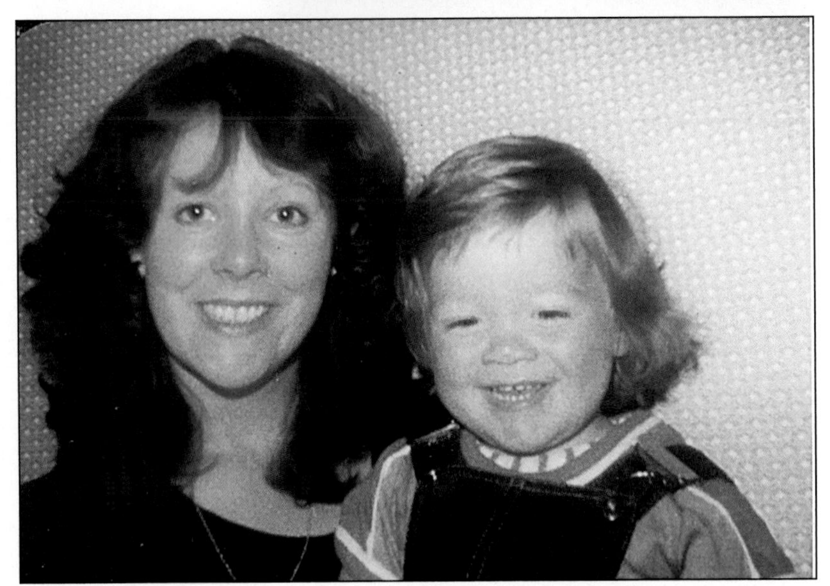

Efo Daniel yn Dieppe.

Cromlech Pentre Ifan.

Plentyndod.

Dyffryn y Dordogne
yn Ffrainc
... Fi yw fo
... Fo yw fi!

Cerys a Miriam yn
Eisteddfod yr Urdd,
Abertawe.

Miriam a Daniel yn Honfleur.

Miriam a Bithiah Mai yn cael hwyl yn y parc.

Jonah ac Elijah a'r ci Silas Gwyn

weld rhieni Alex Hughes, pianydd addawol a thalentog. Ond beth oedden nhw'n ei wneud ym Miwmares, ysgwn i? Beth bynnag, doedden nhw ddim am stopio ac roedden nhw'n ymddangos fel petaent ar frys ac am ddianc heb aros am sgwrs. Roedd Cerys yn awyddus i ni achub ar y cyfle i fynd draw ar deras y Château i fwynhau'r heulwen odidog a'r golygfeydd ysblennydd dros y Fenai. Dyna pryd y dechreuais i feddwl bod yr ymennydd yn chwarae triciau. Meddyliais fy mod wedi gweld Richard, sef gŵr Rosemary Walton, a oedd yn un o'm cydweithwyr yng Ngholeg Cerdd Brenhinol, Manceinion ac, yn wir, roedd y wraig wrth ei ochr yn ddigon tebyg i Rosemary, yn ogystal. Tybed ai Isobel Flynn a Stefan Janski oedd yn siarad â'i gilydd, ryw hanner canllath o'm blaen? Ar yr un pryd, gwelais rywun a oedd yn ddigon tebyg i'r canwr Glyn Morris, ac yn sydyn dyma sylweddoli 'mod i wedi bod yn ganolbwynt cynllwyn. Cynllwyn yr oedd Cerys wedi ei gynllunio'n gelfydd iawn ers misoedd, a sylweddolais o'r diwedd beth oedd arwyddocâd ambell i sgwrs yn y tŷ a ddeuai i ben yn ddisymwth unwaith y cyrhaeddwn yr ystafell, ac ambell drafodaeth dros y ffôn a fyddai'n cael ei chynnal yn y garej.

Roedd nifer fawr o hen gyfeillion, cydweithwyr, disgyblion, cantorion a cherddorion wedi ymgynnull ar y teras ac, er i hynny beri peth syfrdan i mi, roeddwn wrth fy modd yn eu cyfarch a rhannu atgofion melys dros ben.

Roedd gwledd wedi ei pharatoi yn yr ystafell fwyta addurnol, gyda byrddau ar gyfer tua thrigain o westeion, yn cynnwys rhai nad oeddwn wedi eu gweld ers blynyddoedd maith. Cafwyd syrpreis ychwanegol pan ymddangosodd rhai o'r myfyrwyr ifanc y bûm yn gweithio gyda nhw'n diweddar, er mwyn cyflwyno, dan arweiniad Ann Atkinson, ddarn egnïol, llawn hiwmor a gyfansoddais rai blynyddoedd yn ôl, sef 'Jonah'. Pan ddaeth yn amser imi dorri'r deisen ben-blwydd, go brin y cafwyd datganiad mwy atseiniol o 'Pen-blwydd hapus' yn unman, gan fod y pedwar llais yn cynnwys cynrychiolaeth gref a niferus o unawdwyr opera rhyngwladol, cantorion ifainc o'r colegau, ac enillwyr prif wobrau'r Eisteddfod Cenedlaethol, gan gynnwys y Rhuban Glas.

Wrth gwrs, roedd Cerys wedi cynhyrchu campwaith ac wedi treulio oriau er mwyn gwireddu'r achlysur bythgofiadwy. Ond os llwyddodd Cerys i gadw trefniadau'r syrpreis yn Château Rhianfa yn gyfrinach, chwarae teg iddi, roedd Eleri Owen Edwards wedi fy rhybuddio ei bod am osod trefniadau ar y gweill i gynnal noson i ddathlu'r 80 oed, yn y Stiwt, Rhos, nos Sadwrn, Gorffennaf 16, y noson cyn fy mhenblwydd ... ond ddaru hithau ddim datgelu popeth am y noson, 'chwaith! Un peth, fodd bynnag, roedd Eleri a minnau wedi cytuno arno, nid oedd hi i fod yn noson ffurfiol a doedden ni ddim am i'r gair 'Cyngerdd' ymddangos mewn unrhyw hysbyseb. Felly fel *Noson o Ddathlu yng nghwmni Brian Hughes a'i ffrindiau – Sgwrs – ac Eitemau Cerddorol o'i Waith* y cyhoeddwyd hi. Trefnodd Eleri a Cerys mai wrth fyrddau y byddai pawb yn eistedd a hynny er mwyn sicrhau awyrgylch agos-atoch-chi rhwng y gynulleidfa a'r rhai fyddai'n cymryd rhan.

Roedden ni'n disgwyl tua chant o gynulleidfa ond wythnos cyn y dathliad roedd 260 o'r tocynnau wedi eu dosbarthu ac felly roedd rhaid ychwanegu seti yng nghefn prif neuadd y Stiwt.

Roedd gweld cymaint o hen ffrindiau a chydweithwyr wedi teithio o bell ac agos i'r Stiwt yn syndod ac yn bleser – disgyblion o gyfnod Ysgol Alun Yr Wyddgrug, aelodau Cantorion Cynwrig, llenorion a cherddorion, cantorion proffesiynol a chewri'r eisteddfod yn ogystal ag arweinyddion a beirniaid o fri.

Y bwriad oedd mai fy ngwaith i oedd i'w berfformio a 'mod innau'n cynnal deialog â'r gynulleidfa yn rhoi hanes cyfansoddi'r darnau a'r hyn a'm sbardunodd i fynd i'r afael â'r gwaith yn y lle cyntaf. Yr eithriad oedd côr meibion Johns' Boys dan arweiniad Aled Phillips yn canu 'Cytgan yr Herwyr', corws agoriadol yr opera *Ernani* (Verdi), lle mae'r banditiaid yn cyfarch eu harweinydd, Ernani, *Eviva, beviam, beviam* (Iechyd da, cyd-yfwn, cyd-yfwn) Yn ei gyflwyniad cyfiawnhaodd Gareth P. Hughes y dewis hwn ar gorn y ffaith fy mod i wedi treulio traean fy mywyd ym myd opera a bod geiriau'r corws hefyd yn addas fel llwnc-destun i ben-bandit y dathlu!

Mi ges fy nenu i ddarllen cerddi Harri Gwynn pan ddarllenais ei sylwadau dan y pennawd 'Rhai dyddiau diddorol' ar ddechrau ei gyfrol *Barddoniaeth Harri Gwynn ...*

> 1952: Pryddest gennyf yn codi helynt yn Eisteddfod Genedlathol Aberystwyth. Euros Bowen am fy nghoroni. Beirniad arall am fy rhoi yn y seilam. Y trydydd am fy nghloi yn y WC.

Mae unrhyw un sy'n medru cicio dros y tresi, herio'r Drefn a chythruddo Awdurdod yn berson wrth fodd fy nghalon. Dewisais ei gerdd 'Ceiliog' ar gyfer cân i mezzo neu fariton. Mae'r gerdd yn disgrifio'r ceiliog yn 'Estyn ei gorn gwddf' a'i glochdar yn tarfu ar ein cwsg ym 'meddalwch y gwely'. Yna, disgynnwn yn ôl 'i bydew cwsg'. Yn niweddglo'r gerdd, mae'r llwyfan yn ymestyn y tu hwnt i ffiniau buarth fferm i gwmpasu'r ddynoliaeth gyfan pan fydd cân y ceiliog yn ein deffro unwaith eto – 'Nyni y gwadwyr' ac mae'r 'gwadu', wrth gwrs, yn ein hatgoffa o hanes Pedr yn gwadu Crist.

Cyfeilydd Eleri oedd yr organydd a'r cyfansoddwr Meirion Wynn Jones a oedd, fel Eleri, wedi teithio gryn bellter o dde Cymru i gyfeilio i'r unawdwyr. Er mai yn Llangollen y ganed Meirion, mae ei wreiddiau ar ochr ei fam yn ddwfn yn naear y Rhos. Roedd gan ei fam, Ceris, lais arbennig o dda, a bu'n aelod o Gôr Genethod y Rhos a ffurfiais ym 1961 a byddai'n canu unawdau yng nghyngherddau'r côr. Ac mae'r cysylltiadau'n parhau. Mae Côr y Wiber, dan arweiniad priod Meirion, y Dr. Angharad Jones, wedi comisiynu, perfformio a recordio fy ngwaith.

Roeddwn i'n disgwyl perfformiad o safon gan Eleri a ches i mo fy siomi ond, ar ddiwedd y gân, yr hyn nad oeddwn yn ei ddisgwyl oedd ei gweld yn camu tuag ataf ar draws y llwyfan yn cofleidio clamp o geiliog lliwgar (un i'w osod ar sil y ffenest – nid ar blât) i'w gyflwyno'n anrheg imi. Gyda llaw, nid dyma'r unig dro imi gael fy nenu gan glochdar ceiliog –mae darn arall gennyf ar gyfer côr cymysg, 'Ceiliog Ffesant', sydd wedi'i seilio ar gerdd R. Williams Parry.

Ar ddiwedd ei berfformiad deallus o 'Lavernock', roedd gan Robert Wyn Roberts yntau anrheg imi. Mi rydw i wedi sôn eisoes ym Mhennod 3 am hanes cyfansoddi 'Lavernock', fy nghân i fariton, cân a gyflwynais er cof am y diweddar Aeron Gwyn Jones. Roedd Aeron wedi'i chanu yn fy nghartref yn Gresford o flaen cynulleidfa o ddau – fi a'i dad – ond datganiad Robert yn y Stiwt oedd y perfformiad cyhoeddus cyntaf. Gwyddai Robert fy mod wedi ceisio cyfiawnhau'r ffaith imi gymryd bron ddeugain mlynedd i gwblhau 'Lavernock', trwy gyfeirio at Schubert yn llunio pedair fersiwn o *Wanderers Nachtlied* cyn ystyried ei fod wedi gwneud cyfiawnder â geiriau Goethe. Tra oedd yn croesi'r llwyfan tuag ataf, adroddodd Robert hanes cyfansoddi'r gân wrth y gynulleidfa er mwyn egluro pam y dewisodd roi pen-ddelw Schubert imi ... yn gysur ac yn gwmni tra bydda i'n cyfansoddi wrth y piano.

Bu noson y Stiwt hefyd yn gyfle i gynnig llwyfan i ddoniau ifainc yn ogystal. Mi gawson ni Miriam, fy merch, yn perfformio fy nhrefniant i ffliwt a phiano o 'Y Deryn Pur', a chyflwynodd ei brawd, Daniel, drefniant arall a luniais ar gyfer clarinét a phiano ar yr alaw 'Cariad Cyntaf ' a chan lusgo fy mhedwar ugain mlynedd i fyd yr ifanc, mi ymunais i â nhw yn fy nhrefniant o 'Hob y deri dando'. Cerddor ifanc lleol arall, Alex Hughes, oedd yn cyfeilio i unawdau Miriam a Daniel.

Ychydig flynyddoedd yn ôl, roedd Alex wedi gofyn imi gyfansoddi darn i biano ar gyfer datganiad y byddai'n ei gyflwyno fel rhan o'i gwrs gradd anrhydedd ym Mhrifysgol Eglwys Crist Caergaint a hyn oedd man cychwyn *Radices* (Gwreiddiau), y darn a gyfansoddais i Alex. Yn fuan wedi derbyn cais Alex, roeddwn yn ymweld â Llyn Coniston ac mi ges fy nenu gan rwydwaith gwreiddiau'r planhigion yn symud yn ôl a blaen o dan ddŵr y llyn. Dychmygwn fod y gwraidd yn ymledu ymhellach ac ymhellach dan ddaear nes eu bod yn cwmpasu'r ddaear gyfan ac yn symud o fyd amser sy'n cael ei fesur gan dipiadau cloc i fyd y profiadau sy'n dragwyddol. Ceisio cyfleu hyn oedd fy mwriad wrth lunio *Radices*. Gogoniant natur gartrefol, ffwrdd-â-hi y noson oedd ei bod yn cynnig cyfle imi sgwrsio efo'r gynulleidfa am gefndir cyfansoddi'r darnau cyn bob perfformiad.

Un o'r pethau roeddwn yn awyddus i'w wneud yn ystod y noson oedd neilltuo ryw chwarter awr i gynnal ymarfer byr ac yna berfformio fy nhrefniant i leisiau meibion o 'Dafydd y Garreg Wen' gyda naw o'r disgyblion y bydda i'n eu hyfforddi. Roeddwn i'n gwerthfawrogi'r ymdrech roedden nhw wedi'i wneud i fod yn rhan o'r noson, gan fod nifer ohonyn nhw wedi teithio ar draws gwlad o'u colegau cerdd i'r Stiwt. Yn y gynulleidfa i glywed y perfformiad cyntaf un, roedd y cyhoeddwyr, Arfon Gwilym a Sioned Webb, o Gwmni Cyhoeddi Gwynn. Roedd pawb yn y Stiwt yn rhyfeddu at y cyfoeth lleisiol, yr atseinedd naturiol a'r feistrolaeth a amlygwyd yn y datganiad er mai dim ond chwarter awr o rihyrsal cyhoeddus a gafwyd.

Er bod 'Bywyd y Bugail' yn gyfarwydd i gorau meibion (mae wedi bod yn ddarn gosod yn y Steddfod Genedlaethol ac yn ddarn hunan-ddewisol gan arweinyddion), mewn gwirionedd, darn olaf ydy o mewn cyfres o bum darn a gyfansoddais ar ôl cael comisiwn, ym 1976, gan John Glyn Williams, arweinydd Côr Orffiws y Rhos. Teitl y gwaith cyfan ydy 'Bara gwyn, Cwrw, Caws', llinell a godwyd o fugeilgerdd Richard Hughes 'Diofal yw bywyd y bugail da i awen'. Pur anaml y bydd y gwaith cyflawn yn cael ei berfformio ac felly roedd clywed perfformiad bywiog Johns' Boys o'r gwaith yn brofiad braf dros ben ac mi fanteisiaf ar y cyfle i ddiolch i Aled Phillips am hyrwyddo fy ngwaith yn gyson fel arweinydd corau cymysg a chorau meibion.

Rydw i'n ddyledus i gymaint o bobl, hen ac ifanc, yn drefnwyr a pherfformwyr, yn gefnogwyr a chantorion a'm dilynodd drwy ddŵr a thân dros y blynyddoedd am fod yn rhan o un o nosweithiau mwyaf cofiadwy fy mywyd. Cyn dyddiad y dathliad, cefais sgwrs ar y radio gyda hen ffrind, Shân Cothi, a rhai misoedd wedyn, drwy ddewiniaeth y cynhyrchydd Ann Fôn, BBC Bangor, darlledwyd pigion o'r noson yn y Stiwt – awr a hanner o adloniant llwyr. Roeddwn wedi cael ambell sgwrs gyda Dei Tomos ar y radio yn y gorffennol, ond y tro hwn, neilltuodd ei raglen yn gyfan gwbl i'r noson ddathlu. Roedd yn braf cael ymateb mor hwyliog gan y gynulleidfa fywiog a daeth y noson i ben gyda'r gynulleidfa'n morio canu *Rachie* – ac roedd y cysylltiadau rhwng y dôn, y CD *Dan ei Faner Ef*, y Dr. Caradog Roberts, Capel Bethlehem, a'r ardal yn amlwg i bawb.

Trannoeth, ar ddiwrnod fy mhen-blwydd, cyflwynodd Rhys Meirion awr o raglen amdanaf. Roedd nifer o aelodau'r corau y bues i ynglŷn â nhw, cydweithwyr Coleg Manceinion, a chantorion y bûm yn eu hyfforddi wedi cyfrannu at y rhaglen ac roedd Rhys a minnau wedi ymweld â Choleg Cerdd Brenhinol Manceinon ac Ysgol Glanaethwy a thrwy ryfedd wyrth roedd Ann Fôn y cynhyrchydd wedi llwyddo i ddod â'r cyfan at ei gilydd. Ond doedd marathon y dathlu ddim ar ben. Yn ystod y pnawn, cyrhaeddodd ffrindiau a chyn-aelodau Cantorion Cynwrig i hel atgofion uwchben glasied win a thamaid o fwyd yn 'Noddfa'.

Ysywaeth, ni cheir y melys heb y chwerw. O fewn ychydig ddyddiau i'r dathliadau yn Château Plas Rhianfa a'r Stiwt, ar hirddydd haf Mehefin 21, bu farw Llywelyn. Na. nid ein Llyw Olaf, ond Llewelyn ein ci a'n gadawodd ar ôl treulio bron tair blynedd ar ddeg o flynyddoedd byrlymus yn rhan annatod o'r teulu.

Roedd heb ei ail am ddod o hyd i bêl a'i thynnu o nyth drain a byddai uwchben ei ddigon yn cludo cangen, a honno gryn dipyn yn fwy na'i gorff, drwy'r pentre a phawb yn syllu'n edmygus arno, gan wenu a chanmol. Unwaith, wrth inni gerdded heibio i'r cae pêl-droed, llwyddodd i gael gafael ar y bêl (tipyn o gamp gan fod y bêl honno'n gron ac yn fawr) a rhedodd i ffwrdd gyda'r ddau dîm a'r dorf a minnau'n carlamu ar ei ôl – ond yn ofer, gan mai Llew bellach oedd biau'r bêl.

Mi rydw i wedi gorfod talu'n dda i sawl rhiant am fod dannedd miniog Llew wedi byrstio pêl eu plentyn a bu costau ymweliadau â'r milfeddyg hefyd yn frawychus. Cyn iddo fod yn chwe mis oed roedd wedi dianc oddi wrtha i a rhedeg trwy fwlch yn y gwrych a chael ei daro gan gerbyd. Fe'i codais ef yn ofalus yn fy mreichiau a chawsom ein cludo gan fodurwr caredig at y milfeddyg agosaf. Roedd yn bur wael – ei belfis wedi malu a nifer o anafiadau cymhleth eraill. Roedden ni mor falch, fel teulu, o'i weld yn goresgyn yr anafiadau hyn a dod trwyddi'n holliach ... cost y driniaeth oedd £500.

Roedd wedi brathu tri pherson ac roedd rhai ohonyn nhw'n hawlio iawndal, gan fygwth cysylltu â'r heddlu. Ar ôl imi arwyddo dogfen yn syrthio ar fy mai 'mod i'n cadw ci afreolus, fe geisiodd cwmni o gyfreithwyr fy nghymryd i'r llys ond yn rhinwedd y ffaith fod amgylchiadau arbennig wedi achosi Llew i wneud yr hyn wnaeth o, gofalodd ein hyswiriant na lwyddodd y cais ac, er mawr foddhad i ni, cafodd Llew aros gyda ni ar dir y byw.

Felly roedd Llew wedi achosi tipyn o helbul i'r teulu dros y blynyddoedd, ond, O!, yr oriau o ddedwyddwch llwyr a gawsom yn ei gwmni a'r llawenydd oedd yn ffrydio drwy ei lygaid a'i gorff wrth fy nghyfarch ar bob awr o'r dydd a'r nos.

Mae llu o gantorion wedi disgwyl ei ymateb i sain cloch y tŷ. Cyfarth swnllyd, bygythiol, diddiwedd fel y byddech yn ei ddisgwyl gan ddaeargi o frîd (*Lakeland* wedi'i groesi â *Border Terrier*) nes 'mod i'n agor y drws. Wedyn byddai'n ysgwyd ei gynffon a mynnu sylw unwaith y byddai'n sylweddoli nad gelyn oedd yr ymwelydd. Roedd bob amser yn ymwybodol fod gwers ar ben a byddai'n gofalu ffarwelio'n gyfeillgar a serchog. Mae ci, wrth gwrs, yn medru synhwyro pan nad yw person yn cymryd ato ac ar yr adegau prin pan fyddai hyn yn digwydd, byddwn yn tueddu i ochri gydag asesiad Llew o'r unigolyn a byddwn yn dra gwyliadwrus yn fy ymwneud â'r person hwnnw.

Pan oeddwn yn fach, roeddwn yn hoff o gathod ond cefais gi pan oeddwn yn un ar bymtheg oed. Gwelais y golau. Rydw i wedi mesur allan fy mywyd gyda thri chi yn gwmni imi – Shep, Beni, a Llew ac mae Evie Mair, ci Cerys a chydymaith Llew am dros dair blynedd, yn sicr o dderbyn yr un gofal ag a roddwyd i Llew.

Pan gymerwyd Llew yn y car at y milfeddyg, nid oeddwn yn disgwyl mai honno fuasai'r siwrne olaf; ond dyna fu. Roedd ei galon a'i gorff yn gryf ond roedd ei goesau wedi colli eu nerth ac effeithiolrwydd y feddyginiaeth yn pallu. Felly, ar gyngor yr arbenigwr, penderfynwyd mai dyma oedd y diwedd.

Nid angofiaf byth y munudau olaf trist; Cerys yn ceisio dal y llif o ddagrau yn ôl a minnau yn siantio *Gw boi* yn weddigar wrth i'r nodwydd dyngedfennol wneud ei gwaith. Roedd Llew wedi ffarwelio â'r byd hwn ond bydd cof am ei ffyddlondeb a'i ysbryd chwareus yn aros gyda ni am byth.

Pennod 12

BRIWSION O FWRDD Y BEIRNIAD

Dros y blynyddoedd, pan oedd Dr Havelock Nelson yn un o Benaethiaid y BBC, roedd *Songs of Praise* o Iwerddon yn rhaglen arbennig o bleserus, gyda safon canu cynulleidfaol a chorawl a fuasai'n temtio'r anffyddiwr mwyaf rhonc i ymweld â chapel neu eglwys. *One man's fish is another man's poison (poisson?)* – dyma'r dywediad Saesneg a sibrydodd y cerddor Gwyddelig wrthyf cyn i ni gydfeirniadu cystadleuaeth mewn rhyw ŵyl Gorawl yn Blackpool. Roedd Havelock yn gerddor gwych a phrofiadol ac roedd yn bleser bod yn ei gwmni. Mae llawer o wir yn yr hen ddywediad, gan ein bod oll, fel unigolion, yn gymysgedd o emosiynau sydd wedi eu cyflyru gan amser a phrofiad. Rydyn ni i gyd wedi etifeddu traddodiad arbennig sy'n berthnasol i ardal, i wlad ac i'n cefndir addysgol. Felly does rhyfedd fod cymaint o amrywiaeth barn ynglŷn â rhai elfennau fel amseriad darn a lefelau deinamig (pa mor gryf neu pa mor dddistaw) a'r sylw y dylid ei roi i farciau sydd ar y copi (y rhan fwyaf ohonyn nhw, p'un bynnag, parthed cerddoriaeth hynafol, yn dod o law y cyhoeddwr ac nid y cyfansoddwr).

OND, ar yr un pryd, mae rhai elfennau'n amlwg o safbwynt cywirdeb neu anghywirdeb. Er enghraifft, os yw côr allan o diwn, mae allan o diwn; os yw'r ddisgyblaeth yn wael, mi fydd y symudiad yn wasgaredig. Felly nid barn bersonol beirniad sy'n berthnasol yma ond yn hytrach brofiad cerddorol a chlust sicr wedi ei meithrin mewn cynghanedd draddodiadol Glasurol sydd wedi rhoi sail gyweirnodol i'r cyfan rydym yn ei glywed heddiw, ie, hyd yn oed 'canu pop'. Dylid datgan yn glir fod y symudiad yn dda neu'n fratiog, neu fod y donyddiaeth yn gadarn neu'n wallus. Rwy'n gwrando ac yn edrych (mae'r *visuals* yn bwysig) ac, ar ddiwedd y perfformiad, byddaf yn rhoi marc ar bapur sbâr ac ychwanegu un, dau, a thri tic, fel arwydd i mi o'r safon a gyrhaeddwyd.

Mewn rhai cystadlaethau, mae'r paraffernalia am fanylion y perfformiad wedi ei drefnu a'i osod ar y ffurflen ar gyfer y beirniaid ymlaen llaw, sef enw'r cystadleuwyr yn ogystal ag enw'r darn sydd i'w berfformio. Mae hyn yn hwyluso gwaith y beirniad, fel y caiff gyfle i ganolbwyntio a chloriannu heb orfod gwastraffu amser prin yn cofnodi ffeithiau am yr ymgeisydd.

Un agwedd sy'n peri poendod yw'r ffaith fod arweinyddion llwyfan mewn cystadlaethau corawl yn cael eu hannog i hyrddio corau oddi ar y llwyfan ar frys afresymol. Yn aml, bydd y côr sydd i ganu nesaf yn barod i ddechrau perfformio cyn i'r beirniad gael amser teilwng i orffen ei nodiadau a'r sylwadau allweddol a fydd o gymorth i'r cantorion ar gyfer y dyfodol. Os dwedwch mai amser yw'r anhawster, buaswn yn eich cyfeirio at Lyfr y Pregethwr, Pennod 3. 'Y mae amser i bob peth, ac amser i bob amcan dan y nefoedd'. Yn bersonol, nid wyf yn cydweld â phob un o amcanion y pregethwr doeth ond mae'n bur agos i'w le ac, o ganlyniad, yr atodiad y buaswn yn ei ychwanegu fyddai – 'Y mae amser i ganu, amser i adael y llwyfan, ac amser i gloriannu'.

Yng Nghymru, mewn Eisteddfod leol, dydy'r beirniad ddim yn gwybod ymlaen llaw beth mae'r cystadleuydd am ei ganu, ond yn Lloegr mae'n rhaid anfon y gerddoriaeth at y cyfeilydd fisoedd ymlaen llaw ac mae'n rhaid i'r ymgeisydd ddyfalbarhau a glynu wrth y dewisiad mae wedi ei anfon i mewn gan fod y cyfan wedi'i gofrestru mewn print yn rhaglen y dydd. Rydw i'n cofio mynd efo'r tenor, Len Gilpin, i Eisteddfod leol a'r arweinydd yn gofyn a oedd rhywun arall am gystadlu. Dyma fi'n annog Len i gerdded mlaen a chanu. Pan ofynnodd y beirniad, Gerallt Evans, iddo beth oedd am ei ganu. *'Dilys'* gan *J. Morgan Lloyd,* meddai Len.

O, 'dw i'n ei 'nabod hi'n iawn, meddai Gerallt, dan wenu.

Yn y Gwyliau Cerdd yn Lloegr, bydd y Sylabws yn cael ei gyhoeddi ymhell ymlaen llaw, gydag enw a dewisiadau'r ymgeiswyr yn hysbys i bawb. Ond yn aml yng Nghymru bydd gwahoddiad i ganu yn cael ei ymestyn i aelodau'r gynulleidfa ar ddiwedd rhagbrawf cyn cloi'r gystadleuaeth. Mae'r paratoadau dros Glawdd Offa yn fwy manwl ac yn fwy proffesiynol, ond nid oes gwobr ariannol yn cael ei chynnig yng ngwyliau Lloegr. Mewn steddfod yng Nghymru. mae cystadleuydd yn gallu ennill ffortiwn ar ddiwrnod da.

Yn aml, mewn cystadlaethau corawl, bydd panel o dri beirniad; y drefn arferol yw fod un beirniad yn mynegi barn y panel yn ei grynswth mewn un feirniadaeth ysgrifenedig. Os bydd ond amser byr rhwng y gystadleuaeth a'r dyfarniad o'r llwyfan, a dweder bod efallai wyth o gorau yn cystadlu, medrwch ddyfalu ei bod yn dipyn o gamp dethol sylwadau defnyddiol (i fod yn garedig) eich cydfeirniaid yn ogystal â rhoi peth amser i sicrhau fod eich barn bersonol chi eich hunan wedi ei nodi yn glir ar y ffurflen ysgrifenedig ... hyn oll heb sôn am fod yn barod i gyflwyno'r feirniadaeth lafar ar fyr rybudd. Cynllun llawer gwell yw rhoi rhwydd hynt i feirniadaeth pob un o'r beirniaid gael ei derbyn gan y corau; gall yr arweinydd wedyn ddewis y canllawiau mwyaf bendithiol o'r tair beirniadaeth ac yna mae'n medru cydweithio gyda'r côr i arbrofi ar sail y canllawiau hynny wrth wneud y siwrne i gyrraedd perfformiad o safon a chael boddhad yn ystod y daith.

Y beirniadaethau gwaethaf rydw i'n eu darllen (sy'n ymwneud â chantorion rydw i'n cydweithio â nhw) yw'r rhai sy'n datgan bod popeth yn wych. Fel canlyniad, mae'r cantorion yn pendroni pam nad ydyn nhw wedi cael marciau rhagorol ac wedi ennill y gystadleuaeth – yn ôl y feirniadaeth ysgrifenedig, mae'n ymddangos nad oes dim o'i le ar y perfformiad! Yn y cyswllt hwn, mae'r feirniadaeth yn hollol ddiwerth ac yn wastraff papur!

Does gan y beirniad wrth gwrs ddim dylanwad ar y dewisiadau corawl yn yr Eisteddfod Genedlaethol ond dylai beirniad ddatgan ei farn ar brydiau ynglŷn â safon y darnau. Nid mater o chwaeth fyddai hynny ond yn hytrach ymgais i sicrhau bod rhyw fesur o her o fewn y darnau ac mae cymharu dewisiadau heddiw â'r dewisiadau rhyw gan mlynedd yn ôl yn adrodd stori amlwg iawn. Pan oeddwn yn fachgen ifanc, roedd corau, megis corau'r Rhos a oedd yn cynnwys cantorion nad oeddent yn ddarllenwyr hyddysg a chryf, yn fodlon ymgymryd â'r her i feistroli darnau a oedd yn gyfoes, ar y pryd ... cerddoriaeth Elgar neu Bantock. Bellach mae'r Eisteddfod, mewn ymgais i ddenu corau i gystadlu, yn treulio llawer gormod o amser yn pendroni a fydd darn yn rhy anodd i'r werin ei ddysgu yn hytrach na dethol darn am ei fod yn mynd i roi pleser yn ystod y dysgu a rhoi teimlad o foddhad torfol i'r côr yn y cyflwyniad o'r llwyfan.

Nid nifer y corau sy'n bwysig ond yn hytrach safon y corau. A ydyw adnoddau lleisiol y côr yn addas ar gyfer y darn sydd i'w berfformio ac a yw'r arweinydd a'r côr yn frwdfrydig ac yn barod i weithio i ddysgu gwaith sydd yn mynd i wneud y côr yn well côr yn y pen draw? Os yr ateb ydi 'Na', peidiwch â chystadlu. Yn gyffredinol, buaswn yn annog corau i ystyried mynychu eisteddfodau bach cyn mentro i'r llwyfan cenedlaethol. Mae angen sefydlu safon ac anelu, bob amser, at ymestyn gorwelion.

Ar un adeg, roedd rhaid cynnal rhagbrofion i'r corau er mwyn penderfynu pa rai oedd i ymddangos ar y llwyfan. Enghraifft o ddisgwyliadau uchelgeisiol y cyfnod, oedd bod saith o gorau'n cystadlu ar y brif gystadleuaeth i gorau meibion yn Eisteddfod Genedlaethol Caerdydd, 1938 ond tri yn unig ddewiswyd i ymddangos ar y llwyfan – dau gôr Treforus (Morriston Orpheus a Morriston United) a Chôr y Rhos. Enillodd y Rhos o un marc am ganu'r darnau gosod – *Festal Psalm* (Whittaker), *Lucifer in Starlight* (Bantock) a *Hei Ho* gan Haydn Morris (mil a mwy o heriau cerddorol i'w goresgyn mewn rhaglen faith o ganu). Ond yr hyn sy'n drawiadol yw bod 51 o farciau'n gwahanu'r côr a ddaeth i'r brig a'r côr a ddaeth yn olaf (heb enwi neb). Nid oedd beirniaid yr adeg honno'n closio'r marciau at ei gilydd rhag ofn torri calonnau'r corau gwannaf, tyneru siom ac osgoi cwyn y 'cael cam'.

Os mai sefyll yn stond ac amddiffyn yr hyn sydd gennym yw'r nod, ni fydd cynnydd, ni fydd datblygiad ac yn fuan daw dirywiad, glastwreidddio a diwedd ar fyd.

Rydw i'n cofio cyfnod pan, ar gais annelwig rhyw gorff corawl, y gorfodwyd yr Eisteddfod Genedlaethol i gyhoeddi'r dewis o ddarnau hyd at flwyddyn a hanner ymlaen llaw er mwyn caniatáu digon o amser i'r corau eu dysgu. Does dim byd gwaeth nag ymarfer ac ymarfer hyd at syrffed am fisoedd a misoedd cyn cystadleuaeth. Dylid canolbwyntio yn hytrach ar lai o ymarferion, gan ofalu bod y rheiny'n sesiynau o ansawdd da a phawb yn eu lle yn ddisgwylgar-awyddus ac yn barod i weithio'n ddyfal.

Rydw i wedi crybwyll fwy nag unwaith fod *repertoire* yn bwysig i unigolion ac i gorau – os nad yw'r arweinydd yn barod i fentro a chynnig her i aelodau'r côr, ni fydd y côr hwnnw'n gwireddu ei botensial. Wrth gwrs, y gwir amdani yw y bydd yr arweinydd blaengar ac arloesol yn colli rhai aelodau o'r côr yn ystod y broses hon ond rhaid colli'r bobl anwadal a di-fflach i ofalu bod cnewyllyn y côr yn iach ac ar yr un donfedd â'r arweinydd. Y rheswm syml pam mae y niferoedd yn ein corau meibion yn gostwng, a bod *hen stagers* fel fi yn hiraethu am glywed yr hen ganu corau meibion atseiniol, cyffrous, yw fod pobl yn methu darllen cerddoriaeth a'u bod wedi colli'r awch i fentro ac ymgodymu â'r newydd mewn ysbryd o fwriad cymdeithasol iach sy'n ennyn balchder personol a llwyddiant torfol. Ewch i steddfod Llangollen a gwrando ar y tenoriaid a'r baswyr yn y corau cymysg o wledydd fel America, Y Ffilipinau a Tsieina ... dyma'r sain roedd y Cymry'n ei chynhyrchu, gan mlynedd yn ôl ... rhaid ymafael eto yn yr hen ddull o ganu ond defnyddio'r dull hwnnw i gyflwyno *repertoire* sy'n berthnasol i'n dyddiau ni heddiw. Dyna'r hyn mae cantorion y byd newydd yn ei wneud. Ganrif yn ôl, roedd meddylfryd gwahanol gan y boblogaeth yn gyffredinol – syched am addysg ac am rywbeth i adfywio'r ymennydd ac ysbrydoli'r enaid. Manteisiodd yr Ysgol

Sul ar y cyfle i hybu'r awydd am addysg a chwaraeodd corau eu rhan yn ogystal.

Nid y corau cymysg yn unig fyddai'n perfformio cerddoriaeth gyfoes ond y corau meibion hefyd, cerddoriaeth a oedd newydd ddod o law y cyfansoddwr, er enghraifft *The Reveille* (Elgar) *Sons of the Desert* (Bantock) a *Festal Psalm* (Whittaker) – darnau hir, heriol, llawn drama a roddai gyfle i gôr ymhyfrydu yn ei adnoddau lleisiol. O fewn dwy flynedd i gyhoeddi *Y Pysgodwyr* (T. Maldwyn Price) ym 1891 roedd yn ddarn gosod i gorau meibion yn Eisteddfod Llanfyllin 1893, pryd y daeth Côr Meibion y Rhos i'r brig dan arweiniad Richard Mills, gan gael y gorau ar ei frawd, Henry, oedd yn arwain Côr Meibion Llanfyllin. Roedd Côr Meibion Birkenhead hefyd yn y gystadleuaeth.

Does dim o'i le, wrth gwrs, mewn mwynhau canu ond os mai prif amcan ymaelodi mewn côr yw bod yn rhan o gymdeithas gyfeillgar, gwell fuasai i'r unigolion hynny gyfarfod i chwarae cardiau neu ddominos. Os bydd dyn yn derbyn her ac yn awyddus i gael y profiad o ymestyn ei gyhyrau cerddorol, daw mwynhad yn sgîl hynny a bydd y mwynhad hwnnw yn fwy pleserus a dyfn na'r mwynhad o ganu 'Dacw Mam yn Dŵad'.

Yn ei gyfrol *Gŵyl Gwalia*, mae Hywel Teifi Edwards yn y bennod sy'n dwyn y teitl arwyddocaol, 'Gwlad y Gân, Gwêl dy Gynnydd', yn adrodd hanes cyngerdd a gynhaliwyd yn Eisteddfod Caerfyrddin 1867. Roedd Brinley Richards am godi chwaeth a safonau cerddorol cynulleidfaoedd Cymru ac felly roedd wedi estyn gwahoddiad i Madame Patey-Whitlock i'r Eisteddfod, gan anwybyddu Llew Llwyfo, anwylyn yr eisteddfodwyr:

> ... torrodd dwy storm. Daeth un â glaw go iawn i hanner foddi Pafiliwn Caerfyrddin ac i gynddeiriogi Madame Patey-Whitlock wrth iddi geisio canu *The Storm* dan gysgod ymbarél y Rheithor Griffiths. Daeth y llall â tharanau o ddicter o du edmygwyr y Llew i'w gorfodi i ildio'r llwyfan i leisiwr a oedd, meddai hi *a suitable specimen for a menagerie*. Daeth y naill storm â cholledion ariannol i flino ysbryd y Cyngor. Daeth y llall â

phleser i garfan sylweddol o eisteddfodwyr a oedd wedi cael mwy na digon o'u dyrchafu. Canodd y Llew benillion iddynt i'w llonni:

> Mae gen i iâr a cheiliog
> A brynis ar ddydd Iau,
> Mae'r iâr yn dodwy wy bob dydd
> A'r ceiliog yn dodwy dau.

Llew Llwyfo oedd piau'r ŵyl.

Nid yw Cymru wedi newid rhyw lawer erbyn heddiw ac mae hyn yn cael ei adlewyrchu yn y cynnyrch cerddorol a ddaw ger ein bron ar raglenni S4C. Mae nifer dda o gorau ieuenctid ardderchog yn y wlad (rydyn ni'n eu clywed mewn cystadlaethau) ac maent yn ffynnu nid yn unig am fod y lleisiau'n ffres ac yn atseinio ond am fod yr arweinydd yn gofalu bod darnau cyfoes yn eu *repertoire*, darnau sy'n cyffroi'r dychymyg. Eto i gyd, anaml iawn y byddant yn ymddangos ar y teledu neu'r radio. Yn y gorffennol, roedd cyfle i glywed corau o safon ar y cyfryngau mewn cyngherddau estynedig. Sôn yr ydym, wrth gwrs, am chwaeth a chyfrifoldeb y cyfryngau i gyflwyno newydd-deb a rhaglenni anturus heb gamu'n ôl ac astudio 'ffigyrau cynulleidfa'. Dyma'r unig gyfnod mewn hanes lle mae mwy o gerddoriaeth o'r gorffennol yn cael ei berfformio nag o gerddoriaeth gyfoes. Mae cerddorion disglair yn ein cerddorfeyddd ond maen nhw, er eu gallu cynhenid i ddarllen cerddoriaeth, yn hapus i chwarae symffonïau Beethoven yn hytrach na mentro, bob hyn a hyn, ar symffonïau Daniel Jones. Diogi meddyliol sy'n gyfrifol am hyn a'r methiant o ran y rhai sy'n benaethiaid cerddorfaol i arwain ac i hyrwyddo'r newydd er mwyn sicrhau'r dyfodol.

Peidiwch â meddwl am funud 'mod i'n dal dig yn erbyn Beethoven a'r hen feistri. Mewn gwirionedd, rydw i'n eu haddoli a byddaf yn chwarae symudiad o un o 32 sonatas Beethoven ar ddechrau pob dydd a chyn hynny arferwn chwarae tri phreliwd a ffiwg o'r 48 gan Bach fel paratoad i wynebu diwrnod trafferthus.

Ond, a dweud y gwir, a all unrhyw un call fod o blaid tagu cynnyrch newydd, creadigol er mwyn plesio'r mwyafrif sy'n mynnu'r cyfarwydd neu'n llyncu'r israddol?

Peidiwch â meddwl ychwaith mai ymgyrch bersonol dros fy nghynnyrch i fy hun rydw i'n ei argymell. Yn hytrach, dyma'r unig ffordd y medrwn wneud yn fawr o'r traddodiad cyfoethog rydyn ni wedi'i etifeddu – os na fydd traddodiad yn datblygu bydd yn gwywo a marw.

Rhaid cyfaddef bod ein cymrodyr yn y byd llenyddol yng Nghymru yn llawer mwy ymwybodol o bwysigrwydd bod yn gyfoes-greadigol a gofalu bod eisteddfodau'n defnyddio'r cynnyrch hwn a thrwy hynny'n creu to ifanc sy'n gyfforddus wrth fynegi eu hunain yn gyfoes ac mewn modd sy'n berthnasol i'w bywyd beunyddiol heddiw. Mae digon o sefydliadu celfyddydol yn bodoli yn y Gymru gyfoes ond prin yw'r gofyn am gyfansoddiad newydd. Ac nid cyfansoddiadau 'newydd' yn efelychu'r elfennau mwyaf llygredig sy'n nodweddu cyfnod olaf y Mudiad Rhamantaidd rydw i'n ei olygu ond cyfansoddi sy'n cynnig arddull newydd sydd wedi tyfu o'r traddodiadol ac sy'n wynebu'r dyfodol â gweledigaeth hyderus a llawn gobaith. Ar hyd y canrifoedd mae cerddoriaeth wedi bod yn gyfrwng i ddyheadau crefyddol a seciwlar, y trist a'r llon, a phob arlliw barn, safbwynt a chredo rhwng y pegynau hyn. Mae cerddoriaeth hefyd wedi cael ei defnyddio fel cefndir i ddyheadau ymarferol – caneuon gwaith, caneuon protest ac mae'r defnydd o utgyrn a drymiau i recriwtio milwyr a'u cynhyrfu a'u cyffroi wrth iddyn nhw ymosod ar y gelyn yn rhan annatod o hanes rhyfel er cyn cof. Yng nghaneuon y dyn du medrwn amgyffred yr awydd i groesi'r Iorddonen a glanio ym mharadwys a hefyd y dyhead i gyrraedd byd newydd lle nad oes lle i gaethwasiaeth. Mae pob haen o gymdeithas yn mynd i elwa ar gyffyrddiad cerddoriaeth a pho fwyaf fydd yr ymroddiad i gyrraedd safon, mwyaf fydd y mwynhad a'r ymfalchïo yn yr hyn a gyflawnwyd.

Yn y gorffennol roedd yn rhaid cael cyfweliad cyn ymuno â chôr ond, yn anffodus heddiw, mae i gôr elfennau cymdeithasol gydag

'C' fawr! Mae corau, er cyn cof, wedi mwynhau'r ochr gymdeithasol ond bellach mae'r pwyslais yn gyfan gwbl ar fod yn gôr cymdeithasol heb falio llawer am safon.

Efallai fod hyn yn swnio'n greulon ac yn or-broffesiynol wrth sôn am gorau amatur ond, ar ddiwedd y dydd, mae safonau i anelu atynt beth bynnag fo amcanion y côr a'r gwirionedd trist yw fod goreuon y grŵp yn cael eu tynnu i lawr i safon y rhai gwan os na fydd digon o her ac uchelgais o fewn y côr.

Mae lleisiau da i'w cael o hyd, wrth gwrs, ond mae'r arfer o sol-ffa a disgyblaeth wedi dirywio i raddau helaeth ac, uwchlaw pob dim, erbyn heddiw, mae canu pop wedi cael effaith negyddol iawn ar y modd y mae cantorion yn cynhyrchu'r llais. Mae'r Beatles wrth gwrs yn enghraifft dda iawn o hyn – mae mwy o werth yn neges eu caneuon nag yn arddull lleisiol eu canu. Doedd fawr o atseinedd yn lleisiau'r Beatles (cymharer y sain mae Tom Jones yn parhau i'w gynhyrchu); roedd y sain yn ymdebygu i leisiau merched, wrth iddynt gynhyrchu math o sain heb gynhaliaeth anadl A dyma'r math o sain a fydd yn gael ei gynhyrchu bellach gan ambell gôr. Pum deg o ddynion mewn oed yn canu fel merched! Duw a'n gwaredo! Mae lle i chwaeth bersonol wrth gwrs pan fyddwch yn asesu perfformiad ac rwy'n ddigon parod i barchu gwahanol syniadau parthed elfennau technegol fel amseriad, ynganiad, cydbwysedd ac arddull ond dylai pob beirniad fod yn glir beth yw sain dda, sain sy'n gynnes ac yn atseinio yn y canu distaw ac yn y canu cryf a dylai hefyd fod yn barod i frwydro'n ffyrnig yn erbyn y sain barchus 'mewn blys mewn trwy ond ofn' sy'n cael ei gydnabod fel arwydd o sensitifrwydd cerddorol gan rai. Mae corau o ddwyrain Ewrop yn tueddu i swnio'n fwy operatig ac atseiniol na chorau o Brydain neu Sweden, lle y mae mwy o ganolbwyntio ar sain ysgafn, ddistaw, dan reolaeth, a honno'n llawn o elfennau mewnol. Os bydd un beirniad o Fwlgaria a'r llall o Sweden, medrwn ddisgwyl tipyn o wrthdaro.

Ond os symudwn i'r byd pop cyfoes, mae'n ymddangos bod cytundeb parthed sain gyda phawb yn efelychu'r sain Americanaidd sy'n apelio at y mwyafrfif o bobl y byd. Mae'r dynion, gan amlaf, yn creu sain fenywaidd ei naws tra bo'r merched, i'r gwrthwyneb, yn ymfalchïo mewn cynhyrchu sain gras, amhersain gyda llawer o ddefnydd o'r *chest register* – a hyn i gyd heb sôn am gymorth cyson ac angenrheidiol y meic!

Mae darnau sioeau cerdd yn aml yn dechrau'n ddefosiynol, weddigar, cyn cynyddu'r ddrama mewn modd operatig iawn yn y canol, ac erbyn diwedd y perfformiad mae'r canu'n troi'n sgrechian aflafar, gan hyrddio nodau at y gynulleidfa yn y gobaith am fanllefau o gymeradwyaeth!

Yn wahanol i'r adran gorawl yn yr Eisteddfod Genedlaethol, lle mae'r dewis o ddarnau yn adlewyrchu gofal gormodol am gyraeddiadau cerddorol ein cantorion, mae'r dewis o ganeuon ar gyfer y cystadlaethau i unawdwyr gan amlaf o fyd opera ac oratorio ac maent yn brawf llym ar adnoddau lleisiol cantorion proffesiynol, hyd yn oed, ac yn rhoi straen ar y cantorion amatur sy'n cystadlu. Mi dynnais sylw at hyn un tro. Roedd y darn a gafodd ei osod ar gyfer tenoriaid yn hollol anaddas. Mae'n siŵr eich bod i gyd yn cofio fel yr arferai Pavarotti ganu, dan ddal anferth o gadach poced mewn un llaw. Yn fy meirniadaeth, un flwyddyn, awgrymais y byddai angen tri chadach poced ar Pavarotti ei hunan i fynd i'r afael â'r aria arbennig oedd wedi ei dewis y flwyddyn honno!

Mae'r Eisteddfod yn rhan hollbwysig o'r byd celfyddydol Cymreig ac mi fyddai'n braf pe buasai ei gweithgareddau'n cael eu hamlygu drwy'r flwyddyn yn hytrach nag o fewn un wythnos. Mae'n gwneud synnwyr i'r wythnos ym mis Awst fod yn goron ar y cwbl ond byddai dylanwad yr Eisteddfod fel noddwr gwahanol brosiectau drwy gydol y flwyddyn yn amhrisiadwy.

Mae bod yn rhan o 'r Eisteddfod yn rhoi ffocws ac yn rhoi cyfeiriad i gantorion unigol ac i gorau, ond gellir dod â mwy o ddychymyg i mewn i'r dewisiad o ddarnau ac i'r categorïau sydd wedi bod 'run fath ers blynyddoedd lawer. Mae'n wir bod y Steddfod yn ceisio goresgyn yr anawsterau trwy gynnig dewisiadau eang ond, yn fy marn i, gwell fyddai newid y strwythur yn gyfan gwbl a chael gwared ar y dosbarthiadau ar gyfer y lleisiau unigol a chynnwys categorïau cyffredinol o fyd opera, oratorio, lieder, caneuon o Gymru, o Loegr, o Ffrainc a Sbaen, Rwsia a'r Eidal. ac yn y blaen (gan newid y wlad o flwyddyn i flwyddyn) – y merched a'r dynion yn cystadlu ar wahân yn y categorïau hyn ac wedyn yn cystadlu yn erbyn ei gilydd o fewn pob categori. Rhywbeth i'w drafod a'i ystyried ar gyfer y dyfodol!

Ond symudwn yn ôl at gwestiwn addasrwydd cân i'r cystadleuwyr. Mae cân Gremin o'r opera *Eugene Onegin* gan Tchaikovsky yn cael ei dewis yn aml yn yr Eisteddfod Genedlaethol ond, yn anffodus, mae'n ymddangos yn y cyweirnod anghywir. Mae'r gân i fod yn y cywair *Gb* ond mewn copi a gyhoeddwyd yn Lloegr mae'r cyweirnod yn G, ac mae hyn yn creu tyndra mawr ar y llais bas ac yn brawf digamsyniol ar stamina. Ysywaeth, ar o leiaf dri achlysur, mae'r Steddfod wedi dewis y cyweirnod anghywir er imi ddatgan o'r llwyfan fod cyweirnod gwreiddiol y cyfansoddwr wedi'i ddisodli gan gyhoeddwr hunandybus a feddyliai y gallai wella ar syniadau gwreiddiol y cyfansoddwr. Coeliwch chi fi, mae newid o hanner tôn i fyny neu i lawr i ganwr fel canu ar blaned arall.

Bûm ar ambell i banel o feirniaid lle roeddwn mewn lleiafrif o un! Dydw i ddim yn gweld dim o'i le ar hynny, cyn belled ag y bo'r prif feirniad yn datgan nad oedd y tri beirniad yn unfrydol. Mae lle wrth gwrs i wahaniaeth barn ond mae'n bwysig fod beirniad yn ymwybodol o waith ymchwil, syniadau, a darganfyddiadau ysgolheictod diweddar, a'u bod yn berchen ar ddigon o awdurdod i wybod pan fo arwyddion mynegiant yn wallus ac yn mynd i gamarwain cantorion. Gwaetha'r modd, bydd llawer o feirniaid yn dangos anwybodaeth ynglŷn â chywirdeb copi o hen gerddoriaeth. Bydd cyfansoddwyr cyfoes yn rhoi marc metronom i lawr ac yn nodi marciau deinameg digonol. Fel y dwedais yn gynharach, mae'n bwysig i feirniad wybod beth mae'r cyfansoddwr wedi'i sgwennu a beth sydd wedi'i ychwanegu gan gyhoeddwyr. Nid oes llawer o farciau mynegiant ar ddarnau o'r cyfnod Baróc ac mae hyn wedi denu cyhoeddwyr dros y canrifoedd diweddarach i orlwytho eu cyhoeddiadau â marciau dynamig er mwyn ceisio hyrwyddo'r perfformiad.

Mae ystyr cyfarwyddiadau wedi newid llawer ers cyfnodau'r Baróc neu Rococo. Mae ein *allegro* ni heddiw dipyn yn gyflymach nag ydoedd yn amser Bach neu Mozart. Yr un modd gydag *andante* sydd heddiw'n cyfleu'r syniad o symud reit araf ond yn y cyfnod Baróc roedd *andante* yn cael ei gysylltu â symudiad mwy rhwydd ac ysgafn. Mae'n bwysig bod beirniad yn ymwybodol o sut mae pethau wedi newid dros amser a'u bod yn annog arweinyddion i beidio â bod yn gaeth i farciau ar gopi a chofio nad yw'r marciau hyn bob amser wedi dod o law'r cyfansoddwr.

Yn anffodus, mae'r Colegau Cerdd drwy Brydain yn hoffi defnyddio hen gyhoeddiadau o ganeuon yr Eidal, cyhoeddiadau'n llawn o farciau sy'n llesteirio llif naturiol y gerddoriaeth a grewyd gan y cyfansoddwr gwreiddiol – ac mae o leiaf un gân sy'n cael ei phriodoli gan y cyhoeddwyr i'r cyfansoddwr anghywir. Enghraifft o hyn yw'r gân *Se tu m'ami* sy'n cael ei phriodoli i Pergolesi ond a gyfansoddwyd gan olygydd cyfrol o ganeuon Eidalaidd o'r enw Parisotti. Pam nad oedd am weld ei enw ei hun fel awdur y gân, Duw a ŵyr, ond mae wedi achosi cryn boendod i olygyddion yn eu hymchwil am wirionedd a'u hymdrechion i lunio testun safonol, cywir.

A beth am y cyfieithiadau? Pan fo'r cyfieithiad wedi colli pob ystyr a synnwyr o'r hyn oedd wedi cael ei fynegi yn y stori wreiddiol, gan grwydro ymhell o'r weledigaeth a ysgogodd y bardd a'r cyfansoddwr, yn y lle cyntaf, mae hyn yn creu dryswch ym meddwl y perfformwyr. Yn aml, mae'r fersiynau hyn yn Saesneg ac yn rhai poblogaidd iawn. Enghraifft o hyn ydy 'Dove sei' allan o *Rodelinda* gan Handel. Mae David Lloyd wedi recordio'r gân ar y geiriau *Art thou troubled? Music shall calm thee.* Mae'r geiriau yn yr ail adran yn rhestru bendithion y gwanwyn Yn ôl geiriau gwreiddiol yr Eidaleg mae Rodelinda yn canu am ei hiraeth am ei gŵr sydd wedi ei alltudio – nid oes unrhyw sôn am gysur cerddoriaeth nac am 'obeithion Gwanwynol'.

Rydw i'n cofio ambell dro trwstan tra oeddwn wrthi'n beirniadu

Un tro, yn yr Eisteddfod Genedlaethol, daeth cystadleuydd ymlaen ac yntau eisoes wedi mynd drwy'r rhagbrawf ac wedi creu argraff wych yn canu'r hen ffefryn operatig 'Eri Tu' yn y gystadleuaeth dros 60 oed. Roedd ganddo lais arbennig o dda ond, unwaith y daeth i'r llwyfan, dechreuodd ganu'r aria yn yr Eidaleg yn hytrach na'r Gymraeg. Aeth cynnwrf drwy'r gynulleidfa ond daliodd yr unawdydd ati nes i'r arweinydd gamu tuag ato'n fygythiol. Tywyswyd ef o'r llwyfan ond nid cyn i'w wraig neidio i'r llwyfan a'i waldio'n ddidrugaredd o gwmpas ei ben efo'i hymbarél wrth iddo geisio dianc o olwg y gynulleidfa anniddig.

Ar achlysur arall, mewn Gŵyl yn Lloegr, er fy mod bob amser yn gyndyn iawn i feirniadu *Barber Shop*, rydw i'n ddigon parod i fod yn aelod o banel beirniaid yn y gystadleuaeth honno. Cymro arall oedd yn digwydd bod yn brif feirniad, T. Gwynn Jones (Gwynn Tregarth) hen ffrind, cymeriad annwyl a hynaws, sgwrsiwr brwd a byrlymus ar beth bynnag a fyddai wedi digwydd denu ei fryd, a beirniad trylwyr ei ymchwil a'i baratoadau ar gyfer pob cystadleuaeth ... efallai y byddwch yn cofio ei sgyrsiau radio difyr cyn bob Eisteddfod Genedlaethol yn rhoi cefndir y darnau y byddai'r unawdwyr a'r corau yn eu canu. Roedd Gwynn eisoes wedi canu clodydd y corau siop barbwr a datgan bod y safon yn uchel iawn yn y rhagbrawf. I'r llwyfan daeth côr o ferched o gyffiniau St Helens, yn bluog ac adeiniog eu gwisgoedd... golygfa nad oeddwn wedi gweld ei thebyg erioed o'r blaen. Roedden nhw wedi cwblhau'r darn cyntaf yn foddhaol iawn ac yn aros am arwydd i fynd ymlaen â'u rhaglen.

Tra oedd y beirniad o Gymro wrthi'n ddyfal yn gorffen sgrifennu ei sylwadau, roeddwn i'n edrych ar y côr, ac yn gweld eu bod yn awyddus iawn i ddechrau ar yr ail ddarn. Ceisiais dynnu sylw fy nghydfeirniad fod y côr yn barod a bod yr arweinydd yn disgwyl am yr arwydd i ganu'r ail ddarn ac yn ei frys a'i ffwdan i roi cyfarwyddyd i'r arweinydd disgwylgar a'i chôr fwrw ymlaen, mi wenodd a chodi dau fys go anghwrtais ati. Wrth reswm, cyfeirio at yr ail ddarn oedd bwriad codi'r ddau fys ond gellid yn hawdd fod wedi ei ddehongli mewn modd cwbl wahanol. Gwenodd hithau'n ddanheddog foesgar, nodio ei phen a throi at ei chôr. Roeddwn innau dan y bwrdd yn chwerthin!

Dylai'r dasg o amseru perfformiad a gofalu bod nifer aelodu'r côr o fewn yr amodau a osodwyd ar gyfer cystadleuaeth fod yn rhan o gyfrifoldeb y stiwardiaid. Cofiaf am gystadlaeuaeth côr merched yn Lloegr, a'r tri ohonom fel beirniaid yn trafod pwy oedd i gyfrif nifer aelodau pob côr. Dywedodd un *"I'll do it, I'll count the legs and divide by two!"*

Rhaid i feirniad hefyd fod yn barod am bethau annisgwyl. Mewn un eisteddfod go fawr a minnau ar fin gwrando ar eneth yn canu yn y gystadleuaeth i blant dan naw oed, cododd un o'r cystadleuwyr eraill o'i sedd ar y llwyfan a rhedeg ataf i sibrwd yn fy nghlust na ddylai'r eneth a oedd i ganu nesaf fod yn y gystadleuaeth o gwbl am mai cystadleuaeth i blant lleol yn unig oedd hi ac roedd yr eneth anffodus dan sylw wedi teithio o bentref ddeg milltir o safle'r eisteddfod. Bu rhaid atal y gystadleuaeth am ryw ugain munud (gan brofi amynedd y gynulleidfa) a galw pwyllgor brys. Ymhen hir a hwyr, daethpwyd i'r penderfyniad fod cwyn y ferch yn ddilys ac na fyddai'r 'estrones' fach a oedd ar fin canu 'Dilys ddel a'i doli ganddi' gan Matthews Williams yn cael perfformio ar y llwyfan arbennig hwnnw. Pwy ddwedodd *Taking part is everything* a faint o goel sydd i haeriad ystrydebau pregethwrol Grantland Rice yn ei gerdd 'Alumnus Football'?

For when the One Great Scorer comes
To mark against your name,
He writes – not that you won or lost –
But how you played the Game.

Tybed! Yn y byd cystadleuol, fel y dywedais eisoes, mae geiriau'r chwaraewr tennis John McEnroe yn fwy addas: *This is serious man!* neu sylw anfarwol Bill Shankly, cyn-reolwr tîm pêl-droed Lerpwl, *Some people believe football is a matter of life and death. I am very disappointed with that attitude. I can assure you it is much, much more important than that.*

Rydw i'n cofio mewn un perfformiad o'r 'Dies Irae' o *Requiem* Mozart, wrth i'r côr daranu am boenau Dydd y Farn, yn sydyn a disymwth, taflwyd hanner adran y bas a thri thenor i lawr i berfeddion y gwagle odditanynt. Gwasgarwyd rhyw ugain o gyrff corawl o gwmpas adain ddwyreiniool y llwyfan a oedd bellach ar yr un lefel â llawr y babell. Roedd hyn y gyfle euraid i aelodau Ambiwlans Sant Ioan ddangos fod eu presenoldeb mewn Steddfod yn anhepgor. Am o leiaf dri chwarter awr, ynghanol y trybini a'r swyddogion eisteddfodol yn rhedeg o gwmpas fel ceiliogod nwydus ar dranc, ymddangosodd byddin o seiri amatur i forthwylio gydag arddeliad brwd a sŵn byddarol. Roedd hyn i gyd yn fy atgoffa o 'Gytgan y Morthwylio' o'r opera *Das Rheingold* gan Wagner, lle mae'r Nibelungen dieflig yn trin aur afon Rhein yn eu cellodd tanddaearol. Wedi i'r morthwylio didrugaredd raddol ddistewi a'r mynych apeliadau swyddogol am dawelwch ddechrau cael effaith, wele lwyfan newydd wedi'i sefydlu a phopeth yn ei le ar gyfer croesawu'r cantorion anffodus i wynebu poenedigaethau Dydd y Farn, unwaith yn rhagor. Dyma oedd y foment, dybiwn i, i unigolion mentrus yn y gynulleidfa fynd ar garlam i'r Siop Fetio agosaf yn Llanfyllin (os cofiaf yn iawn, digwyddodd hyn yn Eisteddfod Powys) ac efallai gael ods o 20/1 ar y posibilrwydd y byddai'r llwyfan yn dymchwel eto neu efallai 40/1 ar debygolrwydd y byddai hyn yn digwydd cyn, neu ar ôl, bariau tyngedfennol y perfformiad cyntaf. (Mae'r rhai yn eich mysg, selogion gwybodus rasio 'ffyle, yn ymwybodol o'r ffaith bod modd betio ar unrhyw beth ... hyd yn oed ar ddyddiad Dydd y Farn). O'm safbwynt i fel beirniad, roedd rhaid cysidro'r effaith seicolegol ar y cantorion hyn a oedd yn mynd i'r afael ag ail bererindod i wynebu'r Creawdwr Mawr ei hun ... a oedd lle i faddau ychydig o ganu fflat (diffyg cynhaliaeth anadl) yn yr adran agoriadol neu ganu siarp (gorymdrechu) wrth i'r côr geisio dileu eu pryder wrth agosáu at fariau'r drychineb a ddigwyddodd yn ystod y perfformiad cyntaf pan fu ffawd mor greulon wrthynt?

Chwi welwch, annwyl ddarllenwyr, fod tasg y beirniad yn anodd a dyrys – ond na, rhaid bod yn gyfiawn, yn dryloyw ac yn deg, yn union fel y'i mynegir ym maniffesto'r Torïaid, bob blwyddyn. A mwy na hyn ... roedd pedwar côr eto i ymddangos ar y llwyfan newydd. A oedd pryderon yn mynd i amharu ar eu canu hwythau neu a oedd sadrwydd y llwyfan newydd yn mynd i'w hysbrydoli i ganu i'w llawn botensial?

Roedd y côr cyntaf (y rhai ddaeth dan lach creulon Ffawd) wedi cael ail gyfle, wrth reswm, ond rydw i'n cofio beirniadu'r unawd bas yn y Steddfod Genedlaethol pan fu'r cwestiwn ail gyfle yn fwy dadleuol. Yr *aria* i'w chanu oedd 'La Vendetta' (*Rhaid dial*) allan o *Figaro* gan Mozart. Cymaint oedd effaith nerfau ar un o'r cystadleuwyr fel ei fod wedi canu'r ddau nodyn cyntaf, ar ôl cord agoriadol y piano, wythawd yn rhy uchel. Dechreuodd am yr eildro a chyflwyno perfformiad o safon broffesiynol. Rhoddais y wobr iddo ond roedd rhai'n cwyno ei fod wedi cael ailgynnig a bod hyn yn annheg â'r cystadleuwyr eraill. Mae'r math hwn o resymu yn wrthun i mi ac mae'n deillio, efallai, o'r 'crefydda' cul sy'n barod bob amser i bwyntio bys a chanfod bai ac i ganolbwyntio ar bechodau bach a bod yn ddall i'r pictiwr cyflawn.

Yn y byd proffesiynol, mae perfformwyr yn gwneud camgymeriadau, ar brydiau, ac maen nhw'n arddangos eu medr a'u profiad drwy anghofio am y llithriad bach a chanolbwyntio ar y siwrne gerddorol o'u blaenau. Mewn cystadleuaeth, rhaid i gantorion oresgyn rhoi'r argraff eu bod ar brawf a bod beirniaid yn chwilio am eu beiau (dyma ni'n ôl, unwaith eto, i fyd y cloriannu ar Ddydd y Farn) a chanolbwyntio yn hytrach ar fwynhau rhinweddau eu caneuon a bod yn ddiolchgar bod y fath rinweddau wedi cael eu creu gan gyfansoddwyr a bod cyfle ar gael, o bryd i'w gilydd, iddyn nhw a ninnau gydgyffwrdd o hirbell â'r hyn a ysbrydolodd y bardd yn wreiddiol. Mae pob beirniad yn chwilio am elfennau positif mewn perfformiad; mae'n aelod o'r gynulleidfa sy'n gwrando ac yn edrych ymlaen at fwynhau datganiad. Mae'n cael ei dalu am ddadansoddi'r datganiad a rhestru'r cryfderau a'r gwendidau a chynnig canllawiau a fydd o gymorth i'r perfformwyr gyrraedd eu potensial yn y dyfodol. Ond gwae ni rhag y beirniaid sy'n ystyried bod cael anhap bach ar ddechrau cân yn ddigon i'ch condemnio a'ch taflu allan o gystadleuaeth.

Rydw i'n cofio gweld Usain Bolt yn cael ei daflu allan o ras am ei fod wedi gwneud symudiad bach a bod y peiriant gorsesnsitif wedi cofnodi'r symudiad anffodus hwn. Roedd yn amlwg i bawb y buasai Bolt wedi ennill y ras pe bai wedi symud o'r blocs hanner munud ar ôl gweddill yr athletwyr. Mae'n fater o dristwch imi wrth ddarllen beirniadaeth sy'n rhestru beiau bach (os beiau hefyd) – pethau fel peidio â dal nodyn i'w lawn hyd neu ganu'n rhy gryf neu'n rhy dawel, yn rhy gyflym neu'n rhy araf, gan anwybyddu elfennau pwysig technegol fel ansawdd lleisiol, mynegiant, arddull a'r llif cerddorol. Yn y diwedd, y peth sy'n ein cysylltu, fel perfformwyr a gwrandawyr, ydy ein cariad tuag at y rhoddion a'r bendithon sy'n deillio o gelfyddyd y gerddoriaeth.

Mae'r agweddau gweledol yn bwysig – mae'n rhaid i'r cantorion ymhyfrydu yn y ffaith eu bod yn byw y rhan, yn ymgolli'n llwyr yn y cymeraid a'i wneud yn gredadwy ac mae'n ofynnol i'r beirniad rannu ei amser yn ddoeth, wrth wrando, rhwng rhoi sylw i'r llwyfannu, gwrando ar y sain, a chofnodi ei sylwadau.

Y llythrennau 'T.T.S' sy'n crynhoi popeth i mi, sef Tôn, Techneg a Stori. A yw'r sain a'r donyddiaeth yn soniarus? A oes cydsymud ac unoliaeth sain yn ynganiad y llafariaid ac a yw'r gofal a roir i'r cytseiniaid yn bywiogi'r perfformiad? A yw'r stori sy'n cael ei hadrodd yn ein cyrraedd a'n cyffwrdd ni fel cynulleidfa ac felly'n creu cyfanwaith pleserus? Mae'r cyfan yn ymwneud â lliwiau a theimladau. a rheolaeth dros leisio a thros emosiwn. Os bydd y gynulleidfa'n ymwybodol bod y canwr yn amlwg yn canu'n gryf neu'n ddistaw fel adwaith mecanyddol i arwyddion y copi yn hytrach na chanu gyda mynegiant a naturioldeb, bydd rhywbeth o'i le ar y perfformiad.

CÔR O GATHOD GYDAG YMDDIHEURIADAU AM FOD BRAIDD YN DECHNEGOL

Mae symudiad (*ensemble*), tonyddiaeth (canu mewn tiwn), cydbwysedd (llinell y bas, sef sylfaen y gynghanedd, yn aml yn rhy ysgafn) a holl elfennau technegol canu corawl yn bwysig ond heb atseinedd (sain soniarus, bleserus) nid oes dim. Mae'n bosib hyfforddi côr o gathod i ganu â chryn dipyn o ddisgyblaeth corawl ond, yn y diwedd, côr o gathod sydd gennym ac mi fydd sain gyffredinol y grŵp yn fwrn ar y glust ddynol.

Mae gan Robert Wyn, y bariton o Bontnewydd, gi reit unigryw. Pan fydd yn mynd i'r cae ac yn arllwys nodyn hir, soniarus i'r gofod (a bydd Robert yn gwneud hyn yn aml) mae'r ci yn ymuno yn y gân drwy udo nes mae'n graddol gyrraedd unsain perffaith â'i feistr ac yna mae'n ymestyn y traw dan gynganeddu'n gerddorol. Gallaf dystio i wirionedd yr uchod oherwydd imi weld a chlywed recordiad o hyn yn digwydd ar fideo. A bwrw bod ci Robert yn unigryw (mae'n siŵr gen i mai adlais yw hyn i gyd o gyfnod yr oesau cyntefig pan fyddai dyn a chi yn cyfathrebu wrth hela), rhaid cyfaddef nad yw anifeiliaid yn dangos unrhyw gariad at gerddoriaeth neu gelfyddyd yn gyffredinol. Mae'n wir fod dyn yn medru dysgu eliffantod i ddawnsio ond ni welais i erioed gi yn eistedd i lawr i wrando ar bedwarawd llinynnol heb sôn am ddarllen llyfr. Er y llifeiriant nodau sydd wedi treiddio drwy 'Noddfa' dros y blynyddoedd, ni ddangosodd Llew, y ci, unrhyw ddiddordeb mewn sain. Ar ôl rhyw awr o wers, byddai'n aml yn mynnu mynediad i'r stafell biano i arwyddo ei bod yn amser i'r wers ddod i ben – roedd wedi syrffedu ar sain. Yn Aberderfyn, roedd gen i gi defaid o'r enw Shep a byddai hwnnw'n udo pan welai John Nelson yn dod drwy'r drws gyda'i fiolin dan ei gesail. Felly, cyn y byddai John yn chwarae nodyn byddai'r ci'n adweithio, gan ei fod yn gwybod o'r gorau beth oedd i ddod. Ac wedyn dyna hanes corgi Vernon Green a oedd yn byw wrth y Groes ar ganol y Rhos. Wrth i Fand Byddin yr Iachawdwriaeth orymdeithio i lawr Stryt y Farchnad ac anelu am Deml y Fyddin ar y Stryt Fawr, pan gyrhaeddodd y band gyferbyn â thŷ Vernon, megis daeargryn sydyn, rhoddwyd twmp nerthol ar y drwm bas. Yn ei fraw, neidiodd y ci o'r iard gefn a sgrialu ar hyd Stryt Neuadd ac i fyny i gyfeiriad Mynydd y Rhos ... ac ni welwyd ef byth mwy! Mae'n siŵr eich bod yn dyfalu pam rydw i'n traethu'r storïau hyn am anifeiliaid a cherddoriaeth. Wel, er ein bod yn is na'r angylion rydyn ni'n uwch na'r anifeiliaid. Brysiaf i ddweud 'uwch' yn yr ystyr ein bod yn 'wahanol' ac nid ein bod ni, fel bodau dynol, ar lefel foesol neu emosiynol uwch. Dylid gwneud yn fawr o'r ffaith nad bwyta a chysgu, cenhedlu a buddsoddi ar gyfer y dyfodol yn unig sy'n rhan o'n bywydau beunyddiol – mae gennym fydysawd celfyddydol wrth law i gyfoethogi ein bywydau bach a gadewch inni wneud y gorau o'r trysor hwn. Ond wedi dweud hyn, heb imi swnio'n snobyddlyd, gobeithio, mae 'ne 'gerddoriaeth' a 'cherddoriaeth'. Trist yw gweld yn feunyddiol yn sgil dylanwad y cyfryngau fod cerddoriaeth glasurol yn cael ei diystyru a cherddoriaeth bop yn cael ei hyrddio yn erbyn ein clustiau'n ddi-baid – mae lle i'r ddau – y clasurol a'r pop – ond mae angen inni, fintai leiafrifol y gerddoriaeth glasurol, fynnu mwy o sylw ar y cyfryngau. Rydw i'n edmygu'r myfyrwyr sy'n ymddangos ar *University Challenge* – mae eu gwybodaeth gyffredinol a'u harbenigedd yn ddiamheuol ond, er eu bod y adnabod pob nodyn sgwennwyd gan y byd pop yn ystod yr ugain mlynedd ddiwetha, nid ydynt yn ymwybodol fod Beethoven wedi sgwennu naw symffoni nac ychwaith yn gwybod pwy gyfansoddodd *Christmas Oratorio*.

ATSEINEDD

Er pan oeddwn yn ifanc iawn, cefais fy swyno gan hudoliaeth sain soniarus ond yr hyn a gefais yn Manceinion oedd y gallu i ddadansoddi sut i gynhyrchu'r sain hanfodol honno. O safbwynt unawdydd unigol, nid yw'n bosibl creu llais lle nad oes defnydd llais ond mae'n bosib gwella ansawdd llais fel bo'r unigolyn yn gwireddu ei botensial. Byddaf yn dweud yn aml *Thinking your voice is beautiful won't make it beautiful, but it will make it more beautiful than if you hadn't thought it was beautiful in the first place.*

Mae ansawdd llais yn cael ei gyfoethogi o gyffwrdd y siamberi atseiniol yn y pen, felly rhaid amcanu at anfon yr anadl o'r ysgyfaint i fyny drwy'r cordiau lleisiol i daro yn erbyn top y safn a siamberi atseiniol y pen. Yn anffodus, mae llawer o gantorion rydw i'n dod ar eu traws yn cael eu hannog i daflu'r llais allan i'r awditoriwm heb falio llawer a yw'r llais yn atseinio cyn ei daflu allan Fe all y dechneg hon (mewn gwirionedd y diffyg techneg hwn) ddifetha llais mewn byr amser a chreu diflastod ac anobaith.

Medr atseinedd fod yn elfen sy'n perthyn i bob un ohonom. Hyd yn oed mewn llais siarad mae'n amlwg fod rhai lleisiau yn fwy dymunol ar y glust na'r lleill. Pan oeddwn yn ifanc roedd llais y darlledwr radio, Valentine Dyall, *The man in black*, a'i ansawdd tywyll melfedaidd yn apelio'n fawr ataf. Y dull o anfon yr anadl i'r pen (boed y broses yn ymwybodol neu ddim) sy'n rheoli ansawdd yr atseinedd y byddwn yn ei chlywed. Pan fyddwn yn siarad â'n gilydd (er bod atseinedd o fath ar waith) nid ydym yn rhoi sylw i'r llifeiriant anadl ond i unawdydd lleisiol mae'n hollbwysig fod cynhaliaeth, rheolaeth a chyfeiriad yn berthnasol i'r anadl er mwyn creu atseinedd trawiadol a chynnal yr atseinedd hwn yn gyson o lafariad i lafariad er mwyn creu llinell lefn ddi-dor.

Wrth sôn am gyfeiriad lleisiol, ystyriwn gwrs afon; 'Nant y mynydd groyw loyw yn ymdroelli tua'r pant'. Prif nod y nant wrth darddu o'r ddaear fydd cyrraedd y môr ... mae'r siwrne hon (mor annhebyg i'r gamlas sy'n syth ac undonog) weithiau'n drafferthus, weithiau'n esmwyth, yn oedi am ysbaid wrth ambell gornel cyn gwibio ymlaen, yna'n ffrwydro'n ddramatig yn ystod stormydd y gaeaf ac yn llifo'n dawel ddihitio yn ystod dyddiau'r 'hafau hirfelyn tesog'. Y pwynt allweddol yw hwn – nid yw'r afon byth yn aros yn hollol lonydd, hyd yn oed pan mae'n cyrraedd pen ei thaith wrth ymuno â'r môr mawr. Mae'r llifeiriant yn parhau drwy ysbryd chwareus y don ynghyd â symudiad tragwyddol y llanw. Felly hefyd gwrs y llais. O ddyfnder yr ysgyfaint rhaid esgyn ar adenydd yr anadl i uchelfannau'r pen heb oedi pan fydd llif yr anadl yn cwrdd â thannau'r llais nac ymbalfalu am safle'r laryncs. Y peth pwysig yw lleoli llif cyson a chwrs yr anadl a chanu gydag atseinedd fel bod pob nodyn yn y brawddegau'n cysylltu â'i gilydd yn un llinell ddi-dor.

Ond rhaid sylweddoli a deall na fydd y dechneg hon o unrhyw ddefnydd oni bai bod symbyliad i'r weithred o gymryd anadl **cyn** i nodyn gael ei ganu. Yn Manceinion roeddwn yn pwysleisio *breathe with the emotion of the text and the sweep of the phrase.* Rhaid i emosiwn roi genedigaeth i'r anadl ... emosiwn sy'n berthnasol i'r geiriau, a'r geiriau hyn, wrth gwrs, yn berthnasol i symbyliad y bardd pan greodd ei gerdd. Mae'r bardd, y cyfansoddwr, a'r unawdydd yn cyfarfod ac yn cyd-deithio. Y dechneg yw'r broses o anfon yr anadl i'r pen ond rhaid ysgogi'r broses gydag anadl dwfn, corfforol.

Mae'n ddrwg gen i fod yn dechnegol a'r gwir amdani yw nad yw'r gwrandawyr i fod yn ymwybodol o unrhyw dechneg ar waith wrth eistedd yn ôl i fwynhau perfformiad ... rhaid i bopeth ymddangos yn naturiol a diymdrech ond, fel y dwedodd Leonardo da Vinci: *l'arte vive di vincoli e muore dalla libertà (mae Celfyddyd yn byw o gyfyngiadau ac yn marw o ryddid)* ac ar yr un thema haerodd Stravinsky: *The more constraints one imposes, the more one frees one's self of the chains that shackle the spirit.*

Nid oes gwell esiampl o hyn na pherfformiadau Bryn Terfel – mae ei allu cynhenid mor gryf, ei dechneg mor gadarn, fel ei bod yn ymddangos fel petai'r gân yn canu Bryn, yn hytrach na bod Bryn yn canu'r gân. Mae'r unawdydd yn gyfryngwr ac mae o a'r gynulleidfa yn cyd-deithio ar siwrne bleserus.

Gwrandawer ar gyfieithiad William Morgan o Salm 23:

> *Y Arglwydd yw fy mugail, ni bydd eisiau arnaf. Efe a bâr imi orwedd mewn porfeydd gwelltog; efe a'm tywys gerllaw y dyfroedd tawel. Efe a ddychwel fy enaid.*

Hyfryd; mae'n llifo fel afon.

Gwrandawer hefyd ar eiriau David Jones yn rhan olaf ei *In Parenthesis,* lle mae'n darlunio tawelwch y goedwig sydd wedi'i malurio gan storm y frwydr enbyd. Mae cyrff yr Almaenwyr a'r Cymry wedi'u plethu i mewn i'w gilydd – darlun erchyll ond darlun y mae'r awdur yn ei gyflwyno gyda'r fath ddwyster ac empathi fel eu bod yn un yn eu colled a'u dioddefaint:

The trees are very high in the wan signal-beam, for whose slow gyration their wounded boughs seem as malignant limbs, manoeuvring for advantage.
The trees of the wood beware each other
And under each a man sitting
their seemly faces as carved in a sardonyx stone; as undiademed princes turn their gracious profiles in a hidden seal, so did these appear, under the changing light.

Mae'r ddwy enghraifft hon yn ein tywys i fyd celfyddyd weledol, i fyd barddoniaeth, a'r rhediad geiriau a'r ymdeimlad o symudiad llifeiriol yn ein tywys i fyd cerddoriaeth.

VIBRATO – YCH A FI!?

Daeth y defnydd o *vibrato* i fri yng nghyfnod *Bel Canto* (canu prydferth), rhwng 1800 a 1900 pan roddwyd pwyslais mawr ar brydferthwch llais a'r gallu i uniaethu emosiwn y foment â'r sain – cynhyrchiad sain a fyddai'n digwydd yn y foment o anadlu. Cyfansoddwyr mwyaf blaengar ac amlwg y cyfnod *Bel canto* oedd Donizetti a Bellini. Mae'n siŵr fod alawon hudolus, hiraethus Chopin, yn enwedig y *Nocturnes* (Caneuon y nos) wedi dylanwadu cryn dipyn ar frawddegau llyfn *Bel Canto.* Blagurodd y cyfnod i'w anterth drwy gyfrwng operâu Verdi a Puccini ar drothwy'r ugeinfed ganrif. Gan mai operâu o'r cyfnod hwn sy'n cael eu perfformio amlaf heddiw, mae'n amlwg mai addysg dechnegol *Bel canto* sy'n cael ei hargymhell bennaf yn y colegau cerdd ac, o ganlyniad, mae cantorion yn cael eu hannog i weithio ar ganeuon syml Eidalaidd gan gyfansoddwyr fel Giordano, Scarlatti a Pergolesi, er mwyn datblygu atseinedd cynnes *Bel Canto.*

Mewn gwirionedd, enw parchus ar *vibrato* yw 'atseinedd'. Os yw'r *vibrato* yn araf, ceir yr effaith o *dremolo*, sef *wobble*, sy'n peri ansicrwydd yng nghlust y gwrandäwr sy'n ceisio dyfalu a ydy'r canwr yn canu un nodyn neu ddau. Y cyngor y byddwn yn ei gynnig fyddai *Don't create vibrato – feed off the natural vibrato of your voice*. Mae *vibrato* yn air diflas i lawer o gerddorion ac mae'n wir fod gwrando ar lais pan fydd gormod o *vib.* yn peri diflastod ... ond nid diffyg sylfaenol *vibrato* sydd ar fai ond yn hytrach ddiffyg yr unawdydd i reoli'r *vibrato*, hynny ydy, gwendid technegol. Os yw'r *vibrato* yn naturiol ac yn gyflym a'r gynhaliaeth anadl yn gadarn wrth lifo'n gyson i'r pen, fe fydd y sain yn atseinio heb straen ac yn taro'n swynol ar y glust ac ni fydd neb yn ymwybodol o bresenoldeb *vibrato*.

Mae sawl barn, wrth gwrs, ynglŷn ag ymarferion lleisiol, ond y neges fawr ydy – peidio â gwneud yr un ymarfer dro ar ôl tro, neu bydd yr elfen fecanyddol yn rheoli popeth! Mae hefyd yn hynod o bwysig esbonio wrth y canwr neu wrth gôr y rheswm dros weithio ar yr ymarfer penodol hwnnw ... er engraifft gwneud ymarferiad ar y llafariad 'a', gan bwysleisio bod angen tywyllu'r sain er mwyn ei gwneud yn fwy cron i osgoi sain rhy agored sy'n yn aml yn gysylltiedig â'r llafariad hon. Rwyf yn aml yn datgan fel a ganlyn, *the 'a' vowel is the first vowel we utter when we emerge from our mother's womb and some of us never recover from it.*

Rydw i'n cofio gweithio mewn dosbarth meistr gyda'r soprano byd enwog, Joan Sutherland ac roedd ei gŵr Richard Bonynge yno hefyd. Cododd un o diwtoriaid llais y Coleg Cerdd, sef Patrick Mcguigan, ar ei draed a gofyn *Do you practice any vocal excercises*? Edrychodd y soprano ar ei gŵr, a dweud *I don't think we do any, do we Richard? Except Bellini*! Y neges amlwg oedd fod cymaint o ymarferiadau lleisiol defnyddiol ac addas yn digwydd yn naturiol o fewn gwaith Bellini fel nad oedd pwrpas cynnal ymarferiadau ychwanegol. Rwy'n credu bod lle i ymarferiadau ond rhaid osgoi ailadrodd mecanyddol a chyflwyno'r ymarferiad gyda dychymyg a ffresni. Yn aml, byddaf yn llunio ymarferiad syml ac yn rhoi'r dasg i'r canwr gyflwyno'r ymarferiad yn null gwahanol gymeriadau, er enghraifft yr iarll, Count Almaviva, o *Briodas Figaro*, dyn cas iawn sy'n gweld byd y byddigions yn dymchwel o flaen ei lygaid. Wedyn, canu'r union un ymarferiad, gan ddychmygu eich hunan yn gwisgo mantell Peilat yn ei gyfyng gyngor ynglŷn â'r hyn yr oedd ar fin ei ddatgan am Grist; yna yr un ymarferiad eto fel pe bai Crist ei hun yn rhoi neges i'w ddisgyblion. Mae'r posibiliadau yma'n ddibendraw ac yn rhoi cyd-destun credadwy i'r ymarfer. Mae'r canwr wedyn yn anadlu mewn ffordd wahanol yn ystod pob ymarferiad ac yn dysgu rheolaeth benodol dros yr anadl, yn ogystal â sut i ysgogi'r anadl cywir er mwyn ymdopi â'r emosiwn sy'n gysylltiedig â'r cymeriad. Gyda phob cymeriad bydd y sain yn hollol wahanol a'r brawddegu'n hollol wahanol a'r cyfan yn cynhyrchu effaith gwbl wahanol. Trwy gyfrwng hyn oll, datblygir y grefft o anadlu gyda symbyliad, a chanu gydag arddeliad ... nid y canwr sy'n canu ond yn hytrach yr Iarll, Peilat neu Grist ... ac yn y blaen.

Bydd canu yr un ymarferiad ar lafariaid gwahanol ac ychwanegu ambell gytsain ar ddechrau gair yn rhoi ychwaneg o bosibiliadau i'r unawdydd ac mi fydd yn amlwg iawn mewn byr amser pa lafariaid sy'n gweithio orau yn ei lais, neu yn ei llais. Ond dyna ddigon am dechneg; rhaid imi dewi a dyma ddiwedd y bregeth.

I mi, mae geiriau un o ganeuon Schubert yn dweud y cyfan. Nid oedd Schubert yn mynd i elwa ar bob agwedd o'i gyfeillgarwch clòs â'r bardd Schober ond, yn sicr, bu geiriau *An Die Musik* (Teyrnged i Gerddoriaeth) yn ysbrydoliaeth iddo ac mae cân syml y cyfansoddwr yn crisialu ein profiadau ninnau wrth fwynhau cerddoriaeth: *Du holde Kunst ... hast du mein Hertz zu warmer Lieb entzunden ... in eine bessre Welt entrückt* (O gelfyddyd bur ... sydd wedi cynnau cariad mwy dwys yn fy nghalon ... ac sy wedi fy nhywys i mewn i fyd gwell).

Diweddglo

BREUDDWYDION

Y gred yw fod y rhan fwyaf o bobl yn breuddwydio mewn du a gwyn (adlais o'r hen ffilmiau du a gwyn efallai) .

Cefais fy ngeni ar Fehefin 17eg, yr un dydd o'r mis â'r cerddor Stravinsky. Mae o'n datgan ei fod yn breuddwydio mewn pinc a rhaid cyfaddef fy mod innau hefyd yn perthyn i'r rhai prin sy'n ymfalchïo mewn breuddwydion lliw – tri lliw ar unwaith yn fy mhrofiad i. Coeliwch neu beidio, y tri lliw sy'n llenwi fy nghwsg yw coch, gwyn, a glas ond peidiwch â meddwl am foment mai rhyw gariad mewnol cudd tuag at y *British Empire* sydd yma yn ceisio dianc o berfeddion fy isymwybod euog. Dim o gwbl! Mae'n siŵr bod cynnwys breuddwyd yn fwy pwysig na'r lliwiau allanol. Yn aml, rydw i'n clywed cerddoriaeth newydd offerynnol yn fy mreuddwydion, cerddoriaeth sy'n rhoi cyffro imi ac yn peri imi ryfeddu at wreiddioldeb a dyfeisgarwch yr hyn sy'n disgyn fel balm melys ar fy nglyw.

Mae'r holl brysurdeb breuddwydiol yn digwydd o fewn munud, meddwch chi, am eich bod wedi darllen y ffaith hon mewn llyfr. Na, meddaf i, mae'r gerddoriaeth rydw i'n ei chlywed yn llifo'n barhaus am gyfnod o ugain munud. Eto i gyd, cystal imi gyfaddef nad yw'r darn byth yn gorffen. Mae profiad y freuddwyd yn cael ei dorri yn ei flas pan fydda i'n deffro'n sydyn. Ond gwaetha'r modd, rydw i'n codi, ac er ymdrechu'n galed, ni fedraf gofio nodyn o'r hyn a glywais a bydd profiadau cerddorol fy mreuddwyd wedi mynd i ebargofiant.

Ond i daro nodyn mwy gobeithiol a hapus, ar yr adegau hynny pan fydda i'n methu â chysgu ac yn gorwedd yn fy ngwely yn ailadrodd llinellau cerdd John Morris-Jones 'Cwsg ni ddaw i'm hamrant heno', rwy'n bwrw iddi i ddatrys yn fy mhen ryw gornel mewn darn o'm heiddo sy'n peri trafferthion cerddorol imi a gwych o beth yw medru cofnodi 'mod i'n codi o'r gwely yn y bore, mynd i lawr at y piano ac, yn wir, mae'r gornel drafferthus bellach yn rhan esmwyth a diogel o'r cyfanwaith.

Mae gen i hefyd hen freuddwyd nas gwireddir byth – y freuddwyd honno yw fy mod yn derbyn comisiwn (gan bwy, tybed?) i sgwennu offeren i anrhydeddu Guto Ffowc a bod y perfformiad cyntaf yn cael ei gynnal yn Abaty San Steffan yn Llundain.

Eto i gyd, cefais gomisiwn i sgwennu anthem i gôr Cadeirlan y Pabyddion Westminster sef *Nunc Dimittis,* a hyn i ddathlu bywyd Sant John Roberts, Fra Juan de Mervinia (Meironnydd) y merthyr o Drawsfynydd ac un o gyfoedion Guto Ffowc. Yn sicr, roedd y ddau o'r un feddylfryd, yn danbaid dros y Ffydd Gatholig ac yn herio awdurdod y gyfundrefn. Dienyddiwyd John Roberts yn Tyburn ym 1610, gan ddioddef yr un gosb â Guto Ffowc a gafodd ei arteithio yna ei grogi, ei ddiberfeddu a'i chwarteru yn Westminster ym 1606. Roedd y dathliad hwn o fywyd Sant John Roberts yn deyrnged emosiynol a haeddiannol am oes o gyfraniad na chafodd ei gydnabod gan lawer o'n cenedl. Roedd fy anthem yn cael ei pherfformio yn y Gadeirlan Gatholig, heb fod nepell o Abaty San Steffan a Thŷ'r Cyffredin ym Mhalas Westminster, ac ar achlysur arall, roeddwn yn Llundain i gynnal rihyrsal gyda Chôr y Senedd.

Mae'r Arglwyddd Thomas yn aelod o Gôr y Senedd ac roedd wedi comisiynu gwaith i unawdydd, côr a cherddorfa gennyf, sef *Bells of Paradise* ar gyfer eglwys Gresford a'i chlychau (sydd wrth gwrs yn un o saith rhyfeddod Cymru). Roeddwn wedi cyrraedd yn fuan ar gyfer yr ymarfer hwn a chefais wahoddiad gan y Swyddog Diogelwch i fynd i lawr i berfeddion Palas Wesminster i weld yr amrywiol arteithiau dieflig a oedd wedi eu paratoi gan y Wladwriaeth ar gyfer hereticiaid a dihirod. Wedyn tywyswyd fi i'r ystafell rihyrsio lle roedd Côr y Senedd (yn cynnwys nifer o wynebau adnabyddus y byd gwleidyddol) yn aros amdanaf i ymarfer *Bells of Paradise,* gwaith a gyfansoddais ar eiriau'r bardd cyfriniol o dras Cymraeg, Henry Vaughan.

A dyma sylweddoli fy mod wedi fy nghludo o ddyfnder a thywyllwch eithaf Annwn i oleuni a gwynfyd Paradwys mewn llai na phum munud!

THE CAVALRY CLUB,
PICCCADILLY

Rydw i'n sgwennu hyn o eiriau yng nghyfnod Brexit, pan mae Prydain a Mrs May'n cymryd safbwynt 'styfnig a haearnaidd tuag at Ewrop a gweddill y byd, rhywbeth sydd wedi bod yn nodweddiadol o agweddau'r Ymerodraeth Brydeinig drwy'r oesoedd. Felly bydd rhaid i'r Cymro droedio'n ofalus pan fydd o fewn tafliad carreg i Balas Westminster.

Rhyw bedair blynedd yn ôl, ces wahoddiad gan yr Arglwydd Thomas o Gresford i ymweld â *The Noblemen and Gentlemen's Catch Club* (yn y cyd-destun hwn mae *catch* yn golygu 'cylchgan' neu 'dôn gron'). Meddyliwch, wir, am gerddor bach o'r Poncie'n cymdeithasu â'r fath haen uchel o Brydeinwyr. Ond roedd Martin Thomas yn ffrind personol ac wedi cefnogi a hyrwyddo fy ngherddoriaeth gyda chryn frwdfrydedd ac roedd hefyd hanes diddorol iawn i'r *Catch Club.* Cafodd ei sefydlu ym 1761 gan neb llai na'r Dr. Thomas Arne (y dyn a gyfansoddodd *Rule Brittania,* ffefryn y *Proms*) a bydd yr aelodau'n cyfarfod dair gwaith y flwyddyn, naill ai yn Nhŷ'r Arglwyddi neu yn y *Cavalry Club* yn Piccadilly. Roedd saith dug o dras brenhinol, tri ohonyn nhw i ddod yn frenhinoedd, wedi bod yn aelodau. Yn ogystal â'r gwledda a'r yfed gwin, bydd yr aelodau'n perfformio darnau o gerddoriaeth hynafol a chedwir y copïau mewn bocs yn yr Amgueddfa Brydeinig.

Roeddwn wedi derbyn cyfarwyddiadau manwl ynglŷn â sut i gyrraedd y *Cavalry Club;* cymryd y trên dan ddaear o Euston i Green Park a cherdded ar fy union o'r orsaf a dilyn y llwybr drwy'r parc am ryw filltir a hanner. Fel roeddwn i'n cerdded drwy'r parc, mi sylwais ar ddyn a chi, golygfa eitha cyffredin, meddwch chi, ond yn fuan roedd bwlch o ryw hanner canllath rhwng yr anifail a'i feistr ac roedd hwnnw'n ymddangos fel petai'n hidio dim oll am hynt a helynt ei gi. Roedd y ci yn loncian yn ddi-hid y tu ôl iddo ac yn amlygu gwybodaeth ryfeddol o sicr o'r *Highway Code,* gan aros yn amyneddgar i'r goleuadau newid cyn croesi'r ddwy stryd fawr a oedd yn taro ar draws y parc. Sylweddolais nad oedd rhaid imi boeni am y ci – mae'n amlwg mai dyma'r *norm* i Lundeiniwr pan fydd yn cerdded ei gi a chan fy mod innau bellach wedi cyrraedd pen fy nhaith roedd rhaid bodloni ar y ffaith y byddai'r ci yntau'n cyrraedd pen ei daith yn saff a dianaf wrth iddo ddilyn (heb fawr o frwdfrydedd) ôl traed ei feistr a oedd yn dal i gerdded yn ddidaro hanner canllath ar y blaen iddo.

Roedd pensaernïaeth ac awyrgylch fawreddog y clwb yn drawiadol, fel y cerddwn i mewn drwy'r drysau sylweddol. Bu'n rhaid imi egluro wrth swyddog (disgynnydd un o'r brodorion a fu dan deyrnasiad Prydain yng nghyfnod yr Ymerodraeth yn India) nad oeddwn yn arglwydd (er bod hynny'n weddol amlwg, mae'n siŵr) ond 'mod i'n aros i gyfarfod â'r Arglwydd Thomas o Gresford.

Roedd yn glamp o adeilad gyda grisiau i'w gweld ymhobman a dyddiadau o bwys yn hanes yr Ymerodraeth yn India yn cael eu cofnodi mewn lluniau a cherfluniau o farchogion milwrol a'r rheiny'n addurno pob twll a chornel o'r lle. Ni welais lun o Gandhi yno! Roedd moethusrwydd yn nodweddu popeth – ystafell ymolchi o gyfnod Fictoria, ystafell ar wahân ar gyfer darparu 'Haircut and Shave' – popeth i beri unrhyw arglwydd deimlo'n gyfforddus a mwy na bodlon ei fyd (ac eithrio absenoldeb dynes!).

Byddai noson arbennig yn cael ei threfnu'n ysbeidiol ar gyfer merched.

O dipyn i beth roedd rhyw drigain o arglwyddi, uwch-swyddogion milwrol, cyfreithwyr a phwysigion y byd academaidd wedi ymgynnull ac arweiniwyd pawb i mewn i ystafell fwyta anferth. Cyn bwyta cafwyd llwncdestun i'r frenhines ac i fwynhad cerddoriaeth.

Cyfarwyddwr cerdd y noson oedd Rodney Williams. Rydych chi'n gyfarwydd, mae'n siŵr, â'r traddodiad sy'n parhau hyd heddiw, sef defnyddio unawdydd trebl i ganu pennill cyntaf 'Once in Royal David's City' ar ddechrau'r gwasanaeth Nadolig o Goleg y Brenin, Caergrawnt – wel, Rodney Williams, yn naw mlwydd oed, oedd yr unawdydd trebl cyntaf un i ymddangos ar y rhaglen hyfryd hon pan ddarlledwyd hi am y tro cyntaf ar y teledu yn y Pum Degau.

Fformat y noson oedd bod Llywydd y Gymdeithas yn galw ar unigolyn i sefyll ar ei draed a chynnig enw un o'r caneuon a oedd yn y bocs. Rydw i'n cofio i ddyn a oedd yn edrych yn debyg iawn i aelod o'r teulu brenhinol godi a chynnig 'Flora gave me fairest flowers' gan John Wilbye ac roedd pawb yn cydweld – ar wahân i un llais amhersain a waeddodd *'Go back to India where you belong'*. Er bod tipyn o drafod hwyliog ond difalais yn dilyn pob cynnig am gân, gan amlaf byddai'r cynigion yn cael eu derbyn a byddai'r cwmni'n codi a cherdded ymlaen i wynebu'r arweinydd, sef Rodney Williams, yna tynnid y copïau o'r bocs a'u dosbarthu rhwng yr aelodau a byddai'r darn yn cael ei berfformio gyda chryn hyder a mwynhad, er rhaid cyfaddef bod nifer fach o gantorion proffesiynol yn cael eu llogi, bob amser, i roi sail gadarn i'r perfformiadau. Roeddwn wedi cyfansoddi *catch*, tôn gron, ar gyfer y noson 'Lord Thomas's Round', a phan eglurodd fy ffrind, Martin Thomas, fod y cyfansoddwr yn bresennol ac yn mwynhau'r noson, cafwyd banllefau o gymeradwyaeth gan y boneddigion. Roedd Martin wedi trefnu mai fi oedd i arwain y cyfansoddiad newydd hwn, a cherddais ymlaen, sibrwd yr amseriad wrth y tri unawdydd proffesiynol a oedd i gyflwyno'r darn yn gyntaf ac i ffwrdd â ni heb unrhyw rihyrsal – antur gyffrous a llwyddiannus.

Ar ôl i'r tri unawdydd dderbyn cymeradwyaeth frwd am eu camp, mi ddaru mi ddatgan 'mod i am i'r cwmni cyfan ganu'r darn newydd o'u heisteddleoedd wrth y tri bwrdd a oedd wedi eu gosod ar wahân; roedd hyn yn hwyluso pethau, gan mai ar gyfer tri llais roedd y *round*. Dosbarthwyd y copïau a chafwyd perfformiad afieithus a phob bwrdd yn cymeradwyo ei gilydd a phawb yn cymeradwyo'r Cymro o gyfansoddwr a oedd wedi ymuno â'r gymdeithas hynaws hon am un noson.

Er mai cael hwyl a sbri a difyrrwch oedd amcan yr achlysur, roeddwn yn ymwybodol iawn fod pob un o'r aelodau'n medru darllen cerddoriaeth ac roeddwn hefyd yn hynod o falch fod 'Lord Thomas's Round' bellach yn ymuno yn y bocs â cherddoriaeth Thomas Arne, Henry Bishop, Stainer ac eraill ... roeddwn yn rhan o draddodiad gwerthfawr.

Fodd bynnag, gwireddwyd un freuddwyd ar Hydref 21, 2018, yn Neuadd Hoddinott, Caerdydd, pan gafwyd perfformiad cyntaf *The Sorrows of the Somme*. (Clywais fod un o'r Arglwyddi, wythnos yn ddiweddarach, wedi cyfeirio at y gwaith a'r perfformiad yn ystod trafodaeth yn Nhŷ'r Arglwyddi.)

Mae'r gwaith ar raddfa eang ar gyfer corau, unawdwyr, a cherddorfa ac yn rhyw awr a hanner o hyd. Côr Ieuenctid Cymru a C.Ô.R. (Côr Osian Rowlands), Carly Owen, Joshua Owen Mills, Robert Davies a Cherddorfa Ieuenctid Cymru oedd yr artistiaid a'r cyfan dan arweiniad meistrolgar Gareth Jones. Roedd yr Arglwydd Thomas o Gresford (noddwr a ffrind) wedi fy ysgogi i feddwl am sgwennu'r gwaith, ryw bedair blynedd ynghynt, ac wedi nifer o ymdrechion (ofer) i'w lwyfannu daeth Tŷ Cerdd a Chyngor Celfyddydau Cymru i'r adwy a phleser mawr yw medru datgan bod y perfformiad (yn fy 80fed flwyddyn) yn llwyddiant tu hwnt. Nid yw'r gwaith yn clodfori rhyfel nac ychwaith yn fyfyrdod am golledion dynol ond yn hytrach mae'n gondemniad ar styfnigrwydd awdurdodau ac yn weddi am faddeuant, am gymod ac am obaith i'r dyfodol. *No man is an island entire of itself; every man is a piece of the Continent, a part of the main; ... any man's death diminishes me, because I am involved in Mankind* (John Donne).

Nid wyf wedi sôn am fy nghred a'm crefydd bersonol yn y gyfrol fach hon (rhywbeth cyfrin rhwng Duw a dyn yw hwnnw ac nid wyf am iddo gael ei wneud yn destun cyhoeddus). Clywais Gareth Pritchard Hughes yn adrodd hanes Syr Idris Foster yng Nghymdeithas Lenyddol Owain Cyfeiliog, yn Llangollen, flynyddoedd yn ôl, pan ofynnodd Euros Bowen iddo pam nad oedd wedi cyhoeddi cyfrol ar ei ymchwil oes ar chwedl *Culhwch ac Olwen* (cwestiwn tra sensitif, ar y pryd!). Daeth allan ohoni yn ei ddull dihafal, 'Euros bach, 'dych chi am imi wneud pwnc cyffesgell yn destun seiat, rŵan'. A dyna'n union fy ymateb innau ar fater crefydd bersonol.

Er nad wyf mwyach yn mynychu'r oedfaon yng Nghapel Bethlehem (*lapsed* Annibyn), roedd y man cysygredig hwn, wrth ochr tafarn y *Sun* yn y Gornel, yn annwyl iawn yng ngolwg fy mam, ac rwyf innau'n mawr obeithio y bydd cerddoriaeth, ar ei newydd wedd efallai, yn atseinio o fewn ei furiau yn y dyfodol.

Rwy'n hoff o freuddwydio, yn hoff o liwiau a phatrymau dethol ond mae'n gas gen i bobl yn chwifio baneri neu'n gwisgo rhyw arwydd allanol sy'n datgan i'r byd a'r betws eu bod yn perthyn i genedl neu sect arbennig a bod hyn yn eu gosod ar wahân i'r gweddill ohonom. Y gwir yw ein bod i gyd yn wahanol ond eto hefyd yn perthyn i'n gilydd, gan ein bod oll yn rhan o ddynoliaeth, yn rhan o lwch y llawr:

Na alw monom, Grist, yn ddrwg a da,
Saint a phaganiaid, ffyddiog a di-ffydd,
Yn dduwiol ac annuwiol, caeth a rhydd,
Yn gyfiawn ac anghyfiawn – Trugarha,
Canys nid oes un gaeaf nad yw'n ha'
Na chysgod nos nad yw'n oleuni dydd.

(*Gwahaniaeth*: T.H. Parry-Williams)

Maddeuwch imi, y cerddor bach o'r Poncie, am feiddio trafod pynciau dyrys dynoliaeth. Rwyf am roi taw arni rŵan a gadael i'm cerddoriaeth siarad drosof. Diolch am wrando.

ATODIAD 1

RECORDIAU A CDs CANTORION CYNWRIG A CHÔR MERCHED ALUN, YR WYDDGRUG

Yr unig berfformiadau a recordiwyd tra oedd côr Cantorion Cynwrig yn ei anterth oedd tair record gan Gwmni Sain, sef chwe threfniant gen i (*Robin Ddiog, Carol y Proffwydi, Paid â deud, Y march Glas, O Dere, Dere,Si hei lwli*) ar y record **Canu'r Werin (Sain 1972)** ac ar y record clywir hefyd leisiau Meredydd Evans, Myron Lloyd, ac Elfed Lewis).

Yna cafwyd chwe charol (trefniannau Dr. Caradog Roberts o *Roedd yn y wlad honno, Yn nhawel wlad Jiwdea O deued pob Cristion* a'm trefniannau innau o *Myn Mair, Ar fore dydd Nadolig, Hen Dôn y Ficer* ar y record EP **Ar Fore Dydd Nadolig (Sain 1972**)

Y drydedd record oedd **Dan ei Faner Ef (CR Sain 1978)** (bellach ar gael ar CD) – record o 22 o emyn-donau, corganau ac anthem Salm 23 gan Caradog Roberts a recordiwyd pan ddathlwyd canmlwyddiant ei eni.

Ymhen blynyddoedd, ar ôl i'r côr ddod i ben ym 1981, mi roedd rhai o aelodau'r Cynwrig yn gofidio nad oedd CD ar gael i roi ar gof a chadw yr holl weithgarwch a ddigwyddodd rhwng 1966 a 1981.

Felly mi ddechreuon ni gasglu rhai o'r darnau roedd nifer o aelodau'r côr wedi eu recordio ar gasetiau a thapiau Roedden nhw'n amrywio'n fawr o ran safon recordio. Penderfynais ddewis 26 o'r goreuon, cytunodd Dafydd Iwan â'r syniad a gwnaeth Siwan Lisa Evans o gwmni Sain wyrthiau yn twtio, golygu, glanhau ac ail-feistro'r tapiau. Dyna'r cefndir i 'r CD a ryddhawyd dan yr enw **Cantorion Cynwrig 1968-81 (Sain 2001).**

Yna, yn 2011, fe'm perswadiwyd bod 26 o ddarnau gwrthodedig y rhestr fer ar gyfer y CD blaenorol yn haeddu rhywfaint o sylw. Y tro hwn, Cedric Jones (Cwmni Andante) a wnaeth waith gwyrthiol yn paratoi'r darnau a ddewisais ar gyfer y CD **Cantorion Cynwrig**

1966-81 (Andante; 2012) , disg sy'n cynnwys 26 o ddarnau gan ddilyn trefn gronolegol y cyfansoddiadau o'r 16eg ganrif hyd yr 20fed ganrif.

RECORDIAU CÔR MERCHED ALUN, YR WYDDGRUG

The Alun Madrigal Singers (EP Dryw 1967)
Sonata in A (Mozart) ; *Deaf Boatman; Cwyn mam; Air* (Handel), *Bourée, Dod dy law; Deryn y Bwn.*

Alun (Mold) School Choir (Teledisc 1968)
Brothen, Nant y Mynydd; Tic Toc (Couperin), *The Hebrew Children; The Virgin Mary* (Trefniannau J. Brian Hughes).

ATODIAD 2

SYLWADAU AC ADOLYGIADAU

Joseph Ward O.B.E.
Brian conducted my production of Britten's Billy Budd in Brisbane – Australia.

Quote "If Hitler had had that voice, he would have won the war" – to a particularly sour sounding "Squeak" (cymeriad trwynsur ac amhoblogaidd yn yr opera).

Quote "you sound like a lot of little boys ... and I don't like little boys" to chorus men when whipping them into shape.

During our days together at the RNCM:

There would never be enough tenors or baritones or mezzos in the chorus (there were plenty of sopranos) and Brian would come to me and demand that I find him the forces he needed to ensure the excellence of sound which his high standards required ... he always got his way (thank goodness) but where we found the added forces from I will never exactly know ... but we (he) did! As Head of Opera and Vocal Studies I received a lot of personal acclaim – but I could not have achieved the success without the amazing Brian – whose great talent played such an enormous part in establishing the RNCM as Europe's leading training establishment for Opera Singers.

Brian is the greatest chorus master I have ever encountered. He is a wonderful musician and commands the respect and admiration of all those fortunate enough to work with him! I shall be forever grateful that the Principal of the RNCM, Sir John Manduell, brought our talents together. The three of us were a force to be reckoned with, and I cannot think of that period in my life without the feeling that "it was the best". Thank you Brian for your selfless work, energy devotion to duty and your sense of humour. Your great success is largely due to your refusal to accept defeat and you certainly set a high standard during our period together, that compelled all of your colleagues to attempt to match. You have admiration, gratitude and affection always. Joseph Ward OBE (formerly Head of

School of Vocal Studies and Opera Department) Royal Northern College of Music) 30th October 2000, Brisbane – Australia.

Sir John Manduell (Cyfansoddwr a Phennaeth Coleg Cerdd Brenhinol Manceinion)

Brian Hughes – Musician. Anyone charged with describing in words the many admirable attributes to be found in Brian Hughes, the musician, has a considerable task on his hands. For a start he must wrestle with the remarkable versatility of the man: as a composer, as a pianist, as vocal expert and chorus master. And then, when those elements are satisfied, he must seek to encompass comment upon those less immediately definable qualities which Brian Hughes enjoys in plenitude: invigorating energy, perceptive analysis and assessment, and perhaps above all and most precious of all, an unerring sense of style. The result is a sense of wholeness and satisfying fulfilment of an order rare in any one musician.

Let me first focus on Hughes the composer since, as a composer myself, I perhaps find this as the most natural first choice if only because some at least, and posterity certainly, would regard this as the most important facet of Hughes' work.

Much of it has concentrated upon choral music, and it is undoubtedly true to say that he has an unnatural gift for writing for voices. He understands them so well and knows so intimately what they can do best that the results are profoundly satisfying.

The area where Hughes' considerable abilities have yet to be fully recognised lies in his writing for instrumental resources and above all his ability to handle a large orchestra. There he is technically sure-footed and consistently imaginative. I very much hope that more opportunities to write for large orchestras will be offered him. Hughes' natural affinity with the human voice, to which I have referred in relation to his considerable capacities as a composer, is particularly strongly realised in respect of his work with choirs. In this area he has especially excelled in two specific spheres: the fine Welsh choral tradition and, above all, opera choruses. I have extensive experience of his work as chorus master in opera and can state, without fear of contradiction, that it is never less than outstanding; the results are powerful and vibrant, and invariably satisfyingly distinguishing feature of any opera company with which Brian Hughes is associated.

There is manifestly much more I could add to this brief portrait of the versatile and gifted musician who is Brian Hughes. For instance, about his natural talents as a pianist, an ability he has largely deployed in vocal contexts. But I must end with the man: a nicer man and a more loyal, helpful and enthusiastic colleague it would be hard to find. It is both stimulating and fun to work with him. As a result, music in its many facets is infinitely the richer for his varied and gifted contributions.

Sylwadau Michael Kennedy (darlledwr ar Radio 3, awdur ac adolygydd cerdd y *Daily Telegraph*)

Brian Hughes's contribution to the success of RNCM operas and choral performances can hardly be exaggerated, for he is by any standard a leader in his field.

Adolygiad yn y *Daily Telegraph* wedi perfformiad y coleg o *Billy Budd* ym 1984 gyda Joseph Ward yn cynhyrchu a J. Brian Hughes yn gyfrifol am y corws):

All previous college achievements had been surpassed in a production which confronts head on and overcomes the challenges of Britten's great opera ... and throughout there is the superb chorus almost unbearably moving in the 'Hilo' chorus.

Ar ôl perfformiad *Child of our time* (Tippett) 1988:
The composer was moved to tears
(Music Enriches All – The Royal Northern College of Music – The First Twenty-One Years).

Andrew Porter yn y *Financial Times* wedi perfformiad y coleg o *Rake's Progress* (Stravinsky) ym 1973

... one of the finest opera choruses it has ever been my delight to encounter, strong and clear in tone, precise in attack and in chording and splendid actors all, moving with an ease, a naturalness and an absence of fuss seldom seen on the professional stage.

Richard Mills (Ymgynghorydd Artistig Cerddorfa Symffoni Queensland

(Ym 1993, treuliais dri mis yn Awstralia yn paratoi unawdwyr a chorws *Queensland Conservatorium of Music* ar gyfer perfformiad o *Billy Budd* (Britten) gyda Joseph Ward yn cynhyrchu. Wedi'r perfformiad olaf, derbyniodd Anthony Camden, Athro'r Adran Gerdd, Profost a Chyfarwyddwr y Coleg lythyr gan Richard Mills (Ymgynghorydd Artistig Cerddorfa Symffoni Queensland.)

Just a short note to congratulate the Conservatorium on both the courageous decision to perform Billy Budd and last night's splendid performance of this great work. It took me hours to get to sleep after one of the most satisfying, engaging and thrilling evenings of opera I have ever attended in Australia ... The performance was an example of a magnificent ensemble achievement – so rare today, even in the great houses, it was a privilege to attend

John Eifion

Athrylith ym maes hyfforddi canu yw Brian Hughes. Fe wn i hynny o brofiad blynyddoedd. Bu ei hyfforddiant yn amhrisiadwy.

Y Rhuban Glas Gwobr Goffa David Ellis 1943-2000 – R. Alun Evans (Gwasg Gomer 2000 td. 113)

Classical CD Review Adolygiad ar CD Byd o Heddwch (World in Union) Côr Godre'r Aran. SAIN SCD2394 [JQ]:

There are no notes about the music itself and that's especially unfortunate when it comes to John Brian Hughes 'Surge Illuminare'. I imagine this setting of Latin words from Isaiah is a fairly recent piece. It's a dramatic, exciting item and makes a strong impression, especially when it's as well performed as is the case here. Hughes makes great play with propulsive rhythms in both the choral parts and the piano accompaniment. I would imagine it's the most musically challenging piece on the disc and the standard of the performance shows the musicianship of the choir.

Rhys Meirion – Tenor

Brian Hughes has a whole-hearted passion for composition, which coupled with a boundless enthusiasm and a unique understanding of vocal and choral technique produces works of exciting originality that encompasses all emotions.

A composer ... of dedication to the achievement of high standards of performance – standards reflected not merely in brilliance of effect but also in the far more testing matter of musical phrasing and characterization.

Ac eto, yn dilyn cyfnod o weithio gyda fi ar gyfer rhaglen ar Radio Cymru i ddathlu fy mhen-blwydd yn bedwar ugain oed:

Dwi wedi bod mor lwcus o ddod i adnabod pobl arbennig iawn yn fy mywyd. Pleser pur cael treulio diwrnod yng nghwmni'r athrylith yma heddiw. Hel atgofion a chanu ambell gân ar gyfer rhaglen yn dathlu penblwydd arbennig y cerddor Brian Hughes.

Neil Barkla – Daily Post

A recital by the Cynwrig Singers under their conductor J.Brian Hughes, was a notable part of the evening and produced singing of quite outstanding brilliance.

Iorwerth Roberts (Gŵyl Gerdd Ryngwladol Gogledd Cymru 1974)

The concert of choral music by the Cynwrig Singers, supported by the Gabrieli Brass Ensemble was an experience in itself. The Cynwrig singers added a new dimension in choral singing, their repertoire being perfect for the occasion.

Dr. Terry James – Arweinydd

Brian Hughes has played an important role in the musical life of Wales in many ways. Testament to his versatility is the fact that he has excelled as a conductor, vocal consultant, accompanist, and perhaps most of all as a composer. The hallmark of his work is the originality of his writing, exploring different colours, forms and textures. Wherever there is vocal music making in Wales, a choral work or song by Brian Hughes will be performed!

Ymatebion i berfformiad cyntaf Sorrows of the Somme yn Neuadd Hoddinott Caerdydd ar 21 Hydref 2018).

Mair Carrington Roberts

Cafwyd gwledd o berfformiad o'r gwaith newydd arloesol yma gan Brian Hughes, i gorws, unawdwyr a cherddorfa ... Roedd cynulleidfa Neuadd Hoddinott ar ei thraed ar ddiwedd y perfformiad yn cymeradwyo'r arweinydd, y datgeinwyr a'r cyfansoddwr ... Fy ngobaith i yw y ceir perfformiad o *Sorrows of the Somme* mewn Cadeirlan yng Nghymru yn fuan, fel y caiff cynulleidfaoedd newydd rannu'r profiadau ysgytwol ac ysbrydol a gawsom ni.

Diolch i Brian Hughes am ei ymroddiad a'i weledigaeth ac am y campwaith sy'n garreg filltir arall yn ei yrfa ac yn ychwanegiad o bwys i ganu corawl Cymru a Phrydain.

David Alston (Cyfarwyddwr Celfyddydau Cyngor Celfyddydau Cymru)

People were gripped and moved by the music, the scenario and settings of the words, the poignancy and the drama and spirit of the work. It is a great piece with some extraordinary moments.

ATODIAD 3

Rhestr o gyfansoddiadau a threfniannau J. Brian Hughes yn ôl eu categorïau.

Pob gwaith gyda chyfeiliant piano oni nodir yn wahanol.

SATB Chorus
Parrot
Music for Tomorrow Night – (digyfeiliant)
Deilen
Noa – cyh. Curiad
Liw Nos
Mae'n grêt efo het – (digyfeiliant)
Jesu of a maid – (digyfeiliant)
March Glas – tr.
Epitaph – (digyfeiliant)
Cwsg Hir
Adar: (a) Ceiliog ffesant – (b) Y Gylfinir – (c) Yr Aderyn
Geni Crist – (digyfeiliant) – cyh. Curiad
Ffair Abergele
Noa (cyfansoddiad gwreiddiol) – cyh Curiad
I Wraig Fonheddig Neuadd Llanarth – (digyfeiliant)
Crist gwyn
Cilmeri – Piano, trwmped, telyn, offerynnau taro
Caneuon dwys a digri – (digyfeiliant) cyh. Curiad
Terfysg
Melangell – gyda chloch
Psalm Verses – gydag organ – cyh. Samuel King
Fragments – (digyfeiliant)
Music when soft voices die
Ar fore dydd Nadolig – tr. o alaw werin
Jonah – (digyfeiliant)
Norah – Unawdyd a chorws
Robin Ddiog– (digyfeiliant)
Hiraeth – tr. (cyh. Curiad)
Cariad cyntaf – tr. (cyh. Gwynn)
Grace for Peterhouse – (digyfeiliant)
Pacem

Corws Meibion TTBB
Jonah – (digyfeiliant) – (cyh. Goodmusic)
Bywyd Y Bugail – (cyh. Curiad)
Alison Gross
Omnes gentes Salm 47 – (cyh. Curiad)
Tom, Tom the piper's son gyda Deuawd Piano
Gwyniad
Y Cobler Coch
Dominus regit me Salm 23 – (cyh. Curiad)
Hwb i'r galon – tr. Alaw werin
Rex Israel – piano + 2 drwmped
Lisa Lân – tr. (cyh. Curiad)
A ei di'r deryn du? – tr. o alaw werin
Hen Ferchetan
Surge Illuminare (o'r gwaith Pren Planedig)
Die Ehre Gottes – tr o Beethoven – (cyh. Curiad)
Fidele – (digyfeiliant)
Tyger Tyger
Hiraeth – tr. (cyh. Curiad)
Rock of ages – tr. o *In Memoriam*, Caradog Roberts

Côr Merched SSAA
Deryn y Bwn – tr. o alaw werin; digyfeiliant (cyh. Gwynn)
Carmina Sirenum – Piano a ffliwt
Gloria – Piano, Fiolin (2), Clarinét, Offer Taro
Blodeuwedd – Telynau (2)
Salm 137 – (digyfeiliant)
A Hymn to the Virgin – Velud Maris Stella – digyfeiliant
Lament for Bosnia – (digyfeilint) cyh, King
Ar Fore Dydd Nadolig – tr. o alaw werin (digyfeiliant) cyh. Curiad
Myn Mair – tr. o alaw werin (digyfeiliant)
Hen Benillion – (digyfeiliant)
Awn allan fwyn forynion (digyfeiliant)
Hiraeth – tr.

Côr Plant – Lleisiau Trebl
Yr Hogyn Pren – hyd 25 munud
It is for man – Deuawd piano hyd 22 mins
Wil
It was a lover and his lass
Mis y Mêl – Piano ac offer taro

There was an old man – Piano a fersiynau (digyfeiliant) cyh. Curiad
Five Japanese Nursery Songs
Tair o ganeuon i blant: (a) Y fflam – (b) Y ddwy ŵydd Dew (c) Guto Benfelyn
Y ci coch – (cyh. Samuel King)
Ga' i fenthyg ci? – (cyh. Curiad)
I'm owre young to marry yet
Hiraeth – tr. (cyh. Curiad)

Caneuon gyda phiano oni nodir yn wahanol:

Soprano
Three Shakespearean Songs (1998): (a) Fear no More (b) Under the Greenwood tree (c) Fall fathom five
Under the Greenwood tree (2016)
Ave Maria – (digyfeiliant)
Mae'n wir

Mezzo
Heaven – Haven – Mezzo neu gontralto
Huna blentyn – tr. gyda chorws TTBB os mynnir
Y Ceiliog
Mae'n wir

Tenor
Cathl i'r eos
Rhyfel
E – pistol
Mae'n wir

Bariton
Bring us in good ale
Day after Day
Lavernock
Pili pala
The Hippopotamus
Y Ceiliog

Bariton / Mezzo
Darkness comes psalming (6 cherdd gan Dylan Thomas)
Myfanwy – tr. cerddorfa
Mae'n wir

Cerddoriaeth offerynnol
Sonatina – Ffliwt a phiano
Quando – Clarinét a phiano
Quintet – Fiolin, clarinét, corn, *cello*, piano
Hen ferchetan – Corn, pedwarawd llinynnol, soprano
Pieces for Miriam (tri threfniant o alawon Celtaidd) – Ffliwt a phiano cyh. Samuel King)
Arithmetical Bagatelles – Deuawd piano
Radices – Unawd piano
Searching – *Cello* a phiano
Clarinopia – Chwe Clarinet
Flutopia – chwe ffliwt

Gweithiau Cerddorfaol
Dadl Dau – Cerddorfa symffoni lawn (hyd 5 munud)
What's next – Cerddorfa symffoni lawn (hyd 6 munud)
Strata – Pedwarawd llinynnol + cerddorfa fawr– (hyd 8 munud)
Tanau – Cerddorfa a Band Pres – (hyd 17 munud)
Trafod – 3 Ffliwt, Offerynnau taro, Llinynnau – (hyd 24 min)
Troad – Cerddorfa (hyd. 8 min)
Marw'r ehedydd – Llinynnau, offerynnau taro a chorn (10 munud)

Opera
Stars and Shadows – Cast mawr a cherddorfa siambr – (hyd 60 munud)

Corawl gyda Cherddorfa
Salm i'r Creaduriaid – (hyd 25 munud)
Te Deum – Unawdwyr Soprano & bas, Corws SATB a cherddorfa fawr – (hyd 55 munud)
Pren Planedig – Unawdydd Soprano, Corws TTBB, Ffliwt, Clarinét, Corn, Telyn, Piano, offer taro, 6 *cello* – (hyd 50 munud)
Requiem – Unawdydd Tenor Corws SATB & TTBB, fiolin, piano, offerynnau taro – (hyd 58 munud)
Bells of Paradise – Unawdydd Soprano, Côr SATB, Cerddorfa (2 Ffliwt, 2 Obo, 2 Clarinét, 2 Baswn, 2 Corn, 2 Trwmped, 3 Trombôn, Organ, Offerynnau taro, Telyn, Llinynnau) – (hyd 40 munud)
Sorrows of the Somme – Soprano. Tenor, Bariton, Llefarydd, Cerddorfa a Chôr SATB (90 munud)

Catalog recordiau a Pherfformiadau
Catalog Recordiau
Côr Godre'r Aran – Byd O Heddwch / World In Union Track 5: *Surge Illuminare*. B. Hughes. Cyfarwyddwr Cerdd: Eirian Owen Cyfeilydd: Rona Jones © Sain. Wales.com 01286 831 111 Ref: Sain SCD2394
Cantorion Cynwrig 1968 – 81 / The Cynwrig Singers 1968 – 81 Music Cyfarwyddwr Cerdd: J. Brian Hughes Piano: Rona Jones, Colin Jones Organ: Colin Jones, Geoffrey Knowles Soloists: Elfed Lewis, Pamela Davies Tracks *1, 2, 3, 4, 6, 7, 16, 17, 19, 20, 21* © Sain.Wales.com 01286 831 111 Ref: Sain SCD2282
Cantorion Cynwrig 1966–1981 / The Cynwrig Singers 1966–81 Cyfarwyddwr Cerdd: J. Brian Hughes Piano: Rona Jones, Organ: Geoffrey Knowles © Andante, Ref: AND11012

CDs eraill sy'n cynnwys cerddoriaeth

Brian Hughes
'Rachmaninov to Rutter' – CDBM323
Sirenians 'Jonah' 'Sirenians' – SCD2420
Sirenians Christus natus Geni Crist Trac 8 Sain SCD2564
Four Welsh Folk Songs, Epitaph 'Caneuon Jeremy' – SCD2266
'Bring us in good ale'
Côr Meibion Rhosllannerchrugog – 'Spectrum' – RMVCD1 *'Lisa Lân', 'The Case of the Stolen Pig', 'Y March Glas'*
Côr Meibion Rhos Noe! Noe! Trac 14 *Mae'n Wir (Sain* SCD 2708) (2014)
Côr Meibion Rhos – 1891 – *Rex Israel* Trac 6
Pembrokeshire Youth Choir' – SCDC2082
Psalm Verses.
'Gloria' – SCD2201
Te Deum – Foxglove Records 'National Youth Choir of Wales' – HAVPCD227
Aderyn' 'Côr Merched Edeyrnion' – Sain SCD2201
Gloria 'Celticae' – Sain SCD2490 Llais Tenor gyda cherddorfa Trefniannau o ganeuon Celtaidd
Diversity – Cameo 2073 Bagatelles a gyfer deuawd piano.

Perfformiadau
Gŵyl Gerdd Ryngwladol Gogledd Cymru Cadeirlan Llanelwy. Medi 2005
St.John Roberts Requiem. Ar gyfer unawdydd tenor, corws cymysg a chôr meibion unawdydd fiolin, offerynnau taro, a phiano, Arweinydd

Brian Hughes. Côr Meibion Trelawnyd Male, Sirenian Singers
Noson Olaf Proms Cymru; Neuadd Dewi Sant, Caerdydd Gorffennaf 2003. Perfformiad cyntaf y gwaith comisiwn *Tanau* yn seiliedig ar gerdd a sgrifennodd I.D. Hooson ym 1943
Cerddorfa Ffilharmonig frenhinol Lerpwl. Arweinydd: Owain Arwel Hughes

Buy As You View Band Cory.

Pren Planedig. Gwaith i unawdydd soprano, Corws Meibion a Cherddorfa. Comisiynwyd a'i gyhoeddi gan Laudamus (Consortiwm o Hogia'r Ddwylan, Godre'r Aran and Chôr Meibion y Rhos. Noddwyd gan Grant Loteri *Arts For All* a Chynghorau Bwrdesidref Wrecsam. Ynys Môn, a Gwynedd.
Arweinydd Brian Hughes; Neuadd P.J. Bangor, Neuadd William Aston Wrecsam a Chanolfan y Bala 2002; Eisteddfod Genedlaethol Meifod 2003.

Requiem for John Roberts. Ar gyfer unawdydd tenor solo, corws cymsg a chôr meibion, unawdydd fiolin, offerynnau taro, a phiano. Comisiynwyd gan Traws-Newid gyda nawdd ariannol gan Gyngor Celfyddydau Cymru a Chronfa Arbrofol Eryri. Perfformiad cyntaf yn – Eglwys St. Madryn, Trawsfynydd. Mawrth 26ain 2005.
Cameo 2013

ATODIAD 4

DARNAU A DDYSGWYD GAN GANTORION CYNWRIG

Crefyddol
Ave Verum (Bruckner)
Locus Iste (Bruckner)
Pange Lingua (Bruckner)
Christus factus Est (Bruckner)
Veni creator spiritus (Berlioz) **(m)**
Ave Verum (Byrd)
Surge Illuminare (Byrd)
O Crux benedicta (Clemens non papa)
O Vos Omnes (Cruce)
O Lord increase my faith (Gibbons)
Cymer Arglwydd f'einioes i (Gibbons)
Lord Jesus Think on Me (Gibbons)
Ecce Quomodo (Handl)
Resonet in laudibus (Handl)
Bells of Paradise (tr. J. Brian Hughes)
Innsbruck (Isaac)
Hyfryd Lais (John Owen Jones)
Crucifixus (Lotti)
All thy works shall praise thee (Mathias)
O Sacrum Convivium (Messiaen)
Ave Verum (Mozart)
Sancta Maria K273 (Mozart)
Kyrie K33 (Mozart)
Super flumina Babylonis (Palestrina)
Canite Tuba (Palestrina)
O beatum et sancrosanctum diem (Phillips)
Four Motets (Poulenc)
En Natus Est (Praetorius)
Tantum Ergo (Schubert)
O Nata Lux (Tallis)
Cherubic Hymn (Tchaikovsky)
Iesu Dulcis (Vittoria)
Make we joy (Walton)
Bethlehem Down (Warlock)
Alleluia (Weelkes)

Trefniannau J. Brian Hughes
Angels from the realms of glory
Ar fore dydd Nadolig
Ar gyfer heddiw'r bore
Bellman's Carol
Bells of Paradise
Carol y Proffwydi
Hen dôn y Ficer Pritchard
Cwm ba ya
De virgin Mary had a baby boy
Infant Holy
Lord Jesus think on me
Myn Mair
Were you there?
Sans Day Carol
Silent Night
Stille Nacht
Swing Low
Wells New (Bortniansky)
O little town of Bethlehem (Walford Davies)
Beloved let us love (Gibbons)
Engyl Gwynfa (Richard Mills)
Personet in Hodie (Holst)
Ein feste burg (Luther)
Hwiangerd Mair (Haydn Morris)
Dona Nobis (Rossini)
Mannheim (Hassler)
Tua Bethlem Dre (David Evans)
Wilton Square (Megan Watts Hughes)
Cheshire Souling Song (Humphries)

EMYNAU ANTHEM A THREFNIANNAU

Dr Caradog Roberts
Yr Arglwydd yw fy Mugail (Anthem)
Blaenbryn
Benise
Berwyn
Cymundeb
Dan dy fendith
Edryd

Gweddi wladgarol
Gweddi'r Arglwydd
Gwendoline
Heatherdale
In Memoriam
Iola
Louvain
Margaret
Marian
Nansi
Newark
Rachie
Roedd yn y wlad honno (tr.)
Rhagluniaeth
Rhos
Stella
Vilda
Poland (tr.)
Jwdea (tr.)

Kantate Rhif 11 Lobet Gott (Bach)
Kantate Rhif 22 (J.S. Bach)
Kantate Rhif 38 (J.S. Bach)
Kantate Rhif 78 (J.S. Bach)
Jesu Joy of man's desiring (J.S. Bach)
Emyn y greadigaeth (Beethoven)
Shepherd's Farewell (Berlioz)
Veni creator spiritus (Berlioz) ***(m)***
Adoremus Cherubic Hymn No 7 (Bortniansky)
Mor hawddgar yw dy bebyll di (Brahms)
Offertorium (Bruckner)
Ecce sacerdos (Bruckner)
Hymn to the Blessed Virgin Op 43 No. 6 (Tchesnokov)
Eia Mater (Dvořák)
Maria Mater Gratiae (Fauré) m
Jubilate Deo (Gabrielli)
Credo (Grechaninov)
Your voices raise (Handel)
Zadok the Priest (Handel)
Psalm 90 (Charles Ives)
Psalm 150 (Charles Ives)

Turn ye, turn ye (Charles Ives)
The Lord's my shepherd (Brother James arr, G. Jacobs)
Via Crucis (Liszt)
Na foed it fraw (Mendelsohn)
Beatus Vir (Monteverdi)
Kyrie K33 (Mozart)
Sancta Maria K273 (Mozart)
Gloria in Excelsis (12th Mass Mozart)
Magnificat (Pachelbel)
Beati omnes qui timent dominum (Purcell)
Ave Maria (Rachmaninov)
Saul. Saul (Schütz)

Herr unser Herrscher (Schütz)
Ave Maria (Stravinsky)
Pater Noster (Stravinsky)
Cherubic Hymn (Tchaikosky)
Alleluia (Thompson)

Gweithiau crefyddol estynedig
Messiah (Handel)
Mass in G (Schubert)
Gloria (Vivaldi)
Requiem (Mozart)
Vesperae Solennes de Confessore (Mozart)
Requiem (Verdi)
Crucifixion (Stainer)
Via Crucis (Liszt)

Madrigalau
Francion (Bonnet)
Weep o mine eyes (Bennet)
Fa, la , la (Certon)
Chi la Galiarda (Donati)
Come away sweet love (Greaves)
Le chant des Oiseaux (Janequin)
The sun hath long been set (John Owen Jones)
Ich weisz (Lassus)
L'eccho (Lassus)
Matona mia cara (Lassus)
Lamento d'Arianna (Monteverdi)

It was a lover and his lass (Morley)
Now is the month of Maying (Morley)
O Musika (Perveri)
O softly singing lute (Pilkington)
Pe cawn i hon (tr.Mansel Thomas)
Sweet Suffolk Owl (Vautor)
Canzonetta (Vecchi)
L'Apothicaire facệtiuz (Vicent d'Indy)
Wohlauf, ihr Gäste (Widmann)
Lady when I behold (Wilbye)
Draw on sweet night (Wilbye)
The Springtime of the year (R. Vaughan Williams)

Alawon Gwerin
Trefniannau J. Brian Hughes:
'Ei di'r deryn du?
Brothen
Cân yr ychen
Crempog
Cerdd dant ar y dôn 'Llansannan'
Dau gi bach
Deryn y Bwn
Dymyli ***(m)***
Ezekiel
Gaelic Llullaby
Gwenni aeth i ffair Pwllheli ***(m)***
Hen Benillion
Hwb i'r galon
Jonah
Lisa Lân ***(d)***
Lilliburlero
Last Rose of Summer
Lliw gwyn rhosyn yr haf
Mae'n gystal gen i swllt
March Glas
Norah
On the banks of Allan Waters ***(m)***
Oes Gafr Eto?
Pescatore
Paid â deud
Pa le mae 'nghariad i?

Pick a bale o'cotton
Riddle song ***(m)***
Robin Ddiog
Robin Adair
Sally Gardens ***(d)***
Si hei lwli 'mabi
Si so gorniog
Summer is a cumin in
Y Golomen
Yn y gwŷdd

Emynau Ann Griffiths
O am gael ffydd i edrych (Lliwiau'r Haf)
O ddedwydd awr (Y ferch o blwy Penderyn)

Swingle
Water Music (Handel)
Gavotte o Suite V (J.S. Bach)
Prelude in E (J.S. Bach)

Liza (Oswald Russell)
Ole 'im Joe (Oswald Russell)

Gwaith J.Brian Hughes
Green Desert Tyddewi – Tywi Idyll – I wraig fonheddig Llanarth – Eryr Pengwern – Song for July – Local Boy Makes Good

Grêt efo Het (cerdd Gwyn Thomas)
Music for Tomorrow Night
Sacrum Convivium (Côr – bas-organ)
Jesu of a Maid
Pianto della Madonna (digyfeiliant) – SATB soprano A bariton (20 munud)

Darnau Seciwlar
Heaven-Haven (Barber)
Guerra. Guerra (*Norma*: Bellini)
In stille Nacht (Brahms)
Harvest Joy (Brahms)
Choral Dance Gloriana (Britten)
Psarades (Georgiadis)

En Hiver (Hindemith)
Battle of Malden (Hoddinott)
Naše Píseñ (Janáček)
Kacena Divoká (Janáček)
Y Môr (Daniel Jones)
The God of Dreams / Hyfryd Wlad (John Owen Jones)
Spirit of Delight (John Owen Jones)
The Armado (Maconchy)
O Rejoice in the Lord (Mascagni)
Seid uns zum zweiten Mal willkomen (Mozart) ***(m)***
O Isis und Osiris (Mozart) ***(d)***
Do you remember an Inn, Miranda (Noble)
Rondes (Folke Rabe)
All in the April Evening (Roberton)
Gott im Ungewitter (Schubert)
Geographical Fugue (Toch)
Anvil chorus (*Il Travatore* Verdi)
Conspirators chorus (*Rigoletto* Verdi) ***(d)***
Va Pensiero (Verdi)
Hela'r Llwynog (Grace Williams)
Orpheus and his lute (Grace Willams) ***(m)***
Y Bwthyn ar y Bryn (Williams)
Just as the tide was flowing (R.Vaughan Williams)
The Springtime of the year (R.Vaughan Williams)

(m) *– merched,* ***(d)*** *dynion*

CANTORION CYNWRIG – PERFFORMIADAU GYDA CHERDDORFA

16 Mehefin 1974 Eglwys y Plwy Wrecsam
Wrexham Sinfonia
Beatus Vir (Monteverdi)
Ecce sacerdos (Bruckner)

14 Mehefin 1975 Eglwys y Plwy Wrecsam (Wrexham Sinfonia- Keith Dawber)
Organydd – Graham Elliot
Pamela Davies (s) Lesley Roberts (mezzo) Nigel Robson (t), John Rath (bas/bariton)
Chandos Anthem (Handel) *Jubilate Deo* (Gabrielli) *Kantate* 22 (J.S. Bach)
Saul, Saul (Schütz) *Salm 8 Herr unser Herrscher* (Schütz)

14 Chwefror 1976 Ysgol Grove Park
Wrexham Sinfonia – Julian Shelley
Nigel Robson (Acis) Pamela Davies (Galatea) Rosilyn Riley (Damon) Michael Underwood (Polypheme)
Acis a Galatea (Handel)

26 Mehefin 1976 Llanelwy
Wrexham Sinfonia – Julian Shelley Organydd Graham Elliot Janet Gration (s), Brenda Flanagan (alto) William Poole (t), Philip Joll (b)
Offeren yn G (Schubert)
Vesperae Solennes de Confessore (Mozart)

1 Gorffennaf 1978 Eglwys y Plwy Wrecsam
Wrexham Sinfonia – Julian Shelley organ Geoffrey Thomas
Deborah Rees (s) Robin Martin (uwchdenor) William Poole (t) Robert Dean (b)
Cantata 11 (J.S. Bach) *Psalm 90* (Charles Ives) P*salm 150* (Charles Ives) *Cantata 78* (Bach) *Cantata 38* (J.S. Bach) *Beatus Vir* (Monteverdi) *Herr unser Herrscher* (Schütz) *Zadok the Priest* (Handel)

22 Rhagfyr 1979 Cadeirlan Llanelwy
Manchester Mozart Players
Ann Dawson (s) Robin Martin (c/tenor) Mark Curtis (t) Christopher Holmes (b)
Messiah (Handel)

13 Gorffennaf 1980 Eisteddfod Ryngwladol Llangollen Rhan o Gôr Ewrop yn perfformio
Requiem Verdi arweinydd: Owain Arwel Hughes

CANTORION CYNWRIG PERFFORMIADAU GYDAG ORGAN

Mawrth 1968 Lindisfarne (Rhiwabon)
Organydd J.Raymond Wiliams
Offeren yn G. (Schubert)
Magnificat (Pachelbel)

13 Rhagfyr 1969 Capel Bethlehem
Organydd J. Raymond Williams Emyr Green (bas/Bariton)
Sacrum Convivium (J. Brian Hughes)
Gloria (Vivaldi)

14 Tachwedd 1976 Capel Bethlehem Rhos
Organydd Colin Jones
Janet Gration (s) Brenda Flanagan (alto) Hugh Hetherington (t) Philip Joll (b)
Offeren yn G (Schubert)
Vesperae Solennes de Confessore (Mozart)

1 Rhagfyr 1979 Capel Bethlehem
Organydd J. Raymond Williams Ann Dawson (s) Robin Martin (uwchdenor) Mark Curtis (t) Christopher Holmes (b)
Messiah (Handel)

24 Rhagfyr 1980 Capel Bethlehem
Organydd J. Raymond Williams Ann Dawson (s) Deborah Stuart-Roberts (mezzo) Barry Banks (t) Martin Bussey (b/b)
Requiem Mass (Mozart)

17 Ebrill 1981 Eglwys y Plwy Wrecsam
Organydd J. Raymond Williams Philip Creasey (t) David Hoult (b/b)
Crucifixion (Stainer)
Via Crucis (Liszt)